학교시험대비 평가 시리즈

중학 **역사** ① 평가문제집

금성출판사

이 책의 구성과 활용법

중학교 역사 ① 평가 문제집은
2015 개정 중학교 역사 ① 교과서에 따른 학습 보조 교재로
학교 시험 대비는 물론 교과 역량 향상과 자기 주도적 학습이
가능하도록 구성하였습니다.

나의 학습 계획표
단원 시작 전에 스스로 학습을 계획하고, 학습이 끝난
날짜를 점검하며 자기 주도 학습을 할 수 있어요.

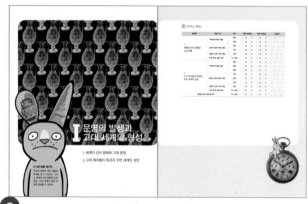

맥 잡는 연표 문제
스스로 연표를
완성하며 주제의
맥 잡기

핵심 짚는 확인 문제
빈칸 채우기,
○× 문제, 단답형,
선 잇기 등으로
핵심 개념 확인하기

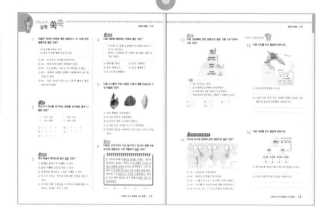

되짚어 보자! 기본 **개념**

간단한 문제를 풀며 기본적인 개념을 잘 이해하였는지
스스로 확인할 수 있어요.

키워 보자! 실력 **쑥쑥**

학교 시험에 자주 나오는 다양한 유형의 문제를 풀며
실력을 키워 만점에 도전해 보세요.

기억하자! 핵심 내용

교과서의 핵심 내용을 알차게 정리하였어요. 꼭 알아야 할
사건이나 개념을 확인하며 기초를 다질 수 있어요.

놓치지 말자! 핵심 자료

시험 대비에 필수적인 사료, 지도, 사진, 도표 등의
자료 분석 방법과 관련 문제를 안내하였어요.

알아 두자! 시험 포인트
시험에 나올 내용을
미리 확인하기

용어 풀이
어렵고 생소한
역사 용어 이해하기

점검하자! 시험 유형
자료를 이용한 시험
문항 유형 파악하기

함께 보자! 심화 자료
고득점을 위한 심화
자료 이해하기

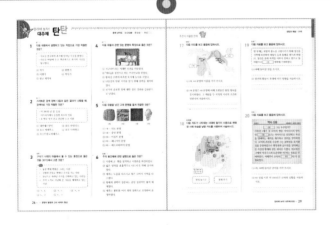

정리해 보자! 대주제 탄탄

대주제 내용을 종합적으로 점검하고 강화된 서술형 문제로
내신 만점에 도전해 보세요.

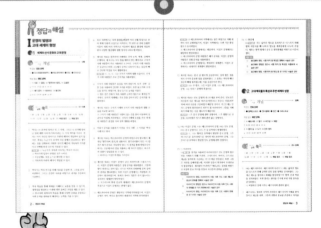

정답과 해설

친절한 해설을 통해 문제 해결력을 높이고,
유사 문제 및 응용문제도 대비할 수 있어요.

차례

I 문명의 발생과 고대 세계의 형성

이 대주제를 배우면

역사의 의미와 역사 학습의 목적을 알 수 있어요. 그리고 세계의 선사 문화와 고대 문명, 고대 세계의 성장 과정을 살펴볼 수 있어요.

📝 나의 학습 계획표

중주제	학습 코너	쪽수	학습 예정일	학습 완료일	달성도
1 세계의 선사 문화와 고대 문명	기억하자! 핵심 내용	8쪽	( )월 ( )일	( )월 ( )일	☆☆☆☆☆
		10쪽	( )월 ( )일	( )월 ( )일	☆☆☆☆☆
	놓치지 말자! 핵심 자료	9쪽	( )월 ( )일	( )월 ( )일	☆☆☆☆☆
		11쪽	( )월 ( )일	( )월 ( )일	☆☆☆☆☆
	되짚어 보자! 기본 개념	12쪽	( )월 ( )일	( )월 ( )일	☆☆☆☆☆
	키워 보자! 실력 쑥쑥	13~15쪽	( )월 ( )일	( )월 ( )일	☆☆☆☆☆
2 고대 제국들의 특성과 주변 세계의 성장	기억하자! 핵심 내용	16쪽	( )월 ( )일	( )월 ( )일	☆☆☆☆☆
		18쪽	( )월 ( )일	( )월 ( )일	☆☆☆☆☆
		20쪽	( )월 ( )일	( )월 ( )일	☆☆☆☆☆
	놓치지 말자! 핵심 자료	17쪽	( )월 ( )일	( )월 ( )일	☆☆☆☆☆
		19쪽	( )월 ( )일	( )월 ( )일	☆☆☆☆☆
		21쪽	( )월 ( )일	( )월 ( )일	☆☆☆☆☆
	되짚어 보자! 기본 개념	22쪽	( )월 ( )일	( )월 ( )일	☆☆☆☆☆
	키워 보자! 실력 쑥쑥	23~25쪽	( )월 ( )일	( )월 ( )일	☆☆☆☆☆
정리해 보자! 대주제 탄탄		26~29쪽	( )월 ( )일	( )월 ( )일	☆☆☆☆☆

1 세계의 선사 문화와 고대 문명

❶ 역사의 의미와 역사 학습의 목적

1 역사의 의미
(1) 과거에 일어난 사실
(2) 과거에 일어난 사실에 대한 이야기(기록) — **What?** 과거의 사실 중 누군가가 선택하여 기록한 것이야. 기록자의 주관이 반영되어 있지.

2 사료와 역사가
(1) **사료**: 역사가가 과거를 연구할 때 사용하는 재료(유물, 유적, 기록물 등)
(2) **역사가**: 사료를 연구하여 과거에 일어난 사실을 밝히려는 사람
(3) **역사 연구 방법**

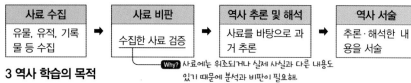

사료 수집	→	사료 비판	→	역사 추론 및 해석	→	역사 서술
유물, 유적, 기록물 등 수집		수집한 사료 검증		사료를 바탕으로 과거 추론		추론·해석한 내용을 서술

Why? 사료에는 위조되거나 실제 사실과 다른 내용도 있기 때문에 분석과 비판이 필요해.

3 역사 학습의 목적
(1) **정체성 형성**: '우리가 누구인가'를 인식
(2) **현재의 이해**: 현재를 알고 미래를 준비
(3) **교훈 획득**: 삶의 지혜와 교훈 습득

4 한국사와 세계사
(1) **한국사**: 한국인의 정체성이 형성된 내력, 세계사와의 긴밀한 연관성 속에서 전개
(2) **한국사와 세계사 학습의 균형**: 우리 역사에 대한 깊은 이해, 다문화적 시각 배양

❷ 인류의 출현과 선사 문화

1 인류의 출현과 진화
(1) **인류의 출현**: 약 390만 년 전 아프리카에서 최초의 인류 등장
(2) **인류의 진화**
　① **오스트랄로피테쿠스**: 약 390만 년 전 등장, 두 발로 보행, 간단한 도구 사용
　② **호모 에렉투스**: 약 180만 년 전 등장, 직립 보행, 불과 간단한 언어 사용
　③ **네안데르탈인**: 약 40만 년 전 등장, 현재 인류와 비슷한 크기의 뇌 보유, 호모 사피엔스와 공존하다 약 2만 8천 년 전 멸종
　④ **호모 사피엔스**: 약 20만 년 전 등장, 언어 구사, 각지로 이동, 다양한 환경에 적응

2 선사 문화의 발생 — **Who?** 뇌 용량 등 신체 특징으로 보아 현생 인류의 조상으로 여겨지고 있어.

구분	구석기 문화	신석기 문화
시기	인류의 출현 ~ 약 1만여 년 전	기원전 8000년경 시작
도구	뗀석기(주먹 도끼, 찍개, 슴베찌르개 등), 나무나 동물 뼈를 이용한 도구	간석기(돌낫, 돌보습, 낚시 도구, 갈판과 갈돌 등), 토기
경제	사냥, 식물의 열매와 뿌리 채집	사냥, 채집, 농경과 목축
생활	무리를 지어 이동 생활	정착 생활 시작(→ 인구 증가), 씨족 사회 형성
주거	동굴이나 막집	움집
신앙	매장 풍습, 벽화나 예술품 제작	자연을 숭배하는 원시 신앙

✚ 역사(歷: 지낼 역, 史: 역사 사)
역(歷)은 지난 일을, 사(史)는 기록 또는 기록하는 사람을 뜻한다. 한편 '역사'라는 뜻의 영어 'History'는 그리스어 'Historia'에서 유래한 것인데, 이는 무엇인가를 탐구하여 얻은 지식을 뜻한다.

✚ 호모 사피엔스
아프리카에서 처음 등장하여 아시아와 유럽 등지로 퍼져 나간 인류이다. 프랑스의 크로마뇽인, 한국의 승리산인 등이 대표적이다.

✚ 뗀석기
큰 돌에 타격을 가하거나 그 돌을 다른 물체에 부딪혀 떼어 내는 방법으로 만든 석기이다.

✚ 간석기
돌을 갈거나 다듬어 제작한 석기이다. 신석기 시대에 기온이 상승하자 작고 빠른 동물들이 번성하였고, 사람들은 이전보다 더 정교한 사냥 도구를 사용하기 위해 간석기를 만들었다.

✚ 움집
움을 파고 지은 집이다. 일반적으로 중앙에 취사나 난방을 위한 화덕이 있었고 출입문 옆에는 저장용 구덩이가 설치되었다.

놓치지 말자! 핵심 자료

자료 ① 사료의 종류

유물	유적	기록물
중국 문명의 청동 솥	잉카 문명의 마추픽추	이집트 문명의 로제타석

사료에는 유물이나 유적, 과거 사람들이 남긴 기록물 등이 있다. <u>유물</u>은 과거 사람들이 만들어 사용한 물건이고, <u>유적</u>은 집터나 무덤처럼 과거 사람들이 남긴 흔적이다. <u>기록물</u>은 어떤 사실이 기록된 책, 비문, 그림, 사진 등의 자료이다. 이외에도 <u>인간의 활동으로 만들어진 모든 흔적</u>은 유형이든, 무형이든 사료로 활용될 수 있다.

자료 ② 선사 시대의 유물 및 유적

구석기 시대	신석기 시대
• 유물명: 주먹 도끼 • 용도: 자르기, 긁기, 밀기, 펴기 등	• 유물명: 갈돌과 갈판 • 용도: 나무 열매나 곡물 분쇄
• 유물명: 매머드 뼈로 만든 막집 • 용도: 이동 생활 중 거주	• 유물명: 움집 • 용도: 정착하여 거주

선사 시대는 문자가 존재하지 않았던 시기이기 때문에 <u>유물 및 유적을 통해서 그 당시 생활상을 알 수 있다.</u> 구석기 시대 사람들은 주먹 도끼와 같은 <u>뗀석기</u>를 사용하여 동물을 사냥하거나 식물의 뿌리 등을 채집하였고 <u>이동 생활</u>을 하며 동굴이나 막집에서 거주하였다. 한편 신석기 시대 사람들은 빙기가 끝나면서 번성한 작고 빠른 동물을 사냥하기 위해 <u>간석기를 사용</u>하였고, 따뜻해진 날씨에 힘입어 <u>농경과 목축</u>을 시작하였다. 갈돌과 갈판, 토기 등의 유물이 그러한 사실을 잘 보여 준다. 서남아시아와 인도, 중국에서는 기후가 따뜻하여 일찍부터 농경이 발달하였고, <u>농경을 주로 하게 된 사람들은 농토 주변에 움집을 짓고 정착 생활</u>을 하였다.

점검하자! **시험 유형**

실제 사료나 사료의 특징을 제시하고 사료의 종류나 개념을 묻는 문제가 자주 출제되니 이를 잘 기억해 두자.

연습 문제 밑줄 친 '이것'으로 가장 적절한 것은?

- 역사가는 유물, 유적, 기록물 등의 <u>이것</u>을/를 통해 역사를 연구한다.
- 역사가는 <u>이것</u>을/를 분석하여 실제 사실과 다르거나 위조된 내용을 가려낸다.

① 사료　　② 비문　　③ 그림
④ 소설　　⑤ 사진

정답 ①

함께 보자! **심화 자료**

라스코 동굴 벽화

프랑스 남서쪽에 있는 라스코 동굴에서 발견된 구석기 시대의 벽화야. 이 벽화에는 소, 말, 사슴 등의 동물이 표현되어 있어. 구석기 시대 사람들은 왜 동굴 벽에 동물을 그렸을까? 역사학자들은 이러한 벽화에 사냥의 성공을 기원하는 주술적인 의도가 반영되었다고 해석하고 있어.

 **세계의 선사 문화와
고대 문명**

3 큰 강 유역에서 발생한 문명

1 +문명의 발생
(1) 부족 간의 통합: 큰 강 유역의 비옥한 지역에서 대규모 +관개 사업이 발달하며 진행
(2) 도시의 출현: 농업 생산량 증가, 인구 증가 → 물자 교류의 과정에서 발생
(3) 국가의 성립: 청동기 사용으로 정복 전쟁 촉진 → 부족 간 통합이 가속화되며 발생
(4) 계급 발생: 지배층(전쟁과 제사 담당), 피지배층(지배층에게 세금과 노동력 제공)
(5) 문자 사용: 통치와 교역 활동을 기록하기 위해 문자 사용 → +역사 시대로 진입
2 세계의 고대 문명: 메소포타미아 문명, 이집트 문명, 인도 문명, 중국 문명 등

4 메소포타미아와 이집트에서 발생한 문명

1 메소포타미아 문명
(1) 발생: 기원전 3500년경, 티그리스강·유프라테스강 유역, 개방적 지형
(2) 현세 중심의 세계관: 지구라트(신전)를 건립하여 현세의 행복 기원
(3) 특징: 점성술과 +태음력 발달, 쐐기 문자 사용
(4) 바빌로니아 왕국: 기원전 1800년경 건설, 메소포타미아 지역 대부분 정복, +함무라비 법전』 → 히타이트인에게 멸망

2 이집트 문명
(1) 발생: 기원전 3000년경, 나일강 유역, 폐쇄적 지형
(2) 통일 왕국 유지: 파라오(왕)가 정치, 종교 경제 등 다방면에 강력한 권력 보유
(3) 내세 중심의 세계관: 영혼 불멸 사상, 미라 제작, 피라미드 축조
(4) 특징: 천문학·태양력·수학·측량법 발달, 상형 문자 사용(파피루스에 기록)
> **What?** 상형 문자란 물체의 형태를 본떠 만든 글자라는 뜻이야.

5 중국과 인도에서 발생한 문명

1 중국 문명
(1) 상
 ① 성장: 기원전 1600년경 황허강 유역에서 번영
 ② 특징: 청동기 사용, 신권 정치, 태음력 발달, 갑골문 사용
> **What?** 왕이 정치와 종교에서 모두 권력을 가지는 정치 형태야.
(2) 주
 ① 성장: 기원전 1100년경 창장강 유역까지 세력 확대
 ② 특징: 수도와 그 주변은 왕이, 그 외의 지역은 제후가 다스리는 봉건제 시행

2 인도 문명
(1) 인더스 문명
 ① 발생: 기원전 2500년경, 인더스강 유역
 ② 특징: 계획도시(모헨조다로, 하라파) 건설, 청동기 사용, 상형 문자 사용
(2) 아리아인의 이동
 ① 이동: 중앙아시아 → 인더스강 유역(기원전 1500년경) → 갠지스강 유역(기원전 1000년경)
 ② 영향: 철기 사용, +브라만교와 카스트제(엄격한 신분 제도) 성립
> **Why?** 아리아인이 원주민을 지배하기 위해 만들었어.

+ 문명
인류 사회가 물질적·정신적으로 발전시킨 삶의 모습을 뜻한다.

+ 관개 사업
작물을 재배하는 농경지에 물을 인공적으로 공급하는 일이다.

+ 역사 시대
인류가 문자를 사용하기 이전을 '선사 시대', 그 이후를 '역사 시대'라고 한다. 전자는 유적과 유물 등을 통해, 후자는 문자로 기록된 문헌 등을 통해 연구할 수 있다.

선사 시대 ◀ 전 후 ▶ 역사 시대
▲
문자 사용

+ 태음력
달이 차고 기우는 것을 기준으로 만든 역법이다.

+ 쐐기 문자
갈대나 금속으로 진흙 판에 새긴 문자로 쐐기를 닮았다. 우루크 유적에서 발견된 기록에는 곡식과 가축의 수량이 쐐기 문자로 적혀 있기 때문에, 메소포타미아 문명의 사람들이 경제적 필요에 따라 문자를 발명하였을 것으로 추측된다.

+「함무라비 법전」
함무라비왕이 만든 법전으로, 쐐기 문자로 기록되었다. "눈에는 눈, 이에는 이"라는 복수주의를 바탕으로 신분에 따라 형벌을 다르게 적용하였다.

+ 태양력
태양의 운행을 기준으로 만든 역법이다.

+ 갑골문
상에서 국가의 중요한 일에 대해 점을 친 결과를 거북의 배나 소의 어깨 뼈 등에 새긴 문자이다. 한자의 기원으로 여겨진다.

+ 브라만교
인도의 고대 종교이다. 「베다」라는 경전을 바탕으로 하였으며, 힌두교 등 여러 인도 종교의 원천으로 간주된다.

놓치지 말자! 핵심 **자료**

자료① 고대 문명의 발상지

고대 문명은 주로 **큰 강 유역**에서 발생하였다. 큰 강 유역은 교통이 편리하고 기후가 따뜻하여 농업에 유리하였기 때문이다. 많은 사람들이 이곳에 모여 살면서 점차 도시와 국가가 형성되었다. 메소포타미아 문명은 티그리스강과 유프라테스강 사이, 이집트 문명은 나일강 유역에서 발생하였다. 그리고 중국 문명은 황허강과 창장강 유역 등 여러 지역, 인도 문명은 인더스강 유역에서 발생하였다.

점검하자! **시험 유형**

세계의 고대 문명과 관련된 유물 및 유적이나 그 발상지를 제시하고 문명에 대해 묻는 문제가 자주 출제되니 이를 잘 기억해 두자.

연습 문제 다음 고대 문명의 공통점으로 옳지 **않은** 것은?

- 메소포타미아 문명
- 이집트 문명
- 중국 문명
- 인도 문명

① 문자 사용   ② 도시의 출현
③ 청동기 사용   ④ 평등 사회 실현
⑤ 큰 강 유역에서 발생

④ 目정

자료② 주의 봉건제와 인도의 카스트제

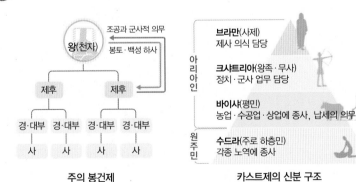

주의 봉건제   카스트제의 신분 구조

주는 넓은 영역을 효과적으로 다스리기 위해 봉건제를 시행하였다. **봉건제는 왕이 제후에게 봉토와 백성을 하사하고 제후는 왕에게 조공과 군사적 의무를 바치는 제도**이다. 주로 혈연관계를 기반으로 하여 왕의 형제나 친척이 제후로 임명되었다. 한편 인도에 정착한 아리아인은 원주민을 손쉽게 지배하기 위해 카스트제를 만들었다. 카스트제는 브라만, 크샤트리아, 바이샤, 수드라 등으로 인간의 계급을 구분하였다. 인도인은 원래 그들의 신분 제도를 '바르나(색깔)'라고 불렀는데, 인종(피부색)에 따라 신분을 구분하였기 때문에 이렇게 불렀을 것으로 추측된다.

함께 보자! **심화 자료**

『마누 법전』

힌두교에서 가장 권위 있는 법전이야. 이 법전은 카스트제를 엄격히 지킬 것을 강조하며, 각종 종교, 도덕, 법률 등을 다루었어. 『마누 법전』의 완성과 함께 인도에서는 힌두교와 카스트제를 중심으로 한 사회 질서가 정비되었어.

맥 잡는 **연표 문제**

⊙ 약 390만 년 전 ❶ _____ 등장

⊙ 약 180만 년 전 호모 에렉투스 등장

⊙ 약 40만 년 전 네안데르탈인 등장
⊙ 약 20만 년 전 호모 사피엔스 등장

⊙ 기원전 8000년경 신석기 시대

⊙ 기원전 3500년경 ❷ _____ 문명 발생

[기원전 3000] ⊙ 기원전 3000년경 이집트 문명 발생

⊙ 기원전 2500년경 중국 문명 발생
　　　　　　❸ _____ 문명 발생

[기원전 2000]

⊙ 기원전 1800년경 바빌로니아 왕국 성립

⊙ 기원전 1600년경 상 번영
⊙ 기원전 1500년경 아리아인,
　　　　　　❹ _____ 유역으로
　　　　　　이동

⊙ 기원전 1100년경 상 멸망, 주 번영
[기원전 1000] ⊙ 기원전 1000년경 아리아인, 갠지스강 유역으로
　　　　　　세력 확대

핵심 짚는 **확인 문제**

1 다음 빈칸에 들어갈 알맞은 말을 써 보자.

(1) (　　　　)은/는 역사가가 과거를 연구할 때 사용하는 재료이다.

(2) 신석기 시대 사람들은 (　　　)와/과 같은 정교한 집을 지었다.

(3) 함무라비왕은 (　　　　　)을/를 편찬 하여 바빌로니아 왕국을 다스렸다.

(4) 상에서 사용되던 (　　　　)은/는 한자의 기원으로 여겨진다.

2 다음 설명이 옳으면 O표, 틀리면 X표를 해 보자.

(1) 호모 사피엔스는 지구상에 등장한 최초의 인류 이다. (　　　)

(2) 구석기 시대 사람들은 다산과 사냥의 성공을 기 원하며 예술품이나 벽화를 제작하였다. (　　　)

(3) 이집트에서는 외적의 침입이 잦아 지배 세력이 자주 교체되었다. (　　　)

(4) 주는 넓은 영역을 다스리기 위해 카스트제를 시 행하였다. (　　　)

3 물음에 알맞은 답을 써 보자.

(1) 메소포타미아 문명의 사람들이 사용하던 문자 는? (　　　　　)

(2) 이집트인들이 미라를 보존하기 위해 만든 거대 한 무덤은? (　　　　　)

(3) 왕의 친족과 공신을 제후로 임명하고 그들에 게 토지와 백성을 하사한 주의 통치 제도는?
(　　　　　)

4 카스트제의 신분과 역할을 옳게 연결해 보자.

(1) 브라만　　•　　　　•　㉠ 정치·군사 업무

(2) 크샤트리아 •　　　　•　㉡ 제사 의식

(3) 바이샤　　•　　　　•　㉢ 각종 노역

(4) 수드라　　•　　　　•　㉣ 농업, 상업 등

1 다음은 역사의 의미에 대한 내용이다. (개), (내)에 관한 설명으로 옳은 것은?

> (개) 과거에 일어난 사실
> (내) 과거 사실에 대한 이야기(기록)

① (개) - 누군가가 지어낸 이야기이다.
② (개) - 역사가의 입장이 반영되어 있다.
③ (내) - 오늘날에는 직접 눈으로 확인할 수 없다.
④ (내) - 기록한 사람의 선택과 주관에 따라 다르게 쓰일 수 있다.
⑤ (내) - 이미 지나간 일이므로 주관적 해석이 개입되어 있지 않다.

2 역사가가 역사를 연구하는 방법을 순서대로 옳게 나열한 것은?

> ㄱ. 사료 수집　　　ㄴ. 역사 서술
> ㄷ. 사료 비판　　　ㄹ. 역사 추론

① ㄱ - ㄴ - ㄷ - ㄹ
② ㄱ - ㄷ - ㄴ - ㄹ
③ ㄱ - ㄷ - ㄹ - ㄴ
④ ㄴ - ㄷ - ㄹ - ㄱ
⑤ ㄷ - ㄹ - ㄱ - ㄴ

3 역사 학습의 목적으로 옳지 <u>않은</u> 것은?

① 현재를 올바르게 이해할 수 있다.
② 삶의 지혜와 교훈을 얻을 수 있다.
③ 정체성을 형성하고 그것을 이해할 수 있다.
④ 우리가 어디로 가야 할지에 대한 전망을 찾을 수 있다.
⑤ 우리의 문화 우월성을 과시하며 외래문화를 비판하는 자세를 가질 수 있다.

4 다음 내용에 해당하는 인류로 옳은 것은?

> • 약 20만 년 전에 등장하였으며 현재 인류의 조상으로 여겨진다.
> • 언어를 구사하였으며 다양한 생김새와 생활 양식을 가졌다.

① 네안데르탈인　　② 호모 사피엔스
③ 호모 하빌리스　　④ 호모 에렉투스
⑤ 오스트랄로피테쿠스

5 다음 도구들이 주로 사용된 시대의 생활 모습으로 가장 적절한 것은?

① 정착 생활을 시작하였다.
② 토기를 만들어 사용하였다.
③ 동굴이나 바위 그늘에서 살았다.
④ 농사를 짓고 가축을 기르기 시작하였다.
⑤ 갈판과 갈돌을 이용하여 곡식 등을 가루로 만들었다.

6 다음은 신석기인의 가상 일기이다. 당시의 생활 모습에 관한 설명으로 가장 적절하지 <u>않은</u> 것은?

> 온 가족이 함께 ㉠새로운 움집을 지었다. 가운데에 화덕도 놓았다. 엄마는 ㉡토기에서 곡식을 꺼내어 갈판에 갈아서 음식을 준비하셨고, 나와 동생은 ㉢강가에 가서 물고기와 조개를 잡아 왔다. 아버지는 ㉣돌낫으로 곡식을 수확하셨다. 내일은 작고 빠른 동물을 잡기 위해 ㉤청동 검을 만들어야겠다.

① ㉠　　② ㉡　　③ ㉢　　④ ㉣　　⑤ ㉤

7 구석기 시대와 신석기 시대의 생활 모습을 비교한 표이다. 옳지 <u>않은</u> 것은?

	구분	구석기 시대	신석기 시대
①	도구	뗀석기	간석기
②	주거	동굴, 막집	움집
③	생활	정착 생활	이동 생활
④	사회	무리를 지어 생활	씨족 사회 형성
⑤	경제	채집, 사냥	농경·목축 시작

8 다음 두 시대를 구분하는 기준으로 옳은 것은?

선사 시대 전 후 역사 시대

① 불의 사용
② 언어의 사용
③ 도구의 사용
④ 문자의 사용
⑤ 청동기의 사용

9 다음 법전과 관련된 내용으로 옳지 <u>않은</u> 것은?

> 196조 귀족의 눈을 멀게 하면 그의 눈을 멀게 한다.
> 198조 귀족이 평민의 눈을 멀게 하거나 뼈를 부러뜨리면 은 1미나를 지불해야 한다.
> 199조 귀족이 남의 노예의 눈을 멀게 하거나 뼈를 부러뜨리면 그 노예 가격의 반을 지불해야 한다.

① 파라오
② 복수주의
③ 쐐기 문자
④ 신분 차별
⑤ 함무라비왕

10 다음 유적을 남긴 고대 문명에 관한 설명으로 옳지 <u>않은</u> 것은?

① 상형 문자가 사용되었다.
② 강한 신권 정치가 시행되었다.
③ 측량법과 천문학이 발달하였다.
④ 육체가 죽어도 영혼은 죽지 않는다고 믿었다.
⑤ 지구라트라는 신전을 세우고 현세의 안정을 기원하였다.

11 다음은 메소포타미아 문명과 이집트 문명을 비교한 내용이다. 옳은 것은?

	구분	메소포타미아 문명	이집트 문명
①	지형	개방적	폐쇄적
②	정치	통일 왕조 유지	빈번한 왕조 교체
③	달력	태양력	태음력
④	문자	상형 문자	쐐기 문자
⑤	세계관	내세 중심	현세 중심

12 다음 유물을 남긴 왕조에 관한 설명으로 옳은 것은?

① 국가의 중요한 일은 점을 쳐서 결정하였다.
② 혈연을 기반으로 하는 봉건제를 시행하였다.
③ 파라오의 무덤으로 거대한 피라미드를 지었다.
④ 티그리스·유프라테스강 유역에 국가를 세웠다.
⑤ 하라파, 모헨조다로 등 계획도시가 발달하였다.

13 다음 신분제에 관한 설명으로 옳은 것을 〈보기〉에서 고른 것은?

보기
ㄱ. '바르나'라고도 한다.
ㄴ. 중국 황허강 유역에서 발달하였다.
ㄷ. 능력에 따라 신분 이동이 가능하였다.
ㄹ. 아리아인이 원주민을 지배하기 위해 만들었다.

① ㄱ, ㄴ   ② ㄱ, ㄷ   ③ ㄱ, ㄹ
④ ㄴ, ㄹ   ⑤ ㄷ, ㄹ

주관식·서술형 문제

15 다음 지도를 보고 물음에 답하시오.

(1) (가) 민족의 명칭을 쓰시오.

(2) (1)의 이동 이후 인도 사회의 변화 모습을 신분 제도와 종교의 측면에서 서술하시오.

세계사능력검정시험 응용 문제
14 지도에 표시된 문명에 관한 설명으로 옳은 것은?

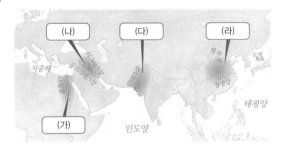

① (가) – 갑골문을 사용하였다.
② (나) – 황허강 유역에서 일어났다.
③ (다) – 수메르인이 우르 등지에 국가를 세웠다.
④ (라) – 이주해 온 아리아인에 의해 정복되었다.
⑤ (가), (나), (다), (라) – 큰 강 유역에서 발생하였다.

16 다음 자료를 보고 물음에 답하시오.

(1) 위 자료에 나타난 통치 제도의 명칭을 쓰시오.

(2) (1)의 시행 목적과 특징을 서술하시오.

2 고대 제국들의 특성과 주변 세계의 성장

1 서아시아 세계를 통일한 페르시아

1 최초로 서아시아 지역을 통일한 아시리아
(1) 최초의 서아시아 통일: 메소포타미아 문명 발생 이후 +다양한 민족과 국가 등장, 분열 지속 → 기원전 7세기경 아시리아가 강력한 군사력으로 주변 지역 정복
(2) 중앙 집권 체제 강화: 법률과 도로 정비 등
(3) 멸망: 피정복민 강제 이주, 무거운 세금 부과 등 강압적 통치 → 반란 지속

2 관용 정책을 펼친 페르시아(아케메네스 왕조 페르시아)
(1) 서아시아 재통일: 기원전 6세기경, 키루스왕이 통일 왕조 수립
(2) 관용 정책: 페르시아의 지배를 수용하고 세금을 내는 피정복민의 전통과 종교 존중, 자치 인정
(3) 다리우스 1세의 제국 통치 정책
  ① 대제국 건설: 서아시아, 이집트, 인더스강 유역에 이르는 영토 확보
  ② 중앙 집권 정책: 전국에 +총독과 감시관 파견, '+왕의 길' 건설, 군사 제도와 세금 제도 정비, 화폐 통일
  ③ 그리스·페르시아 전쟁: 지중해 세계의 주도권 차지 위해 그리스 공격 → 그리스의 저항으로 패배
(4) 멸망: 지방 총독의 반란으로 약화 → 마케도니아에 멸망(기원전 330)

3 페르시아를 계승한 사산 왕조 페르시아
(1) 성장: 3세기 초 성립, 페르시아 계승 → 서아시아에서 인더스강 유역에 이르는 영토 확보
(2) 중앙 집권 체제 확립: 지방에 총독 파견 등
(3) 동서 교역 주도: 유럽과 아시아를 잇는 지역에 위치한 장점 이용
(4) 멸망: 내부 혼란과 비잔티움 제국과의 전쟁 등으로 약화 → 7세기 중엽 이슬람 세력에 멸망

4 페르시아의 문화
(1) 다양한 문화 수용: 제국 내 다양한 민족의 문화 인정, 활발한 대외 교류 → 다양한 문화가 융합된 국제적인 문화 발전 (페르세폴리스 유적)
(2) 공예 기술: 금속·유리 공예 발전, 사산 왕조의 공예 기술이 유럽, 이슬람, 동아시아 지역까지 전래

5 조로아스터교의 성립
(1) 성립: 기원전 7세기경 조로아스터라는 예언자가 창시
(2) 특징: 세상을 선과 악의 대결 장소로 파악
(3) 페르시아의 보호
  ① 페르시아의 왕들은 최고신 아후라 마즈다가 자신에게 권력 주었다고 주장
  ② 사산 왕조 페르시아는 조로아스터교를 국교로 지정

+ 서아시아의 다양한 민족
메소포타미아 문명 발생 이후 서아시아 지역에는 수많은 민족과 국가가 나타났다 사라졌다. 철제 무기를 사용했던 히타이트, 지중해 무역을 주도하며 알파벳의 기원이 되는 표음 문자를 사용했던 페니키아인, 유대교의 유일신 사상을 발전시켜 후일 크리스트교와 이슬람교에 영향을 미친 헤브라이인 등이 대표적이다.

+ 총독
일반적으로 어떤 관할 구역 안의 모든 행정을 통할하는 직책을 뜻한다. 시대나 지역에 따라 관할하는 업무나 범위 등에 차이가 있다.

+ 왕의 길
페르시아는 왕명의 신속한 전달과 세금 수취를 위해 '왕의 길'이라는 도로를 정비하였다. 페르시아의 관리들은 이 길을 통해 빠르게 이동할 수 있었다. 도로가 정비되자 제국 내 교류가 활발해졌을 뿐만 아니라 다른 나라와의 교역도 활발해졌다.

아후라 마즈다를 상징하는 파라바하르

놓치지 말자! 핵심 자료

자료 1 아시리아와 페르시아의 영역

- 아시리아의 최대 영역
- 아케메네스 왕조 페르시아의 최대 영역
- 왕의 길

티그리스강 유역의 작은 도시 국가에서 출발한 아시리아는 기마 전술과 철제 무기 전차를 앞세워 서아시아 지역의 상당 부분을 통일하였다. 그러나 가혹한 통치에 대한 반발로 아시리아는 오래 지속되지 못하였다. 얼마 지나지 않은 기원전 6세기 무렵에 페르시아가 서아시아 지역을 다시 통일하였다. 페르시아는 이집트와 지중해 연안에서부터 인더스강에 이르는 대제국을 건설하였다. 페르시아는 피정복민에게 관용을 베풀었으며, 전국을 20개 주로 나누고 주마다 총독을 파견하였다. 또한 '왕의 길'이라는 도로를 정비하는 등 중앙 집권 체제를 강화하였다. 페르시아는 이러한 정책에 힘입어 약 200년 동안 통일과 번영을 누릴 수 있었다.

자료 2 페르시아의 수도, 페르세폴리스

궁전 계단의 부조

만국의 문

페르시아는 메소포타미아 문화를 중심으로 이집트·아시리아·그리스 문화를 수용하였다. 오늘날 이란의 파르스 지방에 남아 있는 페르세폴리스 유적에서 그러한 특징을 찾아볼 수 있다. 우선 페르세폴리스 궁전은 경사지에 터를 닦아 계단식 건물을 지은 것인데, 이는 바빌로니아식 건축법이다. 또한 궁전 계단에 새겨진 조공 행렬도와 동물 투쟁도는 아시리아식으로 돋을새김한 것이며, 연꽃무늬는 이집트의 영향을 받은 요소이다. '만국의 문' 양쪽에 서 있는 인면수신상은 아시리아, 돌기둥의 모양은 그리스의 영향을 받은 것이다.

함께 보자! **심화 자료**

키루스 원통

페르시아의 키루스왕이 바빌로니아를 정복한 후 피정복민의 전통과 종교를 존중한다고 한 선언이 쐐기 문자로 적혀 있는 원통이야. 이는 세계 최초로 인간의 기본권을 선언한 것으로 평가되기도 한단다. 페르시아에서 시행한 관용 정책의 일면을 보여 주는 유물이지.

점검하자! **시험 유형**

페르세폴리스 유적의 사진을 제시하고 페르시아 문화에 대해 묻는 문제가 자주 출제되니 이를 잘 기억해 두자.

연습 문제 다음 유적으로 알 수 있는 페르시아 문화의 특징으로 가장 적절한 것은?

① 국제적인 문화
② 합리적인 문화
③ 개인주의적인 문화
④ 인간 중심적인 문화
⑤ 세계 시민주의적인 문화

① 目정

2 고대제국들의 특성과 주변세계의 성장

2 큰 변화가 일어난 춘추 전국 시대

1 춘추 전국 시대의 전개
(1) **주의 천도**: 기원전 8세기경 내부 혼란과 외침에 시달리다 낙읍(뤄양) 천도
(2) **분열과 전쟁**: 봉건제 기초로 한 주 왕실의 권위 하락, 강력한 제후들이 등장하여 치열하게 경쟁(춘추 5패, 전국 7웅)

2 철기의 보급과 사회·경제적인 발전
(1) **철제 농기구와 소를 이용한 농법 확산**: 농업 생산력 향상 → 상업과 수공업 발전
(2) **철제 무기 사용**: 전쟁의 규모 확대 및 빈도 증가 → 평민의 역할 증대

3 제자백가의 출현
(1) **배경**: 춘추 전국 시대 제후들의 부국강병 추구 → 인재 등용
(2) **제자백가의 주장**: 사회 안정 위해 인간성과 사회 문제 분석, 정치 개혁안 제시

사상	유가	묵가	법가	도가
대표 학자	공자, 맹자	묵자	한비자	노자, 장자
주장	인(仁)·예(禮) 바탕으로 한 도덕 정치	차별 없는 사랑	엄격한 법에 따른 정치	자연의 순리

3 중국 문화의 기초가 된 진·한

1 진의 중국 통일
(1) **최초의 중국 통일**: 기원전 4세기경 개혁 시행 → 주변 국가들 차례로 정복
(2) **진시황제의 통일정책**: 군현제 전국 시행, 도로 건설, 문자·화폐·도량형·사상의 통일 [What? 전국을 군과 그 밑의 여러 현으로 나누고 관리를 보내 다스리는 통치 제도야.]
(3) **만리장성 축조**: 흉노를 몰아내고 장성들을 증축하거나 연결
(4) **멸망**: 무리한 토목 공사와 가혹한 법률에 의한 통치 → 각지의 반란으로 멸망

2 한의 중국 재통일 [What? 이 성벽은 진 이후에도 확장되었으며, 현재 중국을 상징하는 문화유산 중 하나로 여겨지고 있어.]
(1) **중국 통일**: 유방(고조)이 장안 수도로 건국, 군국제 시행
(2) **한 무제의 제국 통치 정책**
　① **사상 기반 마련**: 유학을 나라의 기본 정치 이념으로 채택
　② **중앙 집권 체제 강화**: 군현제 전면 시행
　③ **영토 확장**: 고조선 공격, 베트남 북부까지 세력 확장, 장건을 서역으로 파견 (→ 비단길 개척에 기여), 흉노 공격
(3) **후한의 성립**: 외척 왕망에게 전한 멸망 → 광무제가 다시 부활시키며 후한 성립
(4) **멸망**: 2세기경 외척·환관의 정치 개입 심화, 호족 성장 → 농민 봉기, 황건적의 난으로 급격히 약화하여 멸망

3 한의 문화
(1) **유학의 발달**: 태학 설치, 유학 지식을 갖춘 관리 선발 → 유교, 훈고학 발전
(2) **역사**: 사마천의 『사기』 저술(중국 역사 서술의 모범)
(3) **과학 기술**: 채륜의 제지법 개량, 지진계·해시계 등 발명

＋ 춘추 5패, 전국 7웅
춘추 시대가 시작될 무렵, 200여 개의 제후국이 있었다. 5패는 이들 제후국을 이끌던 패자를 배출한 나라를 말한다. 전국 시대에는 강력한 일곱 나라가 있었는데, 이를 7웅이라고 한다.

● 춘추 5패
□ 전국 7웅

＋ 군국제
왕이 직접 다스리는 지역을 뺀 나머지 영토를 제후에게 나누어 주는 봉건제와 전국을 군과 그 밑의 여러 현으로 나누고 관리를 보내 다스리는 군현제를 절충한 제도이다. 한 고조는 막강한 세력을 지닌 공신들을 제후로 봉하여 왕조를 안정시키기 위해 군국제를 시행하였다.

한의 군국제

＋ 서역
중국인이 자신의 서쪽 지역을 칭하는 말로, 주로 중앙아시아 지역을 가리킨다.

＋ 훈고학
유교 경전을 연구하여 문장을 바르게 해석하고 고전에 담긴 본래의 사상을 이해하고자 하는 학문이다. 이는 진시황제 때 소실된 유교 경전을 복원하는 과정에서 발전하였다.

놓치지 말자! 핵심 자료

자료 ① 진시황제의 통일 정책

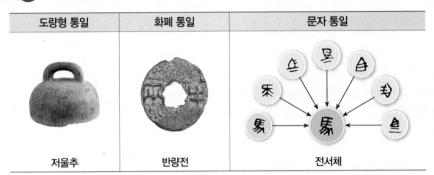

도량형 통일	화폐 통일	문자 통일
저울추	반량전	전서체

중국을 최초로 통일한 진시황제는 <u>모든 권력을 자신에게 집중</u>시키고자 하였다. 따라서 그는 지역마다 달랐던 <u>도량형(길이·부피·무게를 재는 단위), 화폐, 문자 등을 통일</u>하였다. 도량형 과 화폐가 통일되면서 지역 간의 교류가 활발해지고 상업이 발전하였다. 그리고 문자가 통일 되면서 수도와 먼 지역에도 황제의 명령과 법령이 정확하게 전달되었다. 또한 진시황제는 <u>법 가를 중심으로 사상을 통일</u>하고자 하였는데, 이는 자신의 정책에 반대하는 사람들을 탄압하기 위해서였다.

자료 ② 장건의 서역 원정과 비단길의 개척

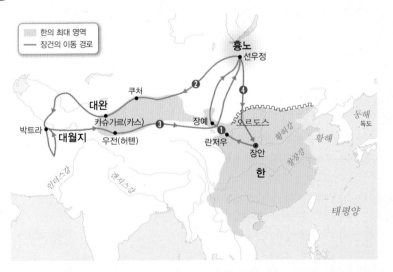

한 무제는 건국 초기부터 한을 압박하던 흉노를 견제하고자 노력하였다. 이에 <u>장건을 서역(중 앙아시아)에 파견</u>하여 흉노에게 적대감을 가지고 있던 대월지와 동맹을 맺고자 하였다. 그러 나 장건은 원정 중에 흉노에게 붙잡히는 등의 고초를 겪었다. 결국 그는 대월지와의 동맹을 달성하지 못하고 13여 년 만에 고국으로 돌아왔다. 장건은 비록 원래 목적을 이루는 데는 실패 하였지만, 서역의 사정을 중국에 알려 '비단길(실크로드)'가 개척되는 데 기여하였다. 이후 중 국인들은 이 길을 통해 <u>서역과 활발히 교류</u>하였다.

점검하자! 시험 유형

진시황제의 통일 정책 내용을 제시하고 시행의 주체나 목적에 대해 묻는 문제가 자주 출제되니 이를 잘 기억해 두자.

연습 문제 진시황제가 다음 정책들을 추진 한 공통적인 목적으로 가장 적절 한 것은?

- 군현제 시행
- 문자, 화폐, 도량형, 사상 통일

① 국가 재정 확보
② 법가 사상 진흥
③ 흉노 침입 대비
④ 훌륭한 인재 양성
⑤ 중앙 집권 체제 강화

⑨ 程정

함께 보자! 심화 자료

「장건출사서역도(張騫出使西域圖)」
둔황 막고굴에 그려진 벽화로, 말 위에서 명령을 내리는 한 무제와 무릎을 꿇은 장 건이 표현되어 있어. 이는 7세기 무렵에 제작된 것으로 추측돼. 「장건출사서역도」 는 장건의 서역 원정이 무려 800여 년 뒤 에도 벽화로 그려질 정도로 중국 사회에 많은 영향을 미쳤음을 보여 주지.

2 고대제국들의 특성과 주변 세계의 성장

④ 서양 문명의 토대가 된 그리스

1 폴리스의 성립과 성장
(1) **아테네**: 무역으로 부를 쌓은 평민의 지위 신장 → 민주 정치 발달
  ① 직접 민주 정치의 발전(페리클레스 시기): 성인 남성 시민, 민회에서 국사 의논
  ② 아테네 민주 정치의 한계: 여성과 노예, 외국인 제외
(2) **스파르타**: 도리아인이 다수의 원주민을 다스리기 위해 군국주의 정책 시행

2 그리스 · 페르시아 전쟁과 그리스 세계의 쇠퇴
(1) **그리스·페르시아 전쟁**: 기원전 5세기경, 페르시아의 공격에 그리스의 폴리스들이 연합하여 승리
(2) **펠로폰네소스 전쟁**: 아테네 중심의 델로스 동맹과 스파르타 중심의 펠로폰네소스 동맹의 전쟁 → 펠로폰네소스 동맹 승리, 그리스 전체의 세력 약화
(3) **멸망**: 폴리스의 분열과 다툼으로 약화 → 마케도니아에 멸망(기원전 338)

3 알렉산드로스 제국의 성장
(1) **성장**: 마케도니아의 알렉산드로스가 유럽, 아시아, 아프리카에 걸친 대제국 건설
(2) **동서 융합**: 알렉산드리아 건설(그리스인 이주), 페르시아인 군인 임명 등
(3) **멸망**: 알렉산드로스 사후 마케도니아, 이집트, 시리아로 분열 → 일부 로마에 정복

4 그리스 문화와 헬레니즘 문화
(1) **그리스 문화**: 인간 중심적·합리적 문화, 철학의 발전
(2) **헬레니즘 문화**: 세계 시민주의적·개인주의적 경향, 철학과 자연 과학의 발전

⑤ 지중해 세계를 통일한 로마

1 로마의 탄생과 공화정의 발전
(1) **공화정의 성립**: 기원전 8세기 건국, 왕정 → 기원전 6세기 귀족 중심 공화정 수립
(2) **평민의 정치 참여 확대**: 호민관 선출, 기원전 3세기 초 평민회 결정이 원로원 승인 없이 법으로 인정
(3) **포에니 전쟁**: 이탈리아반도 통일 후 카르타고와 전쟁 → 승리, 지중해 세계 장악
(4) **쇠퇴**: 귀족들이 대농장 경영, 자영농 몰락 → 그라쿠스 형제의 개혁 실패 → 혼란

2 제정의 시작과 제국의 쇠퇴
(1) **제정의 시작**: 기원전 1세기경 옥타비아누스가 행정권과 군사권 장악하며 성립
(2) **'로마의 평화'**: 제정 성립 후 약 200년, 최대 영토 확보(오현제 시대), 피정복민에게 시민권 부여, 도로망·화폐·도량형 정비(→ 상공업과 국제 무역 발달)
(3) **쇠퇴**: 3세기경 군인들의 황위 다툼, 노예 공급 중단, 외부 침입으로 상공업 쇠퇴
(4) **콘스탄티누스 대제의 개혁**: 4세기 초 콘스탄티노폴리스 천도 등 개혁 시도
(5) **서로마 제국의 멸망**: 동·서 분리 → 서로마는 게르만족의 침입으로 멸망(476)

3 로마 문화와 크리스트교
(1) **로마 문화**: 실용적 문화, 법률과 건축의 발전
(2) **크리스트교**: 예수가 창시 → 로마의 탄압에도 번창 → 로마의 공인(밀라노 칙령, 313), 국교화(4세기 말)
  └ Why? 크리스트교도들이 황제 숭배와 군사적 의무 이행을 거부하는 것이 구실이 되었어.

✚ 폴리스
고대 그리스인이 외적의 침략을 방어하기 쉬운 곳에 요새나 성을 쌓고 생활한 데서 발생한 도시 국가이다. 중심부에는 종교 생활과 군사 거점인 아크로폴리스가 있고, 그 밑에는 광장과 시장으로 이용되던 아고라가 있었다.

✚ 세계 시민주의
개인은 폴리스를 넘어서 세계 시민으로서 모두 평등한 존재라는 주장이다.

✚ 공화정
왕이 없고 개인이나 집단이 국가를 통치하는 정치 형태이다. 로마의 공화정은 행정 및 군사를 통솔하는 2명의 집정관, 국가의 중요한 일에 대한 의견을 제시하는 원로원, 모든 시민이 참여하는 민회들로 구성되었다.

✚ 제정
황제가 다스리는 정치 형태를 이른다. 일종의 군주정으로, 황제가 국가의 최고 권력을 가지고 중요한 일을 결정한다.

놓치지 말자! 핵심 자료

자료 ① 그리스 문화와 헬레니즘 문화

그리스 문화	헬레니즘 문화
원반 던지는 사람	라오콘 군상

그리스 문화는 인간 중심적이고 합리적이라는 특징이 있다. 그리스의 조각가인 미론이 만든 원반 던지는 사람은 사람의 동작을 포착했는데, 이는 균형의 미를 잘 드러내고 있다. 이처럼 그리스 예술은 인체의 아름다움을 표현하였으며, 조화와 균형을 강조하였다. 한편 헬레니즘 문화는 세계 시민주의적이고 개인주의적이라는 특징이 있다. 따라서 헬레니즘 예술은 그리스 예술과 달리 현실적이고 개성적인 아름다움을 추구하였다. 헬레니즘 시대의 조각인 라오콘 군상에는 죽음의 고통에 처한 라오콘과 두 아들의 모습이 역동적으로 표현되어 있다.

자료 ② 로마의 실용적인 건축 문화

아피우스 가도

수도교

로마는 넓은 제국을 다스리기 위해 제국 전역에 도로를 건설하고 시민들을 위한 다양한 시설을 세웠다. 아피우스 가도는 로마인들이 제국의 곳곳을 연결하기 위해 건설한 도로의 일부이다. 이 도로는 지금도 사용할 수 있을 정도로 견고하여 로마인들의 뛰어난 건축 기술을 짐작하게 한다. 수도교는 제국 곳곳에 물을 공급하기 위해 세운 다리이다. 로마인들은 수도교를 이용하여 주변의 높은 산에서 물을 끌어다 사용하였다. 로마의 도시에는 이외에도 콜로세움, 공중목욕탕, 도서관, 체육관, 개선문 등 실용적인 건축물들이 가득했다.

점검하자! **시험 유형**

그리스 문화와 헬레니즘 문화를 보여 주는 유물 및 유적을 제시하고 해당 문화의 특징을 묻는 문제가 자주 출제되니 이를 잘 기억해 두자.

연습 문제 다음 유물과 관련된 문화의 특징으로 가장 적절한 것은?

① 인간 중심적이었다.
② 개인주의적인 성격을 띠었다.
③ 세계 시민주의적인 성격을 띠었다.
④ 법률 등 실용적인 분야가 발달하였다.
⑤ 현실적이고 개성적인 아름다움을 추구하였다.

① 급정

함께 보자! **심화 자료**

| 로마의 최대 영역 |
| 로마의 도로 |

대서양 흑해 지중해

로마의 도로망

로마는 제국의 곳곳을 연결하기 위해 약 80,000km나 되는 도로를 건설하였어. 지금도 유럽 곳곳에서 그 흔적을 찾아볼 수 있단다. 정복지에 건설한 도시와 이를 연결하는 도로를 통해 로마 건축 기술의 우수성을 짐작할 수 있어.

맥 잡는 **연표 문제**

○ 기원전 770년 중국, 춘추 시대 시작

○ 기원전 671년 아시리아, 최초로 서아시아 통일

기원전 600

○ 기원전 525년 페르시아, 서아시아 재통일

○ 기원전 492년 그리스·페르시아 전쟁 발발

○ 기원전 403년 중국, 전국 시대 시작

○ 기원전 334년 마케도니아의
❶_____, 원정 시작

기원전 300

○ 기원전 264년 포에니 전쟁 발발

○ 기원전 221년 ❷_____, 최초로 중국 통일

○ 기원전 202년 한, 중국 통일

○ 기원전 139년 ❸_____, 서역 원정 시작

○ 기원전 27년 로마, 제정 성립

기원후

○ 25년 후한 건국

○ 220년 후한 멸망
○ 226년 사산 왕조 페르시아 성립

300

○ 313년 로마, ❹_____ 공인

○ 395년 로마, 동·서 분리

↓ 476년 서로마 제국 멸망

핵심 짚는 **확인 문제**

1 빈칸에 알맞은 말을 넣어 보자.

(1) 사산 왕조 페르시아는 (　　　　)을/를 계승하였다.

(2) 춘추·전국 시대에는 (　　　　)이/가 보급되어 농업 생산력이 크게 향상되었다.

(3) 한 무제는 장건을 중앙아시아에 파견하였는데, 이로 인해 (　　　　)이/가 개척되었다.

(4) 로마에서는 옥타비아누스가 행정권과 군사권을 장악하며 (　　　　)이/가 성립하였다.

2 내용이 맞으면 O표, 틀리면 X표를 해 보자.

(1) 페르시아에서는 다양한 문화가 융합된 국제적인 문화가 발전하였다. (　　)

(2) 진시황제는 군현제를 전국에 시행하였다. (　　)

(3) 유가는 엄격한 법에 따른 정치를 강조하였다. (　　)

(4) 크리스트교는 성립 초기에 로마 제국의 국교가 되었다. (　　)

3 물음에 알맞은 답을 써 보자.

(1) 페르시아가 수도인 수사에서 사르디스까지 건설한 도로는? (　　　　)

(2) 제자백가 중 자연의 순리에 따를 것을 주장한 학파는? (　　　　)

(3) 아테네에서 발달한 정치 형태는? (　　　　)

4 다음 국가와 문화의 특징을 옳게 연결해 보자.

(1) 로마　　　　•　　•　㉠ 국제적인 문화

(2) 그리스　　　•　　•　㉡ 실용적인 문화

(3) 페르시아　•　　•　㉢ 인간 중심적인 문화

(4) 알렉산드로스　•　•　㉣ 세계 시민주의

1 (가)에 관한 설명으로 옳지 <u>않은</u> 것은?

① 세금 제도를 정비하고 화폐를 통일하였다.
② 전국을 20개 주로 나누고 총독을 파견하였다.
③ '왕의 길'을 정비하고 일정 거리마다 역참을 설치하였다.
④ 정복지를 효율적으로 지배하기 위해 피정복민을 강제로 이주시켰다.
⑤ '왕의 눈', '왕의 귀'라고 하는 관리를 각지에 보내 지방 총독을 감시하였다.

시험 단골

2 (가)에 들어갈 내용으로 가장 적절한 것은?

> 페르시아는 피정복민이 지배를 받아들이고 세금을 내면, 그들의 전통과 종교를 존중하고 자치를 인정하였다. 이러한   (가)   은/는 페르시아가 200여 년간 번영을 누리는 바탕이 되었다.

① 관용 정책   ② 식민 정책
③ 지방 분권 정책   ④ 중앙 집권 정책
⑤ 민족 융합 정책

3 조로아스터교에 관한 설명으로 옳지 <u>않은</u> 것은?

① 7세기 무렵 조로아스터가 창시하였다.
② 사산 왕조 페르시아에서 국교로 삼았다.
③ 천국과 지옥, 최후의 심판 등을 내세웠다.
④ 세상을 선한 신과 악한 신이 대립하는 곳으로 파악하였다.
⑤ 페르시아 왕들은 조로아스터교의 최고신이 자신에게 권력을 주었다고 주장하였다.

시험 단골

4 중국의 역사가 다음의 지도와 같이 전개될 당시의 상황으로 옳은 것은?

① 주 왕실의 권위가 높아졌다.
② 강력한 통일 제국이 출현하였다.
③ 각 제후국은 동일한 화폐를 사용하였다.
④ 철기의 사용으로 농업 생산력이 증대되었다.
⑤ 주 왕실에 의해 봉건제가 처음으로 시행되었다.

5 다음 주장과 관련 학파를 옳게 연결한 것은?

> (가) 인간의 욕심을 버리고 자연의 이치에 따라 살아가야 합니다.
> (나) 사회가 평화롭기 위해서는 모든 사람을 차별 없이 사랑해야 합니다.
> (다) 혼란한 사회를 수습하기 위해서는 '인'과 '예'를 지키며 도덕 정치를 행해야 합니다.
> (라) 사회의 혼란을 바로잡기 위해 엄격한 법과 강한 처벌을 통해 사회를 안정시켜야 합니다.

	(가)	(나)	(다)	(라)
①	유가	묵가	법가	도가
②	유가	법가	묵가	도가
③	도가	유가	묵가	법가
④	도가	묵가	유가	법가
⑤	법가	도가	유가	묵가

시험 단골 고난도

6 (가) 인물에 관한 설명으로 옳은 것은?

한의 최대 영역
—— (가)의 이동 경로
흉노
대완
대월지
장안
한

① 만리장성을 축조하였다.
② 비단길 개척에 기여하였다.
③ 대월지와 동맹을 체결하였다.
④ 한 고조가 서역에 파견하였다.
⑤ 고조선을 공격하고 베트남 북부까지 세력을 확장하였다.

7 한의 문화에 관한 설명으로 옳지 않은 것은?

① 사마천은 『사기』라는 역사책을 편찬하였다.
② 후한의 채륜이 종이 만드는 법을 개량하였다.
③ 비단길을 따라 중국 불교가 인도로 전해졌다.
④ 유교 경전을 정리하고 해석하는 훈고학이 발달하였다.
⑤ 과학 기술이 발달하여 지진계, 해시계 등이 발명되었다.

8 그리스의 폴리스에 관한 설명으로 옳지 않은 것은?

① 올림피아 제전 등을 통하여 결속을 다졌다.
② 정치적 통합을 이루어 민주 정치가 발전하였다.
③ 신전이 있는 중심부를 아크로폴리스라고 불렀다.
④ 방어를 위해 쌓은 성과 요새가 발전하여 형성되었다.
⑤ 아고라(광장)에서는 시민들의 정치 활동과 상업 활동 등을 비롯한 일상생활이 이루어졌다.

9 그리스·페르시아 전쟁에 관한 설명으로 옳은 것을 〈보기〉에서 고른 것은?

보기

ㄱ. 전쟁에서 승리한 페르시아가 전성기를 맞이하였다.
ㄴ. 전쟁으로 그리스의 폴리스들이 쇠퇴하여 멸망하였다.
ㄷ. 그리스 폴리스들이 연합하여 페르시아에 승리하였다.
ㄹ. 페르시아가 지중해 지역으로 진출하기 위해 그리스를 공격하면서 일어났다.

① ㄱ, ㄴ   ② ㄱ, ㄷ   ③ ㄴ, ㄷ
④ ㄴ, ㄹ   ⑤ ㄷ, ㄹ

시험 단골

10 다음 인물이 정복 전쟁에 나선 이후 등장한 문화에 관한 설명으로 옳지 않은 것은?

① 세계 시민주의적 성격이 나타났다.
② 인체를 사실적이며 역동적으로 표현하였다.
③ 그리스 문화와 페르시아 등의 문화가 융합되었다.
④ 개인보다 공동체를 중시하며 군국주의 성격이 강했다.
⑤ 철학에서는 스토아학파와 에피쿠로스학파가 나타났다.

11 (가), (나)에 들어갈 말을 옳게 연결한 것은?

> 로마는 기원전 6세기 말 귀족들이 공화정을 세웠다. 초기에는 [(가)]을/를 장악한 귀족이 정치를 주도하였다. 그러나 점차 전쟁에 나서는 평민이 증가하면서 평민의 정치 참여가 확대되었다. 이들은 평민의 대표인 [(나)]을/를 선출하였다.

	(가)	(나)		(가)	(나)
①	원로원	호민관	②	원로원	집정관
③	민회	호민관	④	민회	집정관
⑤	민회	원로원			

12 다음 내용을 통해 알 수 있는 로마 문화의 특징으로 가장 적절한 것은?

> • 수도교   • 아피우스 가도

① 실용성을 강조하였다.
② 인간의 감성을 중시하였다.
③ 이성보다 신앙을 중시하였다.
④ 개인주의적인 성향이 강하였다.
⑤ 관능적이고 사실적인 아름다움을 추구하였다.

세계사능력검정시험 응용 문제

13 다음 설명에 해당하는 폴리스와 관련된 내용을 〈보기〉에서 고른 것은?

> 도리아인이 원주민을 정복하고 세운 폴리스로, 소수의 시민이 다수의 원주민을 다스려야 했다. 따라서 시민들은 강도 높은 군사 훈련을 받았고, 엄격한 공동체 생활을 하였다.

보기
ㄱ. 민주 정치   ㄴ. 파르테논 신전
ㄷ. 군국주의 정책   ㄹ. 펠로폰네소스 동맹

① ㄱ, ㄴ   ② ㄱ, ㄷ   ③ ㄴ, ㄷ
④ ㄴ, ㄹ   ⑤ ㄷ, ㄹ

주관식·서술형 문제

14 다음 자료를 보고 물음에 답하시오.

> • 나라마다 달랐던 문자, 도량형과 화폐 등을 통일하였다.
> • 법가 사상으로 통일하고자 다른 사상을 탄압하였다.
> • 전국을 군과 현으로 나누고 관리를 보내어 다스리는 군현제를 실시하였다.

(1) 위 정책을 시행한 인물을 쓰시오.

_____

(2) (1)이 위와 같은 정책을 시행한 공통된 목적을 서술하시오.

_____

_____

15 다음은 아테네의 민주 정치와 오늘날 우리나라의 민주 정치에 관한 내용이다. 두 정치의 차이점을 서술하시오.

아테네	우리나라
• 기원전 5세기 페리클레스 집권기에 시민권을 가진 성인 남자들은 민회에 모여 나랏일을 논의하였다. • 여성과 노예, 외국인은 정치에 참여할 수 없었다.	• 국회는 국민에 의해 선출된 의원으로 구성한다. • 모든 국민은 법 앞에 평등하며 누구든지 성별 종교 또는 사회적 신분에 의하여 정치적, 경제적, 문화적 생활의 모든 영역에 있어서 차별을 받지 아니한다.

_____

_____

1 다음 내용에서 설명하고 있는 직업으로 가장 적절한 것은?

> • 사료를 연구하여 과거에 일어난 사실을 밝힌다.
> • 사료를 바탕에 두고 객관적으로 과거의 사실을 탐구한다.

① 작가   ② 탐험가
③ 여행가   ④ 역사가
⑤ 광고 제작자

2 스마트폰 검색 창에 다음과 같은 결과가 나왔을 때, 검색어로 가장 적절한 것은?

> • 약 390만 년 전 등장
> • 아프리카에서 등장한 최초의 인류
> • 두 발로 서서 걷고 간단한 도구 사용

① 네안데르탈인   ② 호모 하빌리스
③ 호모 에렉투스   ④ 호모 사피엔스
⑤ 오스트랄로피테쿠스

3 구석기 시대의 마을에서 볼 수 있는 풍경으로 옳은 것을 〈보기〉에서 고른 것은?

> **보기**
> ㄱ. 동굴 벽에 벽화를 그리는 사람
> ㄴ. 갈판과 갈돌로 열매나 곡식을 가는 사람
> ㄷ. 돌낫으로 자라난 곡식을 수확하고 있는 사람들
> ㄹ. 주먹 도끼로 사냥해 온 사슴을 해체하고 있는 사람

① ㄱ, ㄴ   ② ㄱ, ㄷ   ③ ㄱ, ㄹ
④ ㄴ, ㄹ   ⑤ ㄷ, ㄹ

4 다음 유물과 관련 있는 문명의 특징으로 옳은 것은?

① 지구라트라는 거대한 신전을 만들었다.
②『베다』를 경전으로 하는 브라만교를 믿었다.
③ 황허강 주변의 비옥한 토지에 농사를 지었다.
④ 나일강의 범람 시기를 알기 위해 달력을 제작하였다.
⑤ 국가의 중요한 일에 대한 점친 결과를 갑골문으로 남겼다.

5 다음 유물을 남긴 고대 문명을 옳게 연결한 것은?

(가)   (나)   (다)   (라)

① (가) – 인도 문명
② (나) – 중국 문명
③ (다) – 이집트 문명
④ (라) – 페니키아 문명
⑤ (라) – 메소포타미아 문명

6 주의 봉건제에 관한 설명으로 옳은 것은?

① 지방에 군·현을 설치하고 지방관을 파견하였다.
② 넓은 영역을 효율적으로 다스리기 위해 실시하였다.
③ 제후는 도읍을 다스리고 왕은 나머지 지역을 다스렸다.
④ 왕에게 권력이 집중되는 중앙 집권적인 통치 체제였다.
⑤ 제후는 봉토를 여러 개의 장원으로 조직하여 운영하였다.

7 다음 도표에 나타난 신분제에 관한 설명으로 옳은 것은?

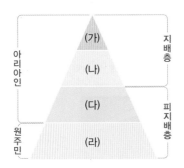

① (가) – 크샤트리아: 정치와 군사 담당
② (나) – 브라만: 제사를 주관
③ (다) – 수드라: 주로 생산에 종사
④ (라) – 바이샤: 각종 노역에 종사
⑤ 아리아인이 인도에 침입하여 원주민을 지배하는 과정에서 성립

8 다음 자료를 통해 알 수 있는 페르시아 문화의 특징으로 가장 적절한 것은?

수도 페르세폴리스의 궁정은 바빌로니아식으로 지어졌고, 궁정 정문 양 옆의 인면수신상은 아시리아, 연회장 돌기둥의 세로줄과 소용돌이무늬는 그리스의 영향을 받았다.

① 귀족적인 문화가 유행하였다.
② 국제적인 성격의 문화가 발전하였다.
③ 이집트 문화를 받아들여 고유 문화가 사라졌다.
④ 피정복민의 풍속을 금지하여 자국의 문화를 보호하였다.
⑤ 상업 발달의 영향으로 서민 중심의 문화가 주류를 이루었다.

9 페르시아가 넓은 영토를 효과적으로 다스리기 위해 시행한 정책으로 옳은 것을 〈보기〉에서 고른 것은?

> **보기**
> ㄱ. 도로를 정비하고 역참을 설치하였다.
> ㄴ. 피정복민들의 전통과 종교를 억압하였다.
> ㄷ. 전국을 여러 주고 나누고 각지에 총독을 파견하였다.
> ㄹ. 중앙 집권 체제를 확립하기 위해 각지에 불교를 전파하였다.

① ㄱ, ㄴ   ② ㄱ, ㄷ   ③ ㄴ, ㄷ
④ ㄴ, ㄹ   ⑤ ㄷ, ㄹ

10 춘추 전국 시대의 사회·경제적 상황에 관한 설명으로 옳은 것을 〈보기〉에서 고른 것은?

> **보기**
> ㄱ. 철제 무기가 사용되었다.
> ㄴ. 소를 이용한 농사법이 보급되었다.
> ㄷ. 문자, 화폐, 도량형 등이 통일되었다.
> ㄹ. 비단길이 개척되어 중앙아시아와 중국의 교류가 활발해졌다.

① ㄱ, ㄴ   ② ㄱ, ㄷ   ③ ㄴ, ㄷ
④ ㄴ, ㄹ   ⑤ ㄷ, ㄹ

11 다음 표는 제자백가의 사상을 정리한 것이다. (가)~(마)에 들어갈 내용으로 옳지 않은 것은?

구분	사상가	주장
유가	(가)	'인'과 '예'를 통한 도덕 정치
(나)	묵자	누구에게나 차별 없이 베푸는 사랑
(다)	한비자	(라)
도가	노자	(마)

① (가) – 장자
② (나) – 묵가
③ (다) – 법가
④ (라) – 엄격한 법을 통한 정치
⑤ (마) – 자연의 이치에 그대로 따르는 삶

12 진시황제가 추진한 정책으로 옳은 것을 〈보기〉에서 모두 고른 것은?

ㄱ. 만리장성 축조
ㄴ. '황제' 칭호 사용
ㄷ. 법가 사상으로 통일
ㄹ. 문자·화폐·도량형 통일

① ㄱ, ㄴ   ② ㄴ, ㄷ   ③ ㄱ, ㄴ, ㄷ
④ ㄱ, ㄴ, ㄹ   ⑤ ㄱ, ㄴ, ㄷ, ㄹ

13 한에 관한 역사적 사실 발생 순서대로 옳게 나열한 것은?

ㄱ. 한의 유방이 중국을 다시 통일하였다.
ㄴ. 왕망이 한을 멸망시키고 신을 세웠다.
ㄷ. 한 무제가 군현제를 전면적으로 시행하였다.
ㄹ. 농민 반란인 황건적의 난으로 국력이 크게 약화되었다.

① ㄱ-ㄴ-ㄷ-ㄹ   ② ㄱ-ㄷ-ㄴ-ㄹ
③ ㄴ-ㄱ-ㄹ-ㄷ   ④ ㄷ-ㄴ-ㄱ-ㄹ
⑤ ㄹ-ㄷ-ㄴ-ㄱ

14 다음 내용에 해당하는 사건으로 옳은 것은?

• 아테네를 중심으로 한 동맹과 스파르타를 중심으로 한 폴리스의 동맹 간에 일어난 전쟁이다.
• 이 전쟁에서 스파르타가 승리하였으나 그리스 전체의 세력은 약화되었다.

① 이소스 전투   ② 포에니 전쟁
③ 마라톤 전투   ④ 펠로폰네소스 전쟁
⑤ 그리스·페르시아 전쟁

15 다음 설명에 해당하는 문화와 관련 있는 문화유산으로 옳은 것은?

합리적이고 인간 중심적인 문화가 발달하였다. 신을 인간의 모습으로 표현하고, 건축과 조각에서는 조화와 균형의 미를 살리고자 하였다.

①    ②

③   ④

⑤

16 다음 내용과 관련된 문화유산으로 적절하지 <u>않은</u> 것은?

로마는 넓은 제국을 통치하는 데 실질적으로 필요한 법률, 건축, 도로 건설 등 실용적인 문화를 발전시켰다.

①    ②

③    ④

⑤

주관식·서술형 문제

●●○

17 다음 지도를 보고 물음에 답하시오.

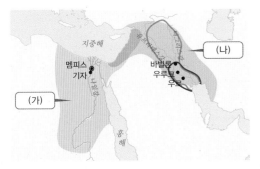

(1) (가), (나) 문명의 이름을 각각 쓰시오.

_____

(2) (가) 문명은 (나) 문명에 비해 오랫동안 통일 왕국을
유지하였다. 그 까닭을 두 지역의 지리적 조건과
연관지어 서술하시오.

_____

_____

●●●

18 다음 지도가 나타내는 시대에 철기의 사용으로 변화
한 사회 모습을 낱말 카드를 사용하여 서술하시오.

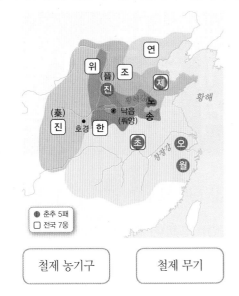

| 철제 농기구 | 철제 무기 |

_____

_____

●●○

19 다음 자료를 보고 물음에 답하시오.

> 한 무제는 북방의 흉노를 고립시키기 위해 장건을
> 서역에 파견하여 대월지 등과 동맹을 맺으려 하였
> 다. 장건은 본래 목적을 이루지 못하고 한으로 돌
> 아왔으나 [(가)] 개척에 기여하였다.

(1) (가)에 들어갈 말을 쓰시오.

_____

(2) 장건의 활동이 후대에 미친 영향을 서술하시오.

_____

_____

●●●

20 다음 자료를 보고 물음에 답하시오.

| 제○○호 | **역사 신문** | ○○○○년 ○○월 ○○일 |

> [(가)], 그는 누구인가?
> 기원전 1세기 경 로마의 영웅 카이사르의 양자
> 인 [(가)]은/는 카이사르를 암살하고 자신
> 을 반대하는 세력을 제거하고 권력을 장악하였
> 다. 로마의 혼란을 수습한 그는 공화정을 유지할
> 것을 주장하였으나 행정권과 군사권을 장악하는
> 등 사실상 황제와 같은 권리를 가졌다. 원로원은
> 그에게 '아우구스투스(존엄한 자)'라는 칭호를 부
> 여하였다. 이때부터 로마의 [(나)]이/가 성
> 립되었다.

(1) (가), (나)에 들어갈 단어를 각각 쓰시오.

_____

(2) (나) 성립 이후 약 200년간 로마의 상황을 서술하
시오.

_____

_____

II 세계 종교의 확산과 지역 문화의 형성

이 대주제를 배우면
세계 여러 지역에서 불교, 힌두교, 도교, 이슬람교, 크리스트교 등의 종교가 어떻게 형성되고 확산되었는지 알 수 있어요.

📝 나의 학습 계획표

중주제	학습 코너	쪽수	학습 예정일	학습 완료일	달성도
1 불교 및 힌두교 문화의 형성과 확산	기억하자! 핵심 내용	32쪽	◯월 ◯일	◯월 ◯일	☆☆☆☆☆
	놓치지 말자! 핵심 자료	33쪽	◯월 ◯일	◯월 ◯일	☆☆☆☆☆
	되짚어 보자! 기본 개념	34쪽	◯월 ◯일	◯월 ◯일	☆☆☆☆☆
	키워 보자! 실력 쑥쑥	35~37쪽	◯월 ◯일	◯월 ◯일	☆☆☆☆☆
2 동아시아 문화의 형성과 확산	기억하자! 핵심 내용	38쪽	◯월 ◯일	◯월 ◯일	☆☆☆☆☆
		40쪽	◯월 ◯일	◯월 ◯일	☆☆☆☆☆
	놓치지 말자! 핵심 자료	39쪽	◯월 ◯일	◯월 ◯일	☆☆☆☆☆
		41쪽	◯월 ◯일	◯월 ◯일	☆☆☆☆☆
	되짚어 보자! 기본 개념	42쪽	◯월 ◯일	◯월 ◯일	☆☆☆☆☆
	키워 보자! 실력 쑥쑥	43~45쪽	◯월 ◯일	◯월 ◯일	☆☆☆☆☆
3 이슬람 문화의 형성과 확산	기억하자! 핵심 내용	46쪽	◯월 ◯일	◯월 ◯일	☆☆☆☆☆
	놓치지 말자! 핵심 자료	47쪽	◯월 ◯일	◯월 ◯일	☆☆☆☆☆
	되짚어 보자! 기본 개념	48쪽	◯월 ◯일	◯월 ◯일	☆☆☆☆☆
	키워 보자! 실력 쑥쑥	49~51쪽	◯월 ◯일	◯월 ◯일	☆☆☆☆☆
4 크리스트교 문화의 형성과 확산	기억하자! 핵심 내용	52쪽	◯월 ◯일	◯월 ◯일	☆☆☆☆☆
		54쪽	◯월 ◯일	◯월 ◯일	☆☆☆☆☆
	놓치지 말자! 핵심 자료	53쪽	◯월 ◯일	◯월 ◯일	☆☆☆☆☆
		55쪽	◯월 ◯일	◯월 ◯일	☆☆☆☆☆
	되짚어 보자! 기본 개념	56쪽	◯월 ◯일	◯월 ◯일	☆☆☆☆☆
	키워 보자! 실력 쑥쑥	57~59쪽	◯월 ◯일	◯월 ◯일	☆☆☆☆☆
정리해 보자! 대주제 탄탄		60~63쪽	◯월 ◯일	◯월 ◯일	☆☆☆☆☆

1 불교 및 힌두교 문화의 형성과 확산

❶ 불교를 일으킨 마우리아 왕조

1 불교의 발생
(1) 배경: 무사(크샤트리아)와 평민(바이샤)의 성장 → 카스트제, 브라만교 비판
(2) 성립: 기원전 6세기경 고타마 싯다르타(석가모니)가 창시
(3) 교리: 카스트제의 신분 차별 부정, 자비와 평등 강조

> How? 누구나 수행을 통해 깨달음을 얻을 수 있다고 가르쳤어.

2 마우리아 왕조와 불교의 전파
(1) 마우리아 왕조의 성장: 기원전 4세기 후반 찬드라굽타 마우리아가 건설 → 아소카왕 때 인도의 대부분 정복
(2) 아소카왕의 불교 전파: 칼링가 정복 후 살육을 반성하며 불교에 귀의
 ① 정책: 불교 교리 정리, 전국에 수많은 사원과 돌기둥(석주) 건립
 ② 영향: 도덕적 수행, 해탈을 중시하는 상좌부 불교가 실론과 동남아시아 각지로 확산

❷ 대승 불교를 널리 알린 쿠샨 왕조

1 쿠샨 왕조와 대승 불교의 발전
(1) 쿠샨 왕조의 성장: 1세기 중엽 중앙아시아에서 성장, 인도 서북부 통일 → 2세기경 카니슈카왕 동서 교역로 장악, 북인도에서 중앙아시아에 이르는 영토 확보
(2) 카니슈카왕의 불교 전파
 ① 정책: 불교 사원 건립, 경전 연구
 ② 영향: 대중의 구제 꾀하는 대승 불교 발전 → 중앙아시아와 동아시아로 확산

2 간다라 양식의 탄생
(1) 초기 불교: 탑, 보리수, 부처의 발자국 등 상징으로만 부처 표현
(2) 기원전 1세기경: 인도 문화와 헬레니즘 문화가 융합된 간다라 양식의 영향으로 부처를 인간의 모습으로 표현하기 시작 → 중국, 한반도, 일본에까지 전파

❸ 힌두교 문화를 꽃피운 굽타 왕조

1 굽타 왕조와 힌두교의 발전
(1) 굽타 왕조의 성장: 4세기 초 북인도에서 성립 → 찬드라굽타 2세가 북인도 전역 통일하고 중부 지역까지 세력 확장, 동서 교역으로 도시와 상업 발전
(2) 힌두교의 형성: 인도 전통의 생활 양식 정착, 인도의 민족의식 확립 → 브라만교를 바탕으로 한 민간 신앙과 불교 교리가 융합되면서 힌두교 형성
(3) 힌두교의 발전: 굽타 왕조의 보호, 『마누 법전』 → 카스트제가 각지에 자리매김

> Why? 『마누 법전』에는 카스트에 따른 생활 방식이 규정되어 있기 때문이야.

2 힌두교 문화의 융성
(1) 문학: 산스크리트어의 공용어화 → 산스크리트 문학 발전, 인도 고전 문화의 확립
(2) 미술: 간다라 양식과 인도 고유 양식이 융합된 굽타 양식 발전
(3) 수학: '영(0)'의 개념 도입, 십진법 사용, 원주율 계산법 발견
(4) 천문학: 지구가 둥글고 자전한다는 사실과 월식의 원리 발견
3 힌두교 문화의 전파: 베트남 북부 제외한 동남아시아에 영향, 앙코르 와트 건립

알아 두자! 시험 포인트
• 불교의 전파 배경 및 과정
• 상좌부 불교와 대승 불교
• 힌두교의 발전
• 힌두교 문화의 전파

➕ 상좌부 불교
석가모니의 가르침을 그대로 따르며 개인의 엄격한 수행을 통한 해탈을 강조하는 불교이다. 상좌부 불교를 소승 불교(小乘佛敎)라고 부르는 경우가 있으나 이는 잘못된 표현이다.

➕ 대승 불교
선행을 통한 중생의 구제를 강조하는 불교로 불교 대중화에 기여하였다. 개인의 구제에 치우친 상좌부 불교를 '소승'이라고 비판하였다.

➕ 앙코르 와트
메콩강 유역을 통일한 앙코르 왕조가 12세기에 건설하였다. 왕의 사후 세계를 위한 힌두교 사원으로 건축되었고, 후에 상좌부 불교 사원으로 용도가 변경되었다.

놓치지 말자! 핵심 자료

자료 ① 불교의 전파

상좌부 불교와 대승 불교는 각각 다른 경로로 세계 각지에 전파되었다. 마우리아 왕조 시기에 발전한 상좌부 불교는 지금의 스리랑카, 타이 등 동남아시아 지역에 전해졌고, 쿠샨 왕조 시기에 발전한 대승 불교는 중앙아시아와 중국을 거쳐 한반도와 일본에까지 전해졌다.

점검하자! **시험 유형**

불교의 전파 경로 등을 제시하고 상좌부 불교와 대승 불교에 대해 묻는 문제가 자주 출제되니 이를 잘 기억해 두자.

연습 문제 **(가) 불교에 관한 설명으로 가장 적절한 것은?**

① 대승 불교라고 불린다.
② 개인의 수행을 강조하였다.
③ 중생의 구제를 강조하였다.
④ 쿠샨 왕조 시기에 크게 발전하였다.
⑤ 카스트제의 신분 차별을 긍정하였다.

② 임정

자료 ② 굽타 양식

아잔타 석굴 사원

아잔타 제1 석굴의 보살상

사르나트 출토 불상

굽타 양식은 옷 주름의 선을 생략하고 인체의 윤곽을 그대로 드러내어 인도 고유의 색채를 보여 준다는 특징이 있다. 이러한 특징은 아잔타 석굴 사원과 엘로라 석굴 사원의 불상과 벽화 등에 잘 드러나 있다. 아잔타 제1 석굴의 연화수 보살상이 대표적인 사례이다. 사르나트에서 출토된 불상 또한 굽타 시대의 걸작으로 손꼽힌다. 굽타 양식은 동아시아의 불교 미술에도 큰 영향을 미쳤기 때문에 더욱 중요하다.

함께 보자! **심화 자료**

엘로라 석굴 사원

인도에 있는 석굴 사원이야. 인도에서는 기후가 습하고 더워 암벽에 동굴을 파서 만든 석굴 사원이 유행하였어. 그중에서도 엘로라 석굴 사원과 아잔타 석굴 사원 등은 굽타 양식의 불교 예술 작품들이 고스란히 남아 있는 중요한 유적이야.

맥 잡는 연표 문제

기원전 500	**기원전 500년경 고타마 싯다르타, 불교 창시**
	기원전 334년경 알렉산드로스, 원정 시작
	기원전 317년경 마우리아 왕조, 북인도 통일
	기원전 260년경 ❶_____, 칼링가 정복, 상좌부 불교 포교
	기원전 185년경 마우리아 왕조 멸망
기원후	**45년경 이란 계통의 ❷_____ 왕조 성립**
	150년경 ❸_____, 동서 교역로 장악, 대승 불교 전파
	192년경 참파 왕국 성립
	226년경 사산 왕조 페르시아 성립
	320년경 굽타 왕조 성립
	400년경 ❹_____, 북인도 전역 통일
500	**1100년경 앙코르 와트 건립**

핵심 짚는 확인 문제

1 빈칸에 알맞은 말을 넣어 보자.

(1) ( )은/는 북인도를 점령하고 마우리아 왕조를 세웠다.

(2) 개인의 도덕적 수행과 해탈을 중시하는 ( ) 불교는 동남아시아로 전파되었다.

(3) ( )을/를 바탕으로 민간 신앙과 불교 교리가 융합되면서 힌두교가 형성되었다.

(4) 힌두교가 발전하면서 ( )이/가 인도 각 지역에 뿌리내렸다.

2 내용이 맞으면 O표, 틀리면 X표를 해 보자.

(1) 불교는 브라만의 권위에 불만을 품던 무사와 평민 계층에게 지지를 받았다. ( )

(2) 초기 불교는 탑이나 보리수, 발자국 등 상징으로만 부처를 표현하였다. ( )

(3) 북인도는 사산 왕조 페르시아의 공격으로 혼란에 빠졌다. ( )

(4) 굽타 왕조의 왕들은 자신을 비슈누에 비유하면서 힌두교를 보호하였다. ( )

3 물음에 알맞은 답을 써 보자.

(1) 굽타 왕조 시기의 공용어는?
( )

(2) 옷 주름의 선을 생략하고 인체의 윤곽을 드러 내어 인도 고유의 색채를 보여 주는 미술 양식은?
( )

(3) 메콩강 유역을 통일한 앙코르 왕조가 12세기에 세운 힌두교 사원은? ( )

4 힌두교의 주요 신과 그 역할을 옳게 연결해 보자.

(1) 시바 ・ ・ ㉠ 우주를 창조하는 신

(2) 비슈누 ・ ・ ㉡ 우주를 유지하는 신

(3) 브라흐마 ・ ・ ㉢ 우주를 파괴하는 신

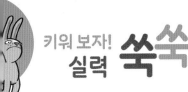

1 다음 내용에 해당하는 상징물로 옳은 것은?

> • 사자와 법륜이 새겨져 있다.
> • 마우리아 왕조의 아소카왕이 각지에 세웠다.
> • 살생을 삼가며 어떠한 생물도 제물로 바치기 위해 도살해서는 안 된다는 내용을 전한다.

① 불상　　②돌기둥　　③ 발자국
④ 보리수　　⑤ 수레바퀴

2 (가) 불교에 관한 설명으로 옳지 <u>않은</u> 것은?

제○○호　　**역사 신문**　　○○○○년 ○○월 ○○일

타이의 부처를 찾아 떠난 여행

아유타야는 타이 아유타야주에 위치한 도시이다. 과거 아유타야 왕국의 수도였던 이 도시에는 "아유타야에 가면 하루 9개의 사원을 방문하라."라는 말이 있을 정도로 많은 사원과 불상이 세워져 있다. 아유타야 왕조는 개인의 해탈을 중시하는 (가) 불교를 국교로 삼았으며, 불교 예술을 꽃피웠다.

① 소승 불교라고 불리기도 한다.
② 개인의 도덕적 수행을 강조하였다.
③ 마우리아 왕조 시기에 크게 발전하였다.
④ 주로 실론, 동남아시아 각지에 전파되었다.
⑤ 중국을 거쳐 우리나라와 일본에까지 전해졌다.

3 카니슈카왕에 관한 설명으로 옳은 것은?

① 불교를 창시하였다.
② 힌두교를 보호하였다.
③ 대승 불교를 발전시켰다.
④ 마우리아 왕조를 이끌었다.
⑤ 베트남 왕조와 경쟁하였다.

4 다음 내용에 해당하는 불교 종파에 관한 설명으로 옳은 것은?

우리 함께 극락으로 갑시다.

쿠샨 왕조 시기에 크게 발전한 이 불교 종파의 명칭에는 '큰 수레' 즉, '많은 사람을 태우고 가는 큰 수레'라는 뜻이 담겨 있다.

① 주로 동남아시아 지역에 전파되었다.
② 자연과 개인의 본체는 하나임을 내세웠다.
③ 사제 계급의 특권 유지를 가장 중시하였다.
④ 선행을 통한 중생의 구제를 강조한 종파이다.
⑤ 수레의 활용을 통한 상업 발달을 주장하였다.

시험 단골

5 (가) 인물의 업적으로 옳은 것은?

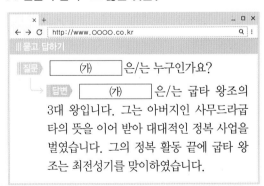

× +　　　　　　　　　　　　　　　　　_ □ ×
← → C　http://www.○○○○.co.kr　　　　Q :

묻고 답하기

질문　(가) 은/는 누구인가요?

답변　(가) 은/는 굽타 왕조의 3대 왕입니다. 그는 아버지인 사무드라굽타의 뜻을 이어 받아 대대적인 정복 사업을 벌였습니다. 그의 정복 활동 끝에 굽타 왕조는 최전성기를 맞이하였습니다.

① 북인도를 통일하였다.
② 쿠샨 왕조를 멸망시켰다.
③ 상좌부 불교를 유행시켰다.
④ 간다라 양식을 발전시켰다.
⑤ 인도 남부 지역까지 세력을 확장하였다.

6 (가) 왕조에 관한 설명으로 옳은 것은?

에프탈

사산 왕조 페르시아

바라나시
●파탈리푸트라
날란다
산치
아잔타
엘로라
아라비아해
벵골만

▢ (가)의 최대 영역
⋰ 주요 불교 유적

① 남인도에 위치하였다.
② 불교를 급속히 발전시켰다.
③ 아소카왕에게 정복당하였다.
④ 사산 왕조 페르시아의 공격으로 멸망하였다.
⑤ 중앙 아시아 유목 민족의 침략으로 쇠퇴하였다.

7 (가)에 들어갈 내용으로 가장 적절한 것은?

> 힌두교는 발전하면서 각지로 전파되어 지방의 신과 영웅을 끌어들이는 다신교로 발전하였다. 굽타 왕조의 왕들은 권위를 높이기 위해 자신을 우주를 유지하는 신인 ▢(가)▢ 에 비유하면서 힌두교를 보호하였다.

① 시바   ② 비슈누
③ 아테나   ④ 브라흐마
⑤ 석가모니

8 다음 내용에 해당하는 계층으로 옳은 것은?

> • 평민 계층에 해당한다.
> • 『마누 법전』에 따르면, 창조주에게 농사를 짓고 짐승을 기를 것을 명령받았다.

① 브라만   ② 수드라
③ 바이샤   ④ 크샤트리아
⑤ 불가촉천민

9 (가) 양식에 관한 설명으로 가장 적절한 것은?

> 굽타 왕조 시기에는 ▢(가)▢ 이/가 나타났는데, 아잔타 석굴 사원과 엘로라 석굴 사원의 불상과 벽화가 대표적이다.

① 그리스 신상을 본떴다.
② 옷 주름의 선을 드러냈다.
③ 인간 중심적이면서 합리적이다.
④ 인체의 윤곽을 완전히 생략한다.
⑤ 간다라 양식과 인도 고유의 양식이 융합되었다.

New
신유형

10 다음 내용에 관한 역사적 사실로 옳지 <u>않은</u> 것은?

> 왕은 라마에게 왕위를 물려주려고 하였다. …… 어느 날 라마의 부인 시타가 납치당하자, 라마는 그를 구하기 위해 악마의 소굴로 떠난다.

① 산스크리트 문학의 발전과 관련이 있다.
② 인도의 고전 문화 확립에 영향을 미쳤다.
③ 이상적인 군주상인 라마의 무용담을 그렸다.
④ 굽타 왕조 시기에 오늘날과 같은 형태로 정리되었다.
⑤ 이슬람 세계에 전해져 자연 과학의 발달에 큰 영향을 주었다.

11 굽타 왕조 시기의 문화에 관한 설명으로 옳지 <u>않은</u> 것은?

① 십진법이 사용되었다.
② 카스트제가 만들어졌다.
③ 『마하바라타』가 정리되었다.
④ '영(0)'의 개념이 도입되었다.
⑤ 산스크리트어가 공용어가 되었다.

고난도

12 (가)에 들어갈 내용으로 적절한 것을 〈보기〉에서 고른 것은?

불교 및 힌두교 문화의 형성과 확산

• 탐구 시기: 힌두교 문화의 전파
• 탐구 주제: (가)

보기

ㄱ. 참파 왕국의 번영
ㄴ. 앙코르 와트의 건립
ㄷ. 이슬람 자연 과학의 발달
ㄹ. 불교에 바탕을 둔 법치 국가

① ㄱ, ㄴ   ② ㄱ, ㄷ   ③ ㄴ, ㄷ
④ ㄴ, ㄹ   ⑤ ㄷ, ㄹ

세계사능력검정시험 응용 문제

13 다음 불상들의 공통점으로 옳은 것은?

룽먼 석굴 대불

석굴암 본존불

① 비슈누를 조각하였다.
② 인도에서 제작되었다.
③ 굽타 왕조의 유물이다.
④ 그리스인의 모습을 하고 있다.
⑤ 제작된 나라 사람의 모습을 닮아 있다.

주관식·서술형 문제

14 다음 그림을 보고 물음에 답하시오.

(가)

(나)

(1) (가)와 (나)의 미술 양식을 각각 쓰시오.

_____

(2) (1)에서 쓴 두 양식의 특징을 비교하여 서술하시오.

_____

_____

_____

15 (가)에 알맞은 내용을 <u>세 가지</u> 서술하시오.

굽타 왕조 시기에는 수학과 천문학이 발달하였다. 최초로 '영(0)'의 개념이 도입되었고, 십진법도 일상적으로 사용되었다. (가)
이러한 지식은 이슬람 세계에 전해져 자연 과학의 발달에 큰 영향을 주었다.

_____

_____

_____

동아시아 문화의 형성과 확산

❶ 위진 남북조 시대의 전개

1 위진 남북조 시대의 성립
(1) 삼국 분립: 후한 멸망 후 위·촉·오 대립 → 진(晉)이 통일(280)
(2) 북조(화북): 5호가 침입하여 진 멸망 → 16개의 국가가 흥망(5호 16국 시대) → 5세기 초 북위가 통일(균전제 등 한족 문물 흡수)
(3) 남조(강남): 한족이 창장강 남쪽에 동진(→ 송·제·양·진) 건설, 강남 개발

2 문벌 귀족 사회의 형성
(1) 9품중정제의 시행
  ① 개념: 지방에서 등급별 추천으로 인재를 선발하는 관리 채용 제도
  ② 폐단: 호족들이 서로 추천하여 지방 호족의 자제들이 중앙으로 진출 → 관직 독차지
(2) 문벌 귀족 사회의 성립: 유력 가문이 관직을 세습하고 서로 혼인하여 지위 강화

3 귀족 문화와 종교의 발달
(1) 귀족 문화의 발달: 문벌 귀족의 사회적 지위와 경제적 여유 바탕으로 발전 → 시(도연명)·회화(고개지)·서예(왕희지) 등 중국의 전통문화 발전
(2) 노장사상과 청담 사상의 유행: 혼란스러운 현실 정치 상황 반영
(3) 불교의 성행: 북방 민족 국가의 후원, 석굴 사원(윈강·룽먼·둔황 등) 건립
(4) 도교의 발전: 도가 철학을 바탕으로 신선 사상 결합

❷ 다시 통일을 이룬 수·당 시대

1 수의 중국 재통일
(1) 문제: 남북조 통일, 과거제 도입, 균전제·부병제 정비
(2) 양제: 대운하 완성(경제 통합, 중앙 집권), 안남·돌궐 공격, 고구려 침공 실패로 국력 소모 → 대외 전쟁과 대규모 토목 공사로 농민이 저항하며 멸망

2 통일 제국 당의 발전
(1) 성립: 이연(고조)이 수 말의 혼란 수습, 장안을 도읍으로 당 건국(618)
(2) 통치 체제: 율령 체제 완성(균전제와 부병제 등), 3성 6부(중앙), 주·현(지방)
(3) 대외 활동: 돌궐 제압, 파미르고원까지 영토 확보(비단길 장악), 신라와 연합하여 고구려, 백제 멸망
(4) 쇠퇴와 멸망: 안사의 난 이후 귀족의 토지 겸병 늘고 농민 몰락(양세법과 모병제 시행) → 황소의 난으로 쇠퇴하다가 절도사 주전충에게 멸망(907)

3 당대의 다양한 문화
(1) 유교: 훈고학을 집대성한 『오경정의』가 완성 → 과거 시험의 기준으로 적용
(2) 불교: 현장 등의 승려가 인도에서 불경을 가져와 번역
(3) 귀족 문화: 시(이백, 두보), 당삼채 유행

> What? 세 가지 색의 유약으로 만든 화려한 도기야.

4 당과 주변국의 교류
(1) 개방적인 대외 관계: 정복지에 통치 기구를 설치, 조공·책봉 관계, 기미나 교역
(2) 문화 교류: 주변국의 사신, 상인, 유학생, 승려 등이 수도 장안에 집합

알아 두자! 시험 포인트
• 북위의 한화 정책
• 수·당의 통치 체제
• 당대의 문화 발전
• 한반도와 일본의 고대 국가
• 일본 고유문화의 형성
• 동아시아 문화의 공통 요소

✚ 5호(五: 다섯 오, 胡: 오랑캐 호)
흉노, 선비, 저, 갈, 강족 등 5개의 유목 민족을 뜻한다.

✚ 균전제
국가 토지를 농민에게 나누어 주어 생활을 안정시키고 그 대가로 세금을 거두는 토지 제도이다.

✚ 노장사상과 청담 사상
노장사상은 노자와 장자의 사상으로, 무위자연과 불로장생을 추구하였다. 청담 사상은 세속적 가치에서 벗어나 여유롭고 자유롭게 사는 것을 중시하는 사상이다.

✚ 부병제
전쟁이 일어나면 농민을 병사로 활용하는 군사 제도이다.

✚ 율령(律: 법률 률, 令: 명령 령)
동아시아 고대 국가가 마련한 형벌·행정에 관한 법령을 통틀어 칭하는 말이다.

✚ 양세법
일 년에 두 번 호구별로 자산에 따라 세금을 내도록 한 조세 제도이다.

✚ 모병제
직업 군인을 모집하여 군대를 유지하는 군사 제도이다.

자료 1 북위 황제의 얼굴을 닮은 윈강 석굴의 대불

중국 다퉁에 있는 윈강 석굴의 대불이다. 사진에 찍힌 화분들의 크기를 통해 실제 불상의 크기를 짐작할 수 있다. 윈강 석굴은 북조에서 5~6세기에 걸쳐 만든 중국 최대 규모의 불교 석굴 사원이다. 북조 황제들은 부처의 힘을 빌려 권력을 강화할 목적으로 거대한 석굴 사원과 불상을 만들고 자신을 살아 있는 부처로 여기도록 하였다. 위 사진의 대불은 북위 황제의 외모를 닮아 있다고 한다.

자료 2 당의 통치 조직

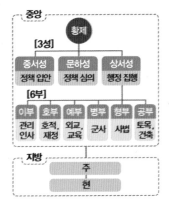

당은 3성 6부제를 기초로 한 중앙의 행정 조직을 마련하였다. 3성은 중서성, 문하성, 상서성을, 6부는 이·호·예·병·형·공부를 가리킨다. 그리고 당은 지방을 주·현으로 나누어 다스렸어. 중앙에서는 3성 6부 중심의 관제가 각종 정책을 처리하였고, 지방의 주·현에는 관리가 파견되었다.

함께 보자! **심화 자료**

룽먼 석굴

중국 허난성에 위치한 석굴 사원이야. 북위의 효문제가 뤄양으로 천도한 후 건설하기 시작하였다. 위진 남북조 시대에는 윈강 석굴 외에도 룽먼 석굴, 둔황 석굴 등 여러 석굴 사원이 건설되었어. 이러한 대규모 석굴 사원은 불교가 황실과 귀족 등 국가의 강력한 보호와 후원을 받았음을 보여 주지.

점검하자! **시험 유형**

당의 중앙·지방 통치 조직에 대한 자료를 제시하고 당의 특징을 묻는 문제가 자주 출제되니 이를 잘 기억해 두자.

빈출 문제 다음 통치 조직을 완성한 국가에 관한 설명으로 옳지 않은 것은?

① 균전제를 시행하였다.
② 부병제를 시행하였다.
③ 대운하를 완성하였다.
④ 주전충에게 멸망하였다.
⑤ 율령 체제를 완성하였다.

© 동아

동아시아 문화의 형성과 확산

③ 한반도와 일본의 고대 국가

1 만주와 한반도에서 성장한 고대 국가

(1) 최초의 국가 고조선
 ① 성장: 청동기 문화를 바탕으로 성립 → 철기 도입하며 발전
 ② 멸망: 기원전 2세기에 한 무제의 침략으로 멸망

(2) 삼국 시대의 전개
 ① 삼국의 성립: 고조선 멸망 후 고구려, 옥저, 동예, 삼한 등장 → 고구려, 백제, 신라로 통합되며 삼국 시대 전개
 ② 삼국의 발전: 중국으로부터 율령, 유교, 불교 등을 받아들여 중앙 집권 국가로 발전, 한반도의 주도권을 차지하기 위해 경쟁

(3) 남북국 시대의 전개
 ① 신라의 삼국 통일: 7세기경 당과 연합하여 백제, 고구려를 멸하고 삼국 통일
 ② 발해의 성립: 고구려의 옛 땅에서 성장, 신라와 공존

2 일본에서 성장한 고대 국가

(1) 야요이 문화: 기원전 3세기경 한반도 등지에서 건너간 선진 기술을 기반으로 벼농사 중심의 농경 사회 시작

(2) 야마토 정권의 성립: 4세기경 통일 국가 형성, 이 무렵 거대한 고분 조성

(3) 아스카 문화의 발전: 6세기 후반부터 7세기 전반에 발전
 ① 쇼토쿠 태자의 불교 진흥책: 사원 건축, 불상과 공예품, 종이와 먹 등 다양한 문물이 한반도에서 전래
 ② 다이카 개신: 7세기 경 중국에 사신을 보내 문물 수용 → 당의 체제를 모방한 천황 중심의 중앙 집권 체제 수립

3 일본 고유 문화의 형성

(1) '일본'의 탄생: 7세기 말 '왜'라는 이름 대신 '일본'이라는 국호 사용

(2) 나라 시대(710~794): 당의 장안을 모방한 헤이조쿄(나라)로 천도, 견당사 파견하여 당 문물 수용, 귀족 문화 발달, 대규모 사원인 도다이사 건설

(3) 헤이안 시대(794~1185): 8세기경 헤이안쿄(교토)로 천도, 중앙 집권 체제 약화, 독자적인 일본 문화 발달(가나 문자 형성)

④ 동아시아 문화의 형성

1. 동아시아 문화의 형성:
한대 이래 한자, 유교, 불교, 율령 체제 등이 주변으로 전파, 당대의 활발한 교류로 더욱 확산 → 신라, 발해, 일본 등이 당의 문화를 선택적으로 수용하여 독자적인 문화 발전시키는 과정에서 공통 요소 지닌 문화 형성

2. 동아시아 문화의 공통 요소

(1) 한자: 외교, 학문 및 종교의 발전과 교류를 촉진

(2) 유교: 각국의 정치 이념과 사회 규범 형성에 기여

(3) 불교: 국가 불교 또는 호국 불교의 성격을 띠며 발전

(4) 율령: 왕권 강화와 중앙 집권 체제 정비에 기여

✚ 쇼토쿠 태자
요메이 천황(用明天皇, 재위: 585~587)의 황자이다. 스이코 천황(推古天皇, 재위: 592~628)의 섭정으로 국정을 주도하였다. 불교를 기조로 한 정치를 하였다.

✚ 다이카 개신
7세기 중엽에 일본에서 당의 율령 체제를 본떠 천황을 정점으로 한 중앙 집권 체제를 구축하기 위해 이루어진 정치 개혁이다.

✚ 헤이조쿄
일본 나라현 나라 분지 북부에 있었던 고대 일본의 수도로 710년 겐메이 천황(元明天皇)이 건설하였다.

나라 시대에 설립된 도다이사

✚ 헤이안쿄
헤이안쿄는 일본 쿄토시에 있었던 수도로 794년 간무 천황(桓武天皇)이 건설하였다.

✚ 가나 문자
한자를 바탕으로 일본어를 표기하기 위해 만들어진 문자이다. 한자의 일부분을 생략해서 만든 가타카나와 한자를 흘려 쓴 초서체를 간략하게 만든 히라가나 등이 있다.

자료 ① 헤이안 시대 귀족의 복식, 소쿠타이

헤이안 시대 귀족의 복식

소쿠타이를 입은 쇼와 천황

헤이안 시대에는 당에 사신을 보내지 않게 되면서 복식 등 독자적인 일본 문화가 발달하였다. 당시 일본 귀족들이 입던 정복을 소쿠타이라고 부른다. 화려한 소쿠타이는 귀족들이 예를 갖출 때 입던 전통 의상이다. 현대 일본에서도 천황의 즉위식, 결혼식 등의 중요한 행사를 위해 소쿠타이를 입는 경우가 있다.

점검하자! **시험 유형**

소쿠타이 등의 자료를 제시하고, 헤이안 시대의 특징과 독자적인 일본 문화에 대해 묻는 문제가 자주 출제되니 이를 잘 기억해 두자.

연습 문제 **다음 그림과 관련된 시대에 관한 설명으로 옳은 것은?**

① 견당사가 파견되었다.
② 가나 문자가 만들어졌다.
③ 헤이조쿄를 수도로 하였다.
④ 다이카 개신이 단행되었다.
⑤ 아스카 문화가 발전하였다.

② 具啓

자료 ② 당, 발해, 일본의 수도 구조

당의 장안성

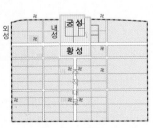

발해의 상경성

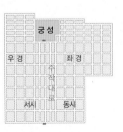

일본의 헤이조쿄

왼쪽부터 차례대로 당의 장안성, 발해의 상경성, 일본의 헤이조쿄의 구조를 나타낸 것이다. 세 수도에는 궁성의 남문과 외성의 남문을 직선으로 연결하는 큰 길인 주작대로가 존재한다. 이는 발해와 일본이 당의 수도인 장안과 비슷한 구조로 수도를 조성하였기 때문이다. 당시 발해와 일본은 계획 도시를 만들며 장안성의 배치를 참고하였다고 한다. 이와 같이 신라, 발해, 일본 등 동아시아 각국은 당의 문물을 선택적으로 수용하여 전통을 유지하면서 독자적인 문화를 발전시켰다.

함께 보자! **심화 자료**

女毛止仁以
めもとにり
めもとにい

일본의 가나 문자의 형성 과정

동아시아 각국은 중국으로부터 한자를 받아들여 자신들만의 방식으로 사용하였어. 일본에서는 헤이안 시대에 한자를 변형하여 일본어 표기용 글자인 가나 문자를 만들었단다.

맥 잡는 **연표 문제**

- 280년 진(晉), 중국 통일

300

- 304년 ❶ _____ 시대 시작
- 317년 동진 성립

- 439년 북위, 화북 통일
  남북조 시대 시작

- 581년 수 건국
- 589년 수 ❷ _____, 중국 통일

600

- 618년 당 건국

- 645 일본, ❸ _____ 개신

- 710년 일본, 나라 시대 시작

- 755년 당, 안사의 난 발발

- 794년 일본, ❹ _____ 시대 시작

- 875년 당, 황소의 난 발발

900

- 907년 당 멸망

핵심 짚는 **확인 문제**

1 빈칸에 알맞은 말을 넣어 보자.

(1) 남북조 시대에는 지방에서 등급별 추천으로 인재를 채용하는 ( )이/가 시행되었다.

(2) 남북조 시대에는 혼란스러운 상황을 반영하듯 노장사상과 ( ) 사상이 유행하였다.

(3) 당은 ( )을/를 기초로 한 중앙 행정 조직을 마련하였다.

(4) ( ) 이후 귀족의 토지 겸병이 늘고 농민이 몰락하면서 당은 흔들리기 시작하였다.

2 내용이 맞으면 O표, 틀리면 X표를 해 보자.

(1) 후한이 망한 뒤 위·촉·오 삼국이 대립하다가 진이 천하를 통일하였다. ( )

(2) 당은 황소의 난으로 멸망하였다. ( )

(3) 6~7세기에 일본이 유교와 불교를 받아들이며 아스카 문화가 발전하였다. ( )

(4) 헤이안 시대에는 독자적인 일본 문화가 발전하였다. ( )

3 물음에 알맞은 답을 써 보자.

(1) 한대 이래 훈고학을 집대성한 정통 해설서는?
( )

(2) 만주와 한반도에서 등장한 최초의 국가는?
( )

(3) 한자를 변형하여 만든 일본어 표기용 글자는?
( )

4 다음 국가와 문화의 특징을 옳게 연결해 보자.

(1) 당대의 도자기 • • ㉠ 대안탑

(2) 나라의 대규모 사원 • • ㉡ 도다이사

(3) 현장의 불경 보관 • • ㉢ 당삼채

1 학생의 질문에 대한 교사의 답으로 옳은 것은?

북위에 관한 역사적 사실을 가르쳐 주세요.

① 후한을 멸망시켰어요.
② 과거제를 도입하였어요.
③ 대운하를 건설하였어요.
④ 중국 전역을 통일하였어요.
⑤ 한족의 문물을 받아들였어요.

2 (가)에 들어갈 내용으로 옳은 것은?

> 위진 남북조의 중앙 권력은 후한 이래 강력해진 호족 세력을 견제하기 위해 지방에서 등급별 추천을 통해 인재를 선발하여 관리로 채용하는 _____(가)_____ 을/를 시행하였다.

① 과거제   ② 균전제   ③ 부병제
④ 9품중정제   ⑤ 3성 6부제

3 다음 필기 내용 중 역사적 사실로 옳지 <u>않은</u> 것은?

> 위진 남북조 시대의 문화
>
> ① 시: 도연명
> ② 회화: 고개지
> ③ 서예: 왕희지
> ④ 사상: 노장사상, 청담 사상
> ⑤ 종교: 이슬람교의 유행

①   ②   ③   ④   ⑤

4 다음 운하를 완공한 중국 왕조에 관한 설명으로 옳은 것은?

① 한족이 세운 국가이다.
② 국가의 명칭은 '진'이다.
③ 도교를 적극 장려하였다.
④ 룽먼 석굴을 짓기 시작하였다.
⑤ 안남과 돌궐을 공격하여 제압하였다.

5 수가 멸망하게 된 원인으로 옳은 것을 〈보기〉에서 고른 것은?

> 보기
> ㄱ. 대규모 토목 공사   ㄴ. 고구려 원정 실패
> ㄷ. 청담 사상의 유행   ㄹ. 절도사 세력의 성장

① ㄱ, ㄴ   ② ㄱ, ㄷ   ③ ㄴ, ㄷ
④ ㄴ, ㄹ   ⑤ ㄷ, ㄹ

6 다음 사건이 발생하기 이전의 당의 지배 체제에 포함된 제도로 옳지 <u>않은</u> 것은?

> 현종 시기 절도사였던 안녹산과 그의 부하 사사명이 반란을 일으켰다. 이 사건은 약 9년 동안 당을 뒤흔들었다.

① 균전제   ② 부병제   ③ 조용조
④ 과거제   ⑤ 양세법

7 시험 단골 (가) 국가에 관한 설명으로 옳지 <u>않은</u> 것은?

① 이연이 세웠다.
② 수도는 장안이다.
③ 국가의 이름은 '당'이다.
④ 지방은 주·현으로 나누어 다스렸다.
⑤ 과거제를 통해 가문에 따라 인재를 등용하였다.

8 New 신유형 다음과 같은 통치 조직을 완성한 국가에 관한 설명으로 옳지 <u>않은</u> 것은?

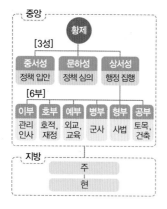

① 비단길을 장악하였다.
② 황소의 난으로 쇠퇴하였다.
③ 고구려 정복에 실패하였다.
④ 파미르고원까지 진출하였다.
⑤ 안사의 난 이후 흔들리기 시작하였다.

9 다음 상황이 나타난 직접적인 계기로 옳은 것은?

균전제 붕괴

당에서는 한 사람이 대토지를 소유하는 현상이 타나타 농민이 몰락하였다.

① 당이 신라와 연합하였다.
② 당이 율령 체제를 완성하였다.
③ 당이 대규모 토목 공사를 시행하였다.
④ 수 문제가 남북조 시대의 분열을 끝냈다.
⑤ 안사의 난 이후 귀족의 토지 겸병이 늘었다.

10 시험 단골 다음 유물이 유행한 시기에 관한 역사적 사실로 옳은 것은?

① 고조선이 건국되었다.
② 『오경정의』가 완성되었다.
③ 주로 청동기가 사용되었다.
④ 야요이 문화가 발달하였다.
⑤ 부여와 고구려가 성장하였다.

고난도

11 다음 건물이 건립된 시기의 일본에 관한 역사적 사실로 옳은 것은?

도다이사(일본 나라)

① 견당사를 파견하였다.
② 야마토 정권이 성립하였다.
③ 다이카 개신을 단행하였다.
④ 쇼토쿠 태자가 섭정하였다.
⑤ 아스카 문화가 발전하였다.

세계사능력검정시험 응용 문제

12 다음 시가 쓰인 시기에 있었던 역사적 사실로 옳은 것은?

자, 돌아가자. 고향 전원이 황폐해지려 하는데 어찌 돌아가지 않겠는가 …… 이제는 깨달아 바른 길을 찾았고, 지난날의 벼슬살이가 그릇된 것이었음을 알았다. …….
– 도연명, 「귀거래사」 –

① 노장사상이 유행하였다.
② 이백과 두보 등이 활약하였다.
③ 과거제가 처음으로 시행되었다.
④ 동아시아의 유학승들이 장안으로 몰려들었다.
⑤ 3성 6부제를 기초로 한 중앙의 행정 조직이 마련되었다.

주관식·서술형 문제

13 다음 자료를 보고 물음에 답하시오.

중국 시안에 있는 청진사야. (가) 왕조 시기에 세워진 이슬람교 사원이란다.

(1) (가) 왕조의 명칭을 쓰시오.

(2) (1)이 주변 국가와 어떤 관계를 유지하였는지 서술하시오.

14 다음 자료를 보고 물음에 답하시오.

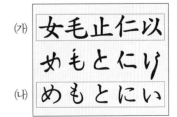

(1) (가), (나) 문자의 명칭을 각각 쓰시오.

(2) (나) 문자 제작의 역사적 배경을 서술하시오.

3 이슬람 문화의 형성과 확산

① 이슬람 제국의 형성과 확산

1 이슬람교의 성립
(1) 배경: 6세기 이후 사산 왕조 페르시아와 비잔티움 제국의 갈등으로 동서 교역로 폐쇄 → 아라비아반도의 메카, 메디나 등이 번영
(2) 성립: 메카의 상인 무함마드가 알라를 유일신으로 하는 이슬람교 완성
(3) 교세 확장: 무함마드가 박해를 피해 메디나로 피신하여 포교(헤지라, 622)
(4) 성장: 무함마드가 제정일치 공동체 건설 → 메카 장악, 아라비아반도 대부분 통일

2 이슬람 세계의 확대
(1) 정통 칼리프 시대: 칼리프가 정치와 종교를 모두 장악(4대까지 선출), 서쪽으로 북아프리카까지 영역 확장, 동쪽으로 사산 왕조 페르시아 정복
(2) 우마이야 왕조
  ① 칼리프 선출 둘러싼 내분 → 무아위야가 우마이야 왕조 개창하고 칼리프 세습 → 이슬람교가 수니파와 시아파로 분열
  ② 다마스쿠스를 수도로 하여 이베리아반도에서 인도·당 국경까지 세력 확대

3 아바스 왕조의 발전
(1) 성립: 8세기 중엽 아바스 가문이 바그다드를 수도로 왕조 건설(750)
(2) 정책: 세금 납부와 관리 등용에서 비아랍인에 대한 차별 폐지, 아랍어 공용어로 채택, 이슬람의 법으로 국가 통치
(3) 성장: 탈라스 전투 승리, 동서 교역로 장악 → 번영, 중앙아시아에 이슬람교 전파
(4) 멸망: 10세기 이후 쇠퇴, 13세기에 몽골의 침입으로 멸망(→ 후우마이야 왕조)

② 이슬람 세계의 교류와 문화

1 『쿠란』 중심의 이슬람 사회
(1) 이슬람교의 교리: 우상 숭배, 다신교 부정, 알라 앞에 모두가 평등함을 강조
(2) 『쿠란』의 율법: 일부다처제, 돼지고기 금지, 자선 활동, 예배 의식 등
(3) 아랍어: 『쿠란』 번역이 금지되어 있기 때문에 이슬람 문화권의 공통 언어화
(4) 이슬람 사회의 확대: 개종하는 사람에게 인두세를 면제

2 이슬람 상인의 활동
(1) 배경: 이슬람 세력이 동서 교역의 중간 지대 장악, 자유로운 상업 보장
(2) 활약: 8세기 중엽부터 15세기 중엽까지 세계적인 교역망 형성, 육지에서는 대상(캐러밴) 무역 주도, 바다에서는 목제 범선(다우선)을 이용한 인도양 무역 장악

3 이슬람 세계의 문화와 학문
(1) 신학과 법학: 『쿠란』이 이슬람교도의 모든 생활을 규제
(2) 지리학과 역사학: 왕성한 상업 활동과 성지 순례로 발전, 이븐할둔의 『역사서설』, 이븐바투타의 『여행기』
(3) 문학: 페르시아, 인도, 중국의 설화를 모은 『천일야화』
(4) 건축: 둥근 지붕(돔)과 첨탑의 모스크 양식, 아라베스크 무늬
(5) 자연 과학: 연금술·수학·천문학·의학 발달, 중국의 제지법·나침반·화약 수용

알아 두자! 시험 포인트
• 초기 이슬람 세계의 통치 체제
• 우마이야 왕조의 발전
• 아바스 왕조의 발전
• 이슬람 사회의 특징
• 이슬람 세계의 문화와 학문

✚ 수니파와 시아파
4대 칼리프로 선출된 알리가 암살된 이후 이슬람교의 종파 분쟁이 시작되었다. 알리와 그의 후손만이 칼리프가 될 수 있다고 주장한 이들은 시아파가 되었으며, 능력과 자격을 갖춘 자라면 누구나 칼리프가 될 수 있다고 주장하며 우마이야 왕조의 칼리프 세습 체제를 인정한 이들은 수니파가 되었다.

✚ 탈라스 전투
751년, 오늘날의 키르기스스탄에 있는 탈라스강에서 아바스 왕조의 장군인 이븐 샤리프와 당의 장군인 고선지가 치른 전투이다. 주로 보병으로 구성되었던 당의 군대는 기병 중심의 아바스 왕조 군대에 크게 패하였다.

✚ 인두세
이슬람 세계에서 이슬람교도가 아닌 사람들에게 부과하는 세금이다.

✚ 『천일야화』
세계적인 이슬람 문학 작품이다. 전설이나 공상적 내용에 바탕을 둔 단편 소설집 형식으로 제작되었다. 줄거리는 인도, 페르시아, 이집트, 아라비아 등 각 지역의 이야기에서 따 온 것으로 추정된다. 이 작품의 이야기들은 주로 아바스 왕조 아랍인의 생활과 문화를 배경으로 한다는 특징이 있다.

놓치지 말자! 핵심 자료

자료 ① 이슬람 세계의 확대

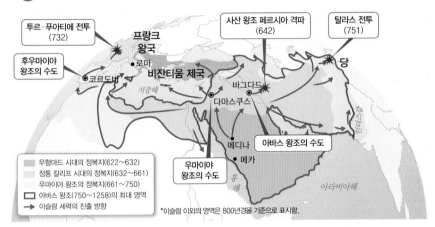

- 투르·푸아티에 전투 (732)
- 사산 왕조 페르시아 격파 (642)
- 탈라스 전투 (751)
- 후우마이야 왕조의 수도
- 프랑크 왕국
- 로마
- 비잔티움 제국
- 지중해
- 코르도바
- 당
- 바그다드
- 다마스쿠스
- 메디나
- 아바스 왕조의 수도
- 우마이야 왕조의 수도
- 메카
- 홍해
- 아라비아해

- 무함마드 시대의 정복지(622~632)
- 정통 칼리프 시대의 정복지(632~661)
- 우마이야 왕조의 정복지(661~750)
- 아바스 왕조(750~1258)의 최대 영역
- → 이슬람 세력의 진출 방향

*이슬람 이외의 영역은 800년경을 기준으로 표시함.

이슬람 세계의 확대 과정을 보여 주는 지도이다. 무함마드 이슬람 세력은 무함마드와 그 후계자들의 활발한 정복 활동으로 대제국을 건설할 수 있었다. 특히 다마스쿠스를 수도로 정했던 우마이야 왕조는 서쪽으로는 이베리아반도까지 세력을 확장하고, 동쪽으로는 인도, 당과 국경을 맞댈 정도로 나아갔다. 그리고 당과 자웅을 겨루었던 아바스 왕조는 바그다드를 수도로 하여 북서부 아프리카에서 당에 이르는 대제국을 건설하였다.

점검하자! **시험 유형**

아바스 왕조의 영역과 수도의 위치 등을 제시하고 왕조의 특징을 묻는 문제가 자주 출제되니 이를 잘 기억해 두자.

연습 문제 (가) 왕조에 관한 역사적 사실로 옳은 것은?

- 탈라스
- 바그다드
- 당의 최대 영역
- (가)의 최대 영역

① 아랍인을 우대하였다.
② 시리아 총독이 건설하였다.
③ 이베리아반도를 차지하였다.
④ 수도를 다마스쿠스로 정하였다.
⑤ 비아랍인에 대한 차별을 폐지하였다.

⑨ 昻旯

자료 ② 모스크 양식

바위 모스크(이스라엘 예루살렘)

우마이야 모스크(시리아 다마스쿠스)

이슬람 세계의 대표적 건축 양식은 모스크 양식이다. 모스크란 이슬람교도의 예배 장소로, '꿇어 엎드려 경배하는 곳'이라는 뜻을 담고 있다. 따라서 모스크 양식이란 이슬람 사원의 건축 양식이라고 말할 수 있다. 이는 둥근 지붕(돔)과 뾰족한 탑을 특징으로 하며 시기에 따라 차이를 보이기도 한다.

함께 보자! **심화 자료**

아라베스크 무늬

아라비아풍이라는 뜻의 아라베스크는 이슬람 사원의 내부 장식이나 공예품에서 쉽게 볼 수 있는 장식 무늬야. 이는 아라비아 문자나 기하학적인 상징들을 교차시켜 만든 것이지.

되짚어 보자! 기본 **개념**

맥 잡는 **연표 문제**

- 610년경 무함마드, ❶ _____ 정립
- 622년 ❷ _____, 이슬람력의 원년
- 630년 무함마드, 아라비아반도 통일
- 651년 사산 왕조 페르시아 멸망
- 661년 ❸ _____ 왕조 성립

700

- 711년 우마이야 왕조, 이베리아반도 정복
- 732년 투르 · 푸아티에 전투
- 750년 아바스 왕조 성립
- 751년 아바스 왕조, ❹ _____ 전투 승리
- 756년 후우마이야 왕조 성립

1000

- 1258년 아바스 왕조, 몽골에 멸망

핵심 짚는 **확인 문제**

1 빈칸에 알맞은 말을 넣어 보자.

(1) 메카에서 박해를 받은 무함마드는 ( ) (으)로 피신하였다.

(2) 알리와 그의 후손을 정통 후계자로 주장한 이들을 ( )(이)라 부른다.

(3) 능력과 자격을 갖추면 누구나 칼리프가 될 수 있다고 주장하며 우마이야 왕조의 세습 체제를 인정한 이들을 ( )(이)라 한다.

(4) 우마이야 왕조의 수도는 ( )(이)다.

2 내용이 맞으면 O표, 틀리면 X표를 해 보자.

(1) 시리아 총독이었던 무아위야는 우마이야 왕조를 열었다. ( )

(2) 아바스 왕조는 세금 납부와 관리 등용에서 비아랍인에 대한 차별을 폐지하였다. ( )

(3) 아바스 왕조는 탈라스 전투에서 패배하였다. ( )

(4) 후우마이야 왕조는 이탈리아반도에서 성립하였다. ( )

3 물음에 알맞은 답을 써 보자.

(1) 아바스 왕조의 수도로, 당시 동서 교역의 중심지였던 도시는? ( )

(2) 페르시아, 인도, 중국의 설화를 모은 책의 명칭은? ( )

(3) 둥근 지붕과 뾰족한 탑을 특징으로 하는 이슬람 세계의 건축 양식은? ( )

4 다음 인물과 작품을 옳게 연결해 보자.

(1) 이븐할둔 •   • ㉠ 『여행기』

(2) 이븐바투타 •   • ㉡ 『역사서설』

1 밑줄 친 '이 종교'에 관한 설명으로 옳지 <u>않은</u> 것은?

해마다 하지가 되면 사우디아라비아 메카에는 이 종교 교도들이 순례 의식을 치르기 위해 모여듭니다.

① 다신교를 비판하였다.
② 유대교의 영향을 받았다.
③ 알라를 유일신으로 하였다.
④ 무함마드에 의하여 정립되었다.
⑤ 크리스트교의 영향을 받지 않았다.

2 ㈎에 들어갈 내용으로 가장 적절한 것은?

이슬람 공동체에서는 무함마드의 후계자인 칼리프가 정치와 종교를 모두 장악하였으며, 4대까지는 칼리프를 선출하였다. 이 시기를 [㈎] 시대라고 부른다.

① 메카   ② 아바스   ③ 메디나
④ 우마이야   ⑤ 정통 칼리프

3 다음 종파에 관한 설명으로 옳은 것은?

• 이슬람교도의 약 90%를 차지하는 다수파이다.
• 우마이야 왕조의 칼리프 세습을 인정한다.

① 예수에 의하여 생겨났다.
② 여호와를 유일신으로 하였다.
③ 사산 왕조 페르시아를 멸망시켰다.
④ 알리와 그 후손만을 정통 후계자라고 주장하였다.
⑤ 능력과 자격을 갖춘 자라면 누구나 칼리프가 될 수 있다고 하였다.

4 New 신유형
㈎ 왕조에 관한 설명으로 옳은 것을 <보기>에서 고른 것은?

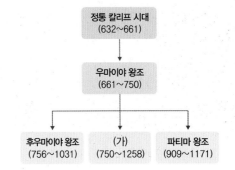

정통 칼리프 시대
(632~661)

↓

우마이야 왕조
(661~750)

↓

후우마이야 왕조   ㈎   파티마 왕조
(756~1031)   (750~1258)   (909~1171)

보기
ㄱ. 탈라스 전투에 참여하였다.
ㄴ. 코르도바를 수도로 하였다.
ㄷ. 아랍어를 공용어로 채택하였다.
ㄹ. 시리아 총독 무아위야가 세웠다.

① ㄱ, ㄴ   ② ㄱ, ㄷ   ③ ㄴ, ㄷ
④ ㄴ, ㄹ   ⑤ ㄷ, ㄹ

5 다음 자료에 설명된 종교에 관한 설명으로 옳은 것은?

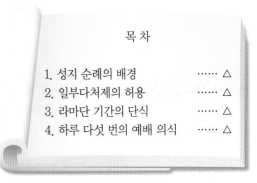

목 차

1. 성지 순례의 배경   …… △
2. 일부다처제의 허용   …… △
3. 라마단 기간의 단식   …… △
4. 하루 다섯 번의 예배 의식   …… △

① 교황이 존재하였다.
② 성상 파괴령이 내려졌다.
③ 불상을 만들어 전파하였다.
④ 『성경』의 율법에 따라 생활하였다.
⑤ 『쿠란』 중심의 사회를 형성하였다.

6 다음 도서에 관한 설명으로 옳지 <u>않은</u> 것은?

① 율법이 규정되어 있다.
② 이슬람교도의 일상을 지배하였다.
③ 이슬람 세계의 동질성 형성에 기여하였다.
④ 알라가 무함마드에게 내린 계시를 기록한 책이다.
⑤ 다양한 언어로 기록되어 이슬람교 확산에 영향을 미쳤다.

시험 단골

7 『쿠란』의 계율에 따른 것으로 옳지 <u>않은</u> 것은?

① 일부다처제
② 생애에 한번 메카 순례
③ 소고기를 금지하는 식생활
④ 일정한 시간마다 행하는 예배
⑤ 가난한 사람을 구제하는 자선 활동

8 다음 건축물과 관련된 건축 양식으로 옳은 것은?

① 고딕　　② 굽타　　③ 모스크
④ 간다라　　⑤ 로마네스크

고난도

9 ㈎에 들어갈 내용으로 적절한 것을 〈보기〉에서 고른 것은?

보기

ㄱ. 낙타를 이용한 대상 무역을 주도하였습니다.
ㄴ. 다우선을 이용한 인도양 무역을 장악하였습니다.
ㄷ. 크리스트교 문화가 이슬람 세계에 확산되는 데 기여하였습니다.
ㄹ. 유럽·아메리카에서 동아시아까지 아우르는 교역망을 이용하였습니다.

① ㄱ, ㄴ　　② ㄱ, ㄷ　　③ ㄴ, ㄷ
④ ㄴ, ㄹ　　⑤ ㄷ, ㄹ

10 다음 내용을 다루는 보고서를 작성할 때 주제로 적절하지 <u>않은</u> 것은?

이슬람 세계는 다양한 문화를 흡수·융합하여 문화와 학문을 발전시켰다. 이슬람 세계의 사람들은 세계를 무대로 활동하며 각지에 자신들의 문화와 학문을 전파하였다.

① 『천일야화』
② 연금술의 발달
③ '영(0)'의 개념 발견
④ 이븐바투타의 『여행기』
⑤ 이븐할둔의 『역사 서설』

11 다음 지도가 제작된 지역의 문화에 관한 설명으로 옳지 않은 것은?

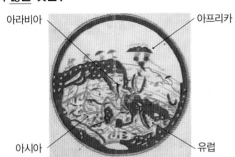

아라비아 아프리카 아시아 유럽

① 천문학이 발달하였다.
② 나침반을 유럽에 소개하였다.
③ 원주율 계산법을 발견하였다.
④ 화약 제조법을 유럽에 알렸다.
⑤ 중국의 제지법을 유럽에 전하였다.

세계사능력검정시험 응용 문제

12 (가) 국가에 관한 설명으로 옳은 것을 〈보기〉에서 고른 것은?

661년 시리아 총독 무아위야가 ［ (가) ］ 왕조를 창건하였다. ［ (가) ］ 왕조의 지배층은 아랍인 우월주의를 내세웠다. 그들은 농민들에게 토지세를 거두어 특권적 아랍인 전사에게 연금을 지급하기도 하였다.

보기
ㄱ. 이탈리아반도를 점령하였다.
ㄴ. 칼리프를 세습하도록 하였다.
ㄷ. 다마스쿠스를 수도로 정하였다.
ㄹ. 사산 왕조 페르시아를 격파하였다.

① ㄱ, ㄴ ② ㄱ, ㄷ ③ ㄴ, ㄷ
④ ㄴ, ㄹ ⑤ ㄷ, ㄹ

13 다음 자료를 보고 물음에 답하시오.

(1) 위 자료와 관련된 종교의 명칭과 그렇게 생각한 까닭을 쓰시오.

(2) 위 종교의 신도 수가 계속 늘어났던 원인을 서술하시오.

14 밑줄 친 부분과 관련된 역사적 사실을 서술하시오.

이슬람교도는 매일 예배를 드리기 위해 메카 방향을 정확히 측정할 필요가 있었다. 또한 뜨거운 해를 피해 어두운 밤에 교역과 전쟁을 하고 물을 찾아 다녔다. 그들은 막막한 사막에서도 길을 찾아 나아가야 했다. 이러한 이유 등으로 이슬람 세계에서는 자연 과학이 발달할 수 있었다.

 크리스트교 문화의
형성과 확산

1 서유럽 봉건 사회의 형성

1 게르만족의 이동: 유럽 북부에 살다가 4세기 후반 [+]훈족의 압박으로 대규모 이동 →
서유럽과 북아프리카 각지에 게르만 왕국 건설

2 서유럽 문화의 토대를 형성한 프랑크 왕국

(1) **성장:** [+]프랑크족이 원주지와 가까운 곳에 건설, 로마 가톨릭교로 개종하여 현지인
과의 마찰 모면 → 이슬람 세력의 공격을 막아 유럽 크리스트교 세계 보호

(2) **카롤루스 대제:** 서로마 제국의 영토 회복 및 크리스트교 보급에 주력 → 로마 교
황이 서로마 제국 황제의 관을 수여(800)

(3) **분열:** 카롤루스 대제 사후 분할되어 서·중·동프랑크 수립(베르됭·메르센 조약)

3 봉건 사회의 형성

(1) **배경:** [+]바이킹·[+]마자르족·이슬람 세력의 침략 → 기사들이 치안을 맡고 농민 지배

(2) **봉건제**

   ① **주종 관계:** 주군과 봉신의 관계, 주군은 봉신에게 봉토 지급, 봉신은 주군에게
     충성 서약하고 봉사 의무 이행

   ② **장원의 형성:** 봉신은 영주로서 봉토를 장원으로 조직, 장원의 농민인 농노는
     영주의 지배를 받으며 세금과 노동력 제공(장원에 매인 부자유한 존재)

2 로마를 계승한 비잔티움 제국

1 비잔티움 제국의 번영: 동로마 제국은 서로마 제국 멸망 후에도 유지

(1) **성장:** 로마의 계승자 역할, 수도 콘스탄티노폴리스는 세계 교역의 중심지로 번영

(2) **특징:** 중앙 집권 체제 구축, 황제가 군대와 관리를 직접 지배

(3) **유스티니아누스 황제:** 로마 제국의 영토 일부 회복, 『유스티니아누스 법전』 편찬

(4) **쇠퇴:** 11세기 이후 대토지 사유화로 자영농 몰락, 황제권 약화 → 오스만 제국에
멸망(1453)

2 크리스트교 세계의 분열: 서유럽의 가톨릭교와 동유럽의 그리스 정교 성립, 동유럽
비잔티움 교회에서는 황제 교황주의 확립

3 비잔티움 문화: 그리스·로마 문화와 헬레니즘 문화의 융합, 성 소피아 성당

3 서유럽을 하나로 묶은 크리스트교

1 교회의 세속화

(1) **로마 가톨릭교회의 성장:** 서유럽 왕국들과 제휴하며 정통 교회로 발전, 세속화

(2) **교회 개혁:** [+]클뤼니 수도원, 군주의 성직자 임명을 금지한 교황 그레고리우스 7세

(3) **교황권의 확대:** 교황과 황제의 대립(카노사의 굴욕) → 교황의 승리(보름스 협약)

2 크리스트교 중심 문화: 크리스트교가 일상생활과 정신세계 지배, 신분 질서 정당화

(1) **학문:** 신학 중심, 신앙과 이성의 조화를 강조한 스콜라 철학, 대학 설립

(2) **문학:** 기사도 문학 유행

(3) **건축:** 첨탑과 색유리그림(스테인드글라스)을 사용한 고딕 양식 유행

알아 두자! **시험 포인트**

- 프랑크 왕국과 카롤루스 대제
- 봉건 사회의 형성
- 비잔티움 제국과 유스티니아누스 황제
- 십자군 전쟁의 전개 과정
- 도시의 성장과 장원의 해체
- 르네상스와 종교 개혁

[+] 훈족
중앙아시아의 스텝 지대에서 활약하였던
튀르크계의 유목 민족이다. 이들은 말을
다루는 능력이 매우 뛰어났다고 한다.

[+] 프랑크족
게르만족의 일파이다. 게르만족이 대규모
로 이동하던 시기에 갈리아 지역(지금의
프랑스, 벨기에, 스위스 서부, 라인강 서쪽
의 독일을 포함하는 지역)을 중심으로 부
족 연합 국가를 형성하였다.

[+] 바이킹
덴마크, 스칸디나비아반도를 원주지로 하
던 게르만족의 일파이다. 게르만족의 대
이동 당시에는 원주지에서 농업, 목축업
등에 종사하였다. 7세기 무렵 잉글랜드와
프랑스를 침범하였고, 9세기부터 11세기
까지 유럽의 해안 지역을 약탈하였다.

[+] 마자르족
몽골족에 속하는 중앙아시아 출신의 유목
기마 민족이다. 9세기 무렵부터 유럽으로
이동하여 헝가리를 건국하였다.

[+] 클뤼니 수도원
프랑스 클뤼니에 있는 수도원으로, 910년
에 지어졌다. 중세 유럽 교회가 세속화되
자, 초기 수도원의 정신으로 돌아가자는
운동이 일어났다. 그 중심에는 클뤼니 수
도원이 있었다. 클뤼니 수도원은 영주에
예속되지 않았기 때문에 독립적인 지위를
누릴 수 있었다.

자료 1 프랑크 왕국의 분열

카롤루스 대제

프랑크 왕국의 분열

---- 베르됭 조약 경계
━━ 메르센 조약 경계

동프랑크 왕국
서프랑크 왕국
중프랑크 왕국
로마

프랑크 왕국은 카롤루스 대제 사후 베르됭 조약과 메르센 조약에 의해 세 개의 왕국으로 나뉘었다. 서프랑크 왕국은 지금의 프랑스, 동프랑크 왕국은 지금의 독일, 중프랑크 왕국은 지금의 이탈리아를 형성하는 기반이 되었다. 따라서 프랑크 왕국과 카롤루스 대제는 서유럽 세계의 기초를 닦았다고 여겨지기도 한다.

자료 2 고딕 양식

노트르담 성당

색유리그림

중세 서유럽의 대표적인 건축 양식 중 하나는 고딕 양식이다. 고딕 양식은 하늘에 닿고 싶어 했던 중세인들의 신앙을 담은 높은 첨탑과 아름다운 색유리그림을 특징으로 한다. 색유리그림은 색이 매우 화려하여 빛을 받았을 때 성당 내부를 환상적인 분위기로 연출해 준다. 노트르담 성당과 샤르트르 대성당은 고딕 양식의 전형을 보여 주는 건축물이다.

함께 보자! **심화 자료**

서로마 제국 황제의 관을 받는 카롤루스 대제

800년 12월 25일, 로마 교황 레오 3세는 성 베드로 대성전에서 미사를 집전하던 도중에 카롤루스에게 관을 씌워 주며 그를 신성 로마 제국의 로마 황제로 선언하였지. 그는 죽을 때까지 프랑크 국왕을 자신의 보호자로서 매우 중요시하였다고 해.

점검하자! **시험 유형**

첨탑이나 색유리그림의 사진을 제시하고 고딕 양식의 특징을 묻는 문제가 자주 출제되니 이를 잘 기억해 두자.

연습 문제 다음 사진과 관련된 건축 양식에 대한 설명으로 옳은 것은?

① 둥근 돔을 특징으로 한다.
② 이슬람 세계에서 유행하였다.
③ 아라베스크 무늬가 발달하였다.
④ 크리스트교 성립 초기에 유행하였다.
⑤ 첨탑은 신에게 다가가려는 마음을 반영한 것이다.

⑤ 답정

크리스트교 문화의 형성과 확산

④ 서유럽과 이슬람 세력의 충돌, 십자군 전쟁

1 십자군 전쟁
(1) **발발**: 셀주크 튀르크가 예루살렘 점령, 비잔티움 제국 압박 → 비잔티움 제국이 서유럽에 도움 요청, 교황 우르바누스 2세가 호응하여 전쟁 발발(1096)
(2) **전개**: 십자군 예루살렘 잠시 점령 → 세속적 목적 강화, 이슬람 세력에 패배

2 교황권 쇠퇴와 왕권 강화
(1) **왕권 강화**: 십자군 전쟁으로 유럽의 기사와 교황의 세력 쇠퇴
(2) **교황권 쇠퇴**: 십자군 전쟁의 실패, 아비뇽 유수 → 교회의 대분열
(3) **중앙 집권 체제 확립**: 상비군과 관료제 마련, 상공업자의 후원, 백년·장미 전쟁

3 도시의 성장과 장원의 해체
(1) **도시의 성장**: 십자군 전쟁 이후 무역이 확대되며 도시 발달 → 왕과 영주에게서 자치권을 얻어 독자적인 세력으로 등장
(2) **장원의 해체**
 ① 화폐 경제의 확산: 농민들은 현물이나 화폐로 지대 납부, 곡물 가격이 상승하여 화폐 가치 하락 → 농민의 경제적 부담 감소
 ② 농민의 지위 향상: 흑사병으로 인구 감소, 임금 상승 → 농노 해방, 장원 해체

⑤ 새로운 문화의 기운, 르네상스와 종교 개혁

1 르네상스: 그리스·로마 문화를 부활시켜 인간의 자유와 존엄성을 실현하려는 운동
(1) **기원**: 14, 15세기에 옛 로마 제국의 중심지인 이탈리아에서 제일 먼저 시작
(2) **배경**: 멸망한 비잔티움 제국의 학자 이탈리아에 유입, 지중해 무역으로 번영한 도시 지배층은 부와 권력을 과시하기 위해 문화에 투자
(3) **문학**: 페트라르카(서정시), 보카치오(『데카메론』)
(4) **예술**: 미켈란젤로, 레오나르도 다빈치, 라파엘로

2 르네상스의 확산과 과학 기술의 발달
(1) **북유럽 르네상스**: 16세기, 교회·사회를 비판하는 개혁 성향, 에라스뮈스(『우신예찬』), 토머스 모어(『유토피아』), 셰익스피어(『햄릿』), 세르반테스(『돈키호테』)
(3) **과학 기술의 발달**: 레오나르도 다빈치(비행기, 해부도), 코페르니쿠스·갈릴레이(지동설), 구텐베르크(활판 인쇄술)

3 종교 개혁
(1) **루터**: 교황의 면벌부 판매에 대항하여 「95개조 반박문」 발표, 신앙의 유일한 근거는 『성경』이라고 주장 → 아우크스부르크 화의에서 인정(1555)
(2) **칼뱅**: 예정설, 직업 윤리 강조 → 상공업자들의 호응, 영국·프랑스·네덜란드 등지에 전파
(3) **영국 국교회**: 헨리 8세가 왕이 교회의 우두머리임을 주장 → 영국 교회 독립)하여 국교회 수립
4 크리스트교의 변화: 구교와 신교의 대립으로 30년 전쟁 발발 → 칼뱅파를 공인하고 신성 로마 제국 제후들의 정치적인 독립권을 인정하는 베스트팔렌 조약 체결

＋ 아비뇽 유수
14세기에 프랑스의 왕은 강력해진 왕권을 바탕으로 로마 교황청을 프랑스 아비뇽으로 옮겼다. 이로 인해 약 70년간 교황이 아비뇽에 거주한 사건을 아비뇽 유수라고 한다.

＋ 상비군
국가에서 필요로 할 때 언제든지 동원할 수 있도록 편성된 군대. 또는 그런 군인을 말한다.

＋ 관료제
전문성을 지닌 관료가 일정한 법이나 규칙에 의거하여 국가, 또는 집단을 관리하는 통치 형태를 말한다.

＋ 흑사병
페스트균에 의해 발생한 급성 전염병이다. 발병 시 몸에 검은 반점이 생기며, 3~5일 이내에 죽음에 이른다.

＋ 지동설
천문학에서 태양이 우주의 중심이고 지구는 태양 주위를 돈다는 학설을 말한다. 지구를 중심에 두는 천동설과 반대되는 이론이다.

＋ 활판 인쇄술
글자꼴을 만들어 판에 배열한 다음 그 표면에 먹물을 칠해서 종이에 찍어 내는 기술이다. 현대에는 컴퓨터 시스템에 의한 인쇄술이 보급되며 사라져 가고 있다.

베스트팔렌 조약 조인식 장면

자료 1 르네상스 시기의 예술 작품

「아테네 학당」(라파엘로)

「최후의 만찬」(레오나르도 다빈치)

시스티나 성당 천장화의 일부분(미켈란젤로)

르네상스 시기의 대표적인 예술가들이 남긴 작품이다. 「아테네 학당」은 16세기 초 라파엘로가 제작한 벽화로 소크라테스, 플라톤과 같은 고대 그리스 학자들을 그린 것이다. 「최후의 만찬」은 레오나르도 다빈치의 대표작으로 15세기 말에 제작되었다. 예수가 십자가에서 죽기 전 날에 열두 제자와 함께 만찬을 나누는 모습을 표현하였다. 두 작품은 원근법을 따르고 있어 많은 등장인물에도 불구하고 산만하지 않고 집중된 느낌이 든다. 미켈란젤로가 그린 시스티나 성당 천장화도 르네상스 시기의 대표적인 예술 작품이다. 이 그림에서 나타나듯이 르네상스 시기의 예술가들은 인간과 자연을 사실적으로 표현하고 그 안에 담겨 있는 아름다움을 보여주었다.

자료 2 루터의 「95개조 반박문」

> 제6조 교황은 신의 용서를 선언 또는 시인하는 이외에 어떠한 죄도 용서할 권한이 없다.
>
> 제21조 설교자가 교황의 면벌부로 모든 죄에서 벗어날 수 있다면서 이를 판매하는 것은 잘못이다.
>
> 제36조 진실로 회개한 크리스트교도는 누구나 면벌부가 없어도 징벌이나 죄에서 완전히 해방되는 것이다.

교황 레오 10세는 성 베드로 성당 증축 비용을 마련하기 위해 면벌부를 판매하였다. 이에 루터는 「95개조 반박문」을 발표하여 인간에 대한 구원은 오로지 신만이 할 수 있는 것이라고 반박하였다. 이 글에 나타난 내용을 통해 당시 로마 가톨릭교회의 문제점을 추측할 수 있다. 그의 주장은 빠르게 각지로 확산되었고, 그 결과 루터파는 아우크스부르크 화의에서 인정받았다.

점검하자! **시험 유형**

르네상스 시기에 제작된 예술 작품을 자료로 제시하고 해당 작품이나 르네상스에 대해 묻는 문제가 자주 출제되니 이를 잘 기억해 두자.

연습 문제 다음 유물에 관한 설명으로 옳은 것은?

① 「다비드」라고 부른다.
② 다빈치가 조각하였다.
③ 종교 개혁의 산물이다.
④ 북유럽에서 제작되었다.
⑤ 성 베드로 성당 내부에 있다.

① 답정

함께 보자! **심화 자료**

종교 개혁의 확산

독일의 성직자 루터가 「95개조 반박문」을 발표하며 종교 개혁을 일으켰어. 이후에도 스위스의 칼뱅, 영국의 헨리 8세 등이 개혁을 시도하였어. 종교 개혁가들의 주장은 유럽 각지로 퍼져 다양한 종파가 탄생하는 데 기여하였어.

486년경 프랑크 왕국 건국

500

529년 비잔티움 제국, 『유스티니아누스 법전』 편찬

726년 비잔티움 제국, ❶ _____ 발표

800년 ❷ _____ , 서로마 황제 대관

843년 베르됭 조약
870년 메르센 조약

910년 클뤼니 수도원 건립

1000

1077년 ❸ _____의 굴욕
1096년 ❹ _____ 전쟁 발발

1337년 백년 전쟁 발발

1347년 유럽에 흑사병 창궐

1453년 비잔티움 제국 멸망

1500

1517년 루터의 종교 개혁 시작
1555년 아우크스부르크 화의

1618년 30년 전쟁 발발
1648년 베스트팔렌 조약 체결

---

1 빈칸에 알맞은 말을 넣어 보자.

(1) 영주는 봉토를 ( )(으)로 조직하여 경영
하였다.

(2) 유스티니아누스 황제는 로마법을 집대성하여
( )을/를 편찬하였다.

(3) 비잔티움 교회에서는 황제가 교회의 우두머리가
되는 ( )이/가 확립되었다.

(4) ( )은/는 첨탑과 색유리그림을 특징
으로 한다.

2 내용이 맞으면 O표, 틀리면 X표를 해 보자.

(1) 르네상스는 고전 문화의 전통이 남아 있던 이탈
리아에서 시작되었다. ( )

(2) 보름스 협약으로 황제가 성직자 임명권을 차지
하였다. ( )

(3) 아리스토텔레스의 철학이 서유럽에 소개되면서
스콜라 철학이 발달하였다. ( )

(4) 셀주크 튀르크가 비잔티움 제국을 압박한 것을
계기로 십자군 전쟁이 발발하였다. ( )

3 물음에 알맞은 답을 써 보자.

(1) 보카치오가 인간과 교회의 위선을 풍자한 작품
의 제목은? ( )

(2) 루터파가 크리스트교 종파로 인정받은 화의는?
( )

(3) 30년 전쟁 끝에 체결된 조약은?
( )

4 다음 인물과 작품을 옳게 연결해 보자.

(1) 토머스 모어 •   • ㉠ 『햄릿』

(2) 셰익스피어 •   • ㉡ 『돈키호테』

(3) 세르반테스 •   • ㉢ 『유토피아』

1 다음 그림과 관련된 왕에 관한 설명으로 옳은 것은?

> 서유럽 세계를 이슬람 세력으로부터 보호한 그대에게 서로마 제국 황제의 관을 수여하노라.

① 훈족의 압박을 받았다.
② 로마 제국으로 이주하였다.
③ 로마 제국의 용병이 되었다.
④ 북아프리카에 왕국을 건설하였다.
⑤ 옛 서로마 제국 영토의 많은 부분을 확보하였다.

2 (가)에 들어갈 단어로 옳은 것은?

> 기사들이 치안을 담당하고 농민을 지배하면서 서유럽 지역에서 ____(가)____ 이/가 형성되었다. ____(가)____ 의 핵심은 주종 관계였다. 봉신은 주군에게 충성을 서약하고 봉사 의무를 다했으며, 주군은 봉신에게 봉토를 주었다.

① 봉건제   ② 부병제   ③ 균전제
④ 과거제   ⑤ 3성 6부제

3 중세 서유럽 장원에 관한 설명으로 옳지 <u>않은</u> 것은?

① 영주는 장원에서 주군의 간섭을 받지 않았다.
② 농민은 대부분 영주의 지배를 받던 농노였다.
③ 장원의 농노는 약간의 재산을 소유하고 결혼할 수 있었다.
④ 영주는 농노에 대한 재판권과 세금 징수권을 가지고 있었다.
⑤ 농노는 장원의 공동 방목지를 대가 없이 자유롭게 사용할 수 있었다.

4 565년경 한 국가의 영역을 표시한 자료이다. 이 국가에 관한 설명으로 옳은 것을 〈보기〉에서 고른 것은?

프랑크 왕국
서고트 왕국
흑해
콘스탄티노폴리스
지중해
사산 왕조 페르시아
홍해

■ 565년경의 영역

> **보기**
> ㄱ. 오스만 제국에 멸망하였다.
> ㄴ. 비잔티움 제국으로 불리었다.
> ㄷ. 메르센 조약으로 분할되었다.
> ㄹ. 카롤루스 대제 때 전성기를 누렸다.

① ㄱ, ㄴ   ② ㄱ, ㄷ   ③ ㄴ, ㄷ
④ ㄴ, ㄹ   ⑤ ㄷ, ㄹ

시험 단골

5 다음 건축물의 명칭과 문화를 옳게 연결한 것은?

① 샤르트르 성당 – 그리스 문화
② 샤르트르 성당 – 비잔티움 문화
③ 성 소피아 성당 – 헬레니즘 문화
④ 성 소피아 성당 – 비잔티움 문화
⑤ 성 소피아 성당 – 그리스·로마 문화

키워 보자! 실력 쑥쑥

6 다음 그림과 관련된 사건의 명칭으로 옳은 것은?

① 장미 전쟁
② 30년 전쟁
③ 보름스 협약
④ 아비뇽 유수
⑤ 카노사의 굴욕

시험 단골

7 (가)에 들어갈 내용으로 가장 적절한 것은?

① 클뤼니 수도원
② 샤르트르 성당
③ 노트르담 성당
④ 베네딕트 수도원
⑤ 성 베드로 성당

8 중세 서유럽 세계의 학문에 관한 설명으로 옳지 <u>않은</u> 것은?

① 대학이 설립되었다.
② 스콜라 철학이 나타났다.
③ 아라비아 숫자가 완성되었다.
④ 아리스토텔레스의 철학이 소개되었다.
⑤ 교회와 수도원이 학문의 중심 역할을 하였다.

New 신유형

9 학생들이 설명하는 건축 양식으로 지어진 건축물을 〈보기〉에서 고른 것은?

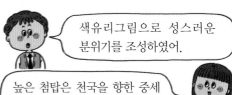
색유리그림으로 성스러운 분위기를 조성하였어.

높은 첨탑은 천국을 향한 중세 유럽인들의 소망을 보여 주지.

보기
ㄱ. 샤르트르 성당
ㄴ. 노트르담 성당
ㄷ. 바위 모스크
ㄹ. 도다이사

① ㄱ, ㄴ
② ㄱ, ㄷ
③ ㄴ, ㄷ
④ ㄴ, ㄹ
⑤ ㄷ, ㄹ

10 (가)에 들어갈 내용으로 가장 적절한 것은?

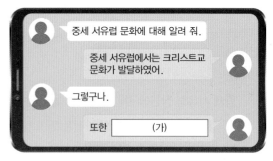
중세 서유럽 문화에 대해 알려 줘.
중세 서유럽에서는 크리스트교 문화가 발달하였어.
그렇구나.
또한 (가)

① 최초로 '영(0)'의 개념이 도입되었어.
② 이슬람교 중심의 문화가 발달하였어.
③ 모스크와 아라베스크 무늬가 발달하였어.
④ 프랑크족이 로마 가톨릭교로 개종하였어.
⑤ 기사들의 이야기를 담은 기사도 문학이 유행하였어.

고난도

11 다음 자료와 관련된 전쟁에 관한 사실로 옳은 것을 〈보기〉에서 고른 것은?

> 신을 믿지 않는 튀르크인의 진출은 그칠 줄을 모르고 콘스탄티노폴리스로 다가오고 있으니, 성지의 형제들을 구하자. …… 그대들이 사는 땅은 사람들이 몰려 있기 때문에 빈궁해졌다. …… 예수의 성묘가 있는 곳으로 가지 않겠는가?

보기

ㄱ. 유럽의 승리로 끝났다.
ㄴ. 교황의 호소로 시작되었다.
ㄷ. 여러 차례에 걸쳐 이어졌다.
ㄹ. 사산 왕조 페르시아와의 전쟁이다.

① ㄱ, ㄴ　　　② ㄱ, ㄷ　　　③ ㄴ, ㄷ
④ ㄴ, ㄹ　　　⑤ ㄷ, ㄹ

세계사능력검정시험 응용 문제

12 (가) 지역 르네상스의 특징으로 가장 적절한 것은?

암스테르담
퀼른
릴
브뤼셀
알프스산맥
베네치아
밀라노
피렌체
로마

● 이탈리아 르네상스의 중심지
● (가) 르네상스의 중심지

① 솔직한 감정을 서정시로 표현하였다.
② 자유로운 눈으로 인간을 바라보았다.
③ 사회 비판의 개혁적 성향이 강하였다.
④ 자연의 아름다움을 묘사하고자 하였다.
⑤ 고전 문화의 전통이 강하게 남아 있다.

주관식·서술형 문제

13 다음 자료를 보고 프랑크 왕국이 다른 게르만 왕국들과 달리 오랫동안 유지될 수 있었던 배경을 서술하시오.

북해
유트족
앵글족
색슨족
고트족
훈족
부르군트족
프랑크족
반달족
롬바르드족
동고트족
서고트족
로마

■ 로마의 최대 영역

14 다음 자료를 보고 물음에 답하시오.

베스트팔렌 조약 조인식 장면

(1) 위 조약이 체결되면서 종결된 전쟁의 명칭을 쓰시오.

(2) 위 조약의 주요 내용과 그것이 이후 역사에 미친 영향을 서술하시오.

●○○
1 다음 유물을 세운 왕의 업적으로 옳은 것은?

보기
ㄱ. 불교를 창시하였다.
ㄴ. 칼링가를 정복하였다.
ㄷ. 마우리아 왕조를 세웠다.
ㄹ. 상좌부 불교를 전파시켰다.

① ㄱ, ㄴ　　② ㄱ, ㄷ　　③ ㄴ, ㄷ
④ ㄴ, ㄹ　　⑤ ㄷ, ㄹ

●○○
2 (가)에 들어갈 유적의 명칭으로 옳은 것은?

역사 통합 검색 × +　　　　　　　　－ □ ×
← → C　http://www.OOOO.co.kr　　Q :
백과사전 ∨　　(가)　　　　　∨　검색

| 검색결과
이 사원은 캄보디아의 대표적인 사원 건축물이다. 12세기에 건립된 이 사원은 왕의 사후 세계를 위한 힌두교 사원으로 완성된 이래 모든 종교 활동의 중심지 역할을 하였다.

① 보로부두르　　② 카바 신전
③ 앙코르 와트　　④ 공자묘 대성전
⑤ 백제왕 신사

●○○
3 다음 자료에서 설명하는 유적으로 옳은 것은?

・북위 황제의 얼굴을 닮은 대불이 있는 석굴 사원
・중국 다퉁 위치, 5~6세기 제작

① 석굴암　　　　② 아테나상
③ 윈강 석굴　　④ 아잔타 석굴
⑤ 엘로라 석굴

●●○
4 다음 인물에 관한 설명으로 옳은 것은?

현장
당대의 고승이다. 그는 인도의 날란다 사원에 들어가 불교 연구에 힘썼으며, 불교 경전을 가지고 중국으로 돌아왔다.

① 당삼채를 만들었다.
② 청진사를 건립하였다.
③ 빈공과에 합격하였다.
④ 『대당서역기』를 집필하였다.
⑤ 대진 경교 유행 중국비를 세웠다.

●●○
5 다음 설명에 해당하는 문화의 공통 요소로 옳지 <u>않은</u> 것은?

신라, 발해, 일본 등은 당의 제도와 문화를 선택적으로 수용하여 전통을 유지하면서 독자적인 문화를 발전시켰다. 각국은 이 과정에서 서로 영향을 주고받았고, 이러한 과정에서 공통 요소를 지닌 문화가 형성되었다.

① 한자　　② 유교　　③ 율령
④ 불교　　⑤ 경교

6 ㈎ 왕조에 관한 설명으로 옳은 것은?

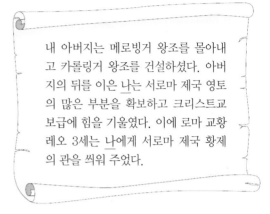

> 제○○호 **역사 신문** ○○○○년 ○○월 ○○일
>
> ㈎의 수도 바그다드는 서아시아 최대의 상업 도시였다. 이 도시는 세계 도처에서 모여든 상인들로 북적대고 있다. 바자르(시장)는 세계 각지의 진기한 물건들과 각국에서 온 상인들로 발 디딜 틈이 없다. 바그다드는 당시 당의 장안과 같이 세계의 중심이나 마찬가지였다.

① 정통 칼리프 시대를 열었다.
② 이베리아반도에 위치하였다.
③ 아랍어를 공용어로 채택하였다.
④ 사산 왕조 페르시아를 멸망시켰다.
⑤ 우마이야 가문이 칼리프를 세습하였다.

7 ㈎의 이동이 유럽에 미친 영향으로 옳은 것은?

> **㈎ 에 대하여**
>
> ㈎ 은/는 덴마크, 스칸디나비아반도를 원주지로 하던 게르만족의 일파이다. 이들은 게르만족의 대이동 당시에는 원주지에 머물렀으나, 7세기 무렵 잉글랜드와 프랑스를 침범하였다. 그리고 9세기부터 11세기까지 유럽 전체의 해안 지역을 약탈하였다.

① 로마가 멸망하였다.
② 게르만족이 이동하였다.
③ 훈족이 압박을 시작하였다.
④ 프랑크 왕국이 형성되었다.
⑤ 서유럽에 봉건제가 형성되었다.

8 밑줄 친 '나'에 대한 설명으로 옳은 것은?

> 내 아버지는 메로빙거 왕조를 몰아내고 카롤링거 왕조를 건설하셨다. 아버지의 뒤를 이은 나는 서로마 제국 영토의 많은 부분을 확보하고 크리스트교 보급에 힘을 기울였다. 이에 로마 교황 레오 3세는 나에게 서로마 제국 황제의 관을 씌워 주었다.

① 메르센 조약을 맺었다.
② 황제 교황주의를 확립하였다.
③ 오스만 제국의 압박을 받았다.
④ 크리스트교 보급에 힘을 쏟았다.
⑤ 『유스티니아누스 법전』을 편찬하였다.

9 다음 그림과 관련된 역사적 사건의 영향으로 가장 적절한 것은?

성상을 파괴하는 모습

① 경교가 중국에 전해졌다.
② 아비뇽 유수가 일어났다.
③ 카노사의 굴욕이 발생하였다.
④ 샤르트르 대성당이 건축되었다.
⑤ 동서 교회의 분열이 이루어졌다.

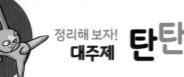
●●●○
10 다음과 같은 문학 작품들을 칭하는 표현으로 옳은 것은?

> • 아서왕 이야기
> • 「롤랑의 노래」

① 국민 문학　　　② 기사도 문학
③ 이슬람 문학　　④ 가톨릭 문학
⑤ 르네상스 문학

●●●●
11 (가), (나)의 명칭으로 옳은 것은?

	(가)	(나)
①	색유리그림	모자이크 벽화
②	색유리그림	아라베스크 무늬
③	아라베스크 무늬	굽타 양식
④	아라베스크 무늬	색유리그림
⑤	아라베스크 무늬	모자이크 벽화

●●●○
12 (가)에 들어갈 내용으로 가장 적절한 것은?

> 주제: ＿＿(가)＿＿
> 활동: 고딕 양식의 특성을 찾아 본다.
> 　　　스콜라 철학의 목적을 조사한다.
> 　　　카노사의 굴욕 사건을 조사한다.

① 르네상스의 배경
② 종교 개혁의 결과
③ 중세 유럽 봉건제의 형성
④ 프랑크 왕국이 유럽 사회에 미친 영향
⑤ 중세 서유럽 사회에서 크리스트교의 영향

●●●○
13 (가) 군대에 대한 설명으로 옳지 <u>않은</u> 것은?

① 오스만 제국의 침략에 저항하였다.
② 결과적으로 성지 탈환에 실패하였다.
③ 한때 예루살렘을 점령하기도 하였다.
④ 소년 십자군이 노예로 팔리기도 하였다.
⑤ 콘스탄티노폴리스를 약탈하기도 하였다.

●●●○
14 붉은 화살표의 방향으로 확대된 종파에 관한 설명으로 옳은 것은?

① 예정설을 주장하였다.
② 상공업자들의 호응을 얻었다.
③ 근면한 직업 윤리를 강조하였다.
④ 경제적 성공을 신의 은총으로 여겼다.
⑤ 아우크스부르크 화의에서 인정받았다.

15 다음 자료를 보고 물음에 답하시오.

> 창조주는 …… 각자의 업을 정하였도다. 브라만에게는 『베다』를 가르치며 제사 지내는 일을, 크샤트리아에게는 백성을 보호하고 다스릴 것을, 바이샤에게는 농사를 짓고 짐승을 기를 것을 명령하셨다. 마지막으로 수드라에게는 앞선 세 신분의 사람들에게 봉사하는 임무를 명령하셨다.

(1) 위 내용이 담긴 법전의 명칭을 쓰시오.

(2) (1)이 인도 역사에 미친 영향을 서술하시오.

16 다음 자료를 보고 물음에 답하시오.

(1) ㈎ 왕조의 수도를 쓰시오.

(2) ㈎ 왕조가 비아랍인을 어떻게 대하였는지 서술하시오.

17 ㈎, ㈏에 들어갈 단어를 각각 쓰시오.

> 북유럽 르네상스를 대표하는 에라스뮈스는 『우신예찬』에서 교회의 타락을 비판하였고, 토머스 모어는 [㈎]에서 영국 사회의 현실을 비판하고 빈부 격차 없는 이상 사회를 제시하였다. 또한 북유럽에서 모국어를 사용한 국민 문학이 발달하였다. [㈏]은/는 영어로 『햄릿』 등 수많은 작품을 남겼다.

18 다음 자료를 보고 물음에 답하시오.

루터 기념 동상

(1) 다음 기념물과 관련된 인물이 전개한 개혁의 명칭과 그 계기를 쓰시오.

(2) 위 개혁에 대한 로마 가톨릭교회의 대응 양상을 서술하시오.

III 지역 세계의 교류와 변화

1 몽골 제국과 문화 교류

2 동아시아 지역 질서의 변화

3 서아시아와 북아프리카 지역 질서의 변화

4 신항로 개척과 유럽 지역 질서의 변화

이 대주제를 배우면

몽골·명·청·오스만 제국 등이 지역 세계의 교류와 변화에 미친 영향과 신항로 개척이 세계 각지에 미친 영향을 알 수 있어요.

나의 학습 계획표

중주제	학습 코너	쪽수	학습 예정일	학습 완료일	달성도
1 몽골 제국과 문화 교류	기억하자! 핵심 내용	66쪽	◯ 월 ◯ 일	◯ 월 ◯ 일	☆☆☆☆☆
	놓치지 말자! 핵심 자료	67쪽	◯ 월 ◯ 일	◯ 월 ◯ 일	☆☆☆☆☆
	되짚어 보자! 기본 개념	68쪽	◯ 월 ◯ 일	◯ 월 ◯ 일	☆☆☆☆☆
	키워 보자! 실력 쑥쑥	69~71쪽	◯ 월 ◯ 일	◯ 월 ◯ 일	☆☆☆☆☆
2 동아시아 지역 질서의 변화	기억하자! 핵심 내용	72쪽	◯ 월 ◯ 일	◯ 월 ◯ 일	☆☆☆☆☆
		74쪽	◯ 월 ◯ 일	◯ 월 ◯ 일	☆☆☆☆☆
	놓치지 말자! 핵심 자료	73쪽	◯ 월 ◯ 일	◯ 월 ◯ 일	☆☆☆☆☆
		75쪽	◯ 월 ◯ 일	◯ 월 ◯ 일	☆☆☆☆☆
	되짚어 보자! 기본 개념	76쪽	◯ 월 ◯ 일	◯ 월 ◯ 일	☆☆☆☆☆
	키워 보자! 실력 쑥쑥	77~79쪽	◯ 월 ◯ 일	◯ 월 ◯ 일	☆☆☆☆☆
3 서아시아와 북아프리카 지역 질서의 변화	기억하자! 핵심 내용	80쪽	◯ 월 ◯ 일	◯ 월 ◯ 일	☆☆☆☆☆
	놓치지 말자! 핵심 자료	81쪽	◯ 월 ◯ 일	◯ 월 ◯ 일	☆☆☆☆☆
	되짚어 보자! 기본 개념	82쪽	◯ 월 ◯ 일	◯ 월 ◯ 일	☆☆☆☆☆
	키워 보자! 실력 쑥쑥	83~85쪽	◯ 월 ◯ 일	◯ 월 ◯ 일	☆☆☆☆☆
4 신항로 개척과 유럽 지역 질서의 변화	기억하자! 핵심 내용	86쪽	◯ 월 ◯ 일	◯ 월 ◯ 일	☆☆☆☆☆
		88쪽	◯ 월 ◯ 일	◯ 월 ◯ 일	☆☆☆☆☆
	놓치지 말자! 핵심 자료	87쪽	◯ 월 ◯ 일	◯ 월 ◯ 일	☆☆☆☆☆
		89쪽	◯ 월 ◯ 일	◯ 월 ◯ 일	☆☆☆☆☆
	되짚어 보자! 기본 개념	90쪽	◯ 월 ◯ 일	◯ 월 ◯ 일	☆☆☆☆☆
	키워 보자! 실력 쑥쑥	91~93쪽	◯ 월 ◯ 일	◯ 월 ◯ 일	☆☆☆☆☆
정리해 보자! 대주제 탄탄		94~97쪽	◯ 월 ◯ 일	◯ 월 ◯ 일	☆☆☆☆☆

1 몽골 제국과 문화 교류

❶ 송의 성립과 북방 민족의 성장

1 송의 건국과 발전

What? 당 멸망 이후부터 송이 중국을 통일하기까지 나타난 다섯 왕조와 열 나라를 말해.

(1) **건국**: 조광윤(태조)이 카이펑을 수도로 건국(960) → 5대 10국의 분열 수습
(2) **문치주의 채택**: 문신 우대(절도사 약화), 과거제 개혁(전시 제도) → 황제권 강화, 군사력 약화
(3) **왕안석의 개혁**: 북방 민족의 침입 증가, 재정난 해결 위해 신법 시행 → 실패

2 북방 민족의 성장

Why? 북방 민족에게 물자(세폐)를 지급하여 평화를 유지하였기 때문이야.

(1) **북방 민족의 성장과 남송의 성립**

거란(요)	거란족 야율아보기가 건국(916) → 발해 멸망, 송 압박, 고려 침입
서하	탕구트족 이원호가 건국(11세기경) → 중계 무역(비단길), 불교문화 발달, 송 압박
금	여진족 아구다가 건국(1115) → 송과 연합하여 거란 멸망 → 화북 차지(1127)
남송	금에 화북을 빼앗기고 임안(항저우)을 수도로 성립 → 약 150년간 존속

(2) **고유문화 보존을 위한 노력**: 이원적 통치(거란, 금), 고유 문자(거란, 서하, 금)

3 사대부의 성장과 성리학의 성립
How? 고유의 부족제로 유목민을, 중국식 주현제로 한족을 다스렸어.

(1) **사대부의 성장**: 과거제 정착 → 유교적 소양을 갖춘 사대부가 지배층으로 부상
(2) **성리학의 성립**: 송대 유학자 주희가 집대성 → 중국 및 주변국의 지배 이념화

4 경제 성장과 과학 기술의 발달

(1) **농업의 발전**: 농지 확대, 모내기법 보급, 이모작, 품종 개량, 상품 작물 재배 확산
(2) **상공업의 발달**: 상공업자의 동업 조합 조직, 전국적 시장 형성, 지폐(교자) 사용
(3) **서민 문화의 발전**: 경제력 향상된 서민층 증가 → 소설·수필·찻집·연극 등 유행
(4) **과학 기술의 발달**: 인쇄술, 나침반(→ 해상 교역 활성화, 시박사 설치), 화약 등

What? 해상 무역을 관리하던 관청이야.

❷ 몽골 제국의 성립과 활발해진 동서 교류

1 몽골 제국의 성립

(1) **건국**: 칭기즈 칸(테무친)이 몽골고원의 유목민 통합, 천호제 도입, 영토 확장
(2) **발전**: 서하와 금 공격, 아바스 왕조 정복, 유라시아 전역에 걸친 대제국으로 발전
(3) **통치**: 칭기즈 칸 사후 여러 울루스로 분할 통치

2 원의 중국 지배
What? 몽골어로 '부족', '국가'를 뜻해.

(1) **쿠빌라이(세조)**: 국호 변경(원), 대도(베이징) 천도, 대월·미얀마 등에 원정군 파견, 고려 복속, 일본 원정 시도, 남송 멸망, 유목민 최초 중국 전역 지배(1279)
(2) **통치**: 각지에 행성 설치하고 지방관인 다루가치 파견, 몽골 제일주의
(3) **문화**: 서민 문화 발달(잡극 유행, 『수호지』, 『서유기』 등 통속 소설 원형 성립)
(4) **쇠퇴**: 홍건적의 반란 등 한족의 저항 → 주원장에 의해 북쪽으로 축출(1368)

3 동서 교류의 확대

(1) **역참 설치로 인적 교류 확대**: 카르피니, 마르코 폴로, 이븐바투타 등
(2) **문물 교류**: 서아시아의 자연 과학 원에 유입, 중국의 제지술·화약·인쇄술·나침반 등이 유럽에 전래
(3) **종교**: 관용 정책으로 다양한 종교 공존(크리스트교, 이슬람교, 티베트 불교 등)

알아 두자! 시험 포인트

• 송의 문치주의 정책
• 거란(요), 서하, 금의 대외 관계
• 송대의 경제와 문화
• 원의 중국 지배 방식
• 몽골 제국 시기의 동서 교류

✚ 전시 제도
황제가 과거 시험의 최종 감독관이 되어 합격자의 등수를 결정하는 제도이다. 이렇게 선발된 관리는 황제를 스승으로 모시며 충성을 바쳤다. 이는 황제권 강화에 기여하였다.

✚ 성리학
우주의 원리와 인간의 본성을 탐구하는 유학의 한 갈래이다. 학문 체계를 집대성한 주희의 이름을 따서 '주자학'이라고도 한다.

✚ 천호제
몽골의 군사·행정 조직이다. 유목민을 1,000호 단위로 묶어 생활하도록 하였으며, 그 지도자를 천호장이라 하였다. 그 밑으로는 백호장과 십호장, 위로는 만호장이 있었다. 이들은 모두 칸의 지휘를 받았다.

✚ 몽골 제일주의
몽골족은 몽골 제일주의에 따라 중국을 통치하였다. 이에 소수의 몽골인이 요직을 독점하고 서방계 색목인들은 주로 재정 관료로 활동하였다. 한편 금의 지배를 받던 이들은 한인, 남송의 지배를 받던 이들은 남인으로 분류되었다. 남인은 몽골인의 지배에 마지막까지 저항하였기 때문에 가장 많은 차별을 받았다.

✚ 역참
몽골 제국이 수도에서 이어진 교통로에 설치한 기관이다. 약 40km마다 세워졌으며, 패자를 휴대한 여행객에게 숙식과 말 등을 제공하였다.

놓치지 말자! 핵심 자료

자료 1 송과 북방 민족의 대립

북송, 거란(요), 서하의 대립

남송, 금, 서하의 대립

문치주의 정책으로 군사력이 약해진 송은 북방 민족의 위협에 시달렸다. 송은 연운 16주를 되찾기 위해 거란(요)과 전쟁을 하였지만, 결국 실패하여 거란에 매년 물자를 보내 평화를 유지하였다. 12세기에는 금이 송을 공격하여 강남으로 몰아냈는데, 이때부터를 남송이라고 한다. 남송은 금과 군신 관계를 맺고 매년 금에 물자를 보내는 조건으로 전쟁을 끝냈다. 이는 송이 재정난에 시달리는 하나의 원인이 되었다.

자료 2 몽골 제국 시기의 동서 교류

몽골 제국은 도로망을 정비하고 역참을 설치하였다. 그 영향으로 초원길과 비단길, 그리고 바닷길을 따라 수많은 상인과 여행자가 오갔다. 선교사 카르피니, 『동방견문록』으로 유명한 이탈리아의 상인 마르코 폴로, 모로코 출신의 여행가로 『여행기』를 저술한 이븐바투타가 대표적인 인물들이다. 이처럼 동서 교류가 확대되면서 서아시아의 천문학·역법·수학 등이 중국에 전해졌고, 중국의 인쇄술·나침반·화약 등이 서아시아와 유럽에 전파되었다.

점검하자! **시험 유형**

자료 1과 같은 지도를 제시하고 송, 거란(요), 금의 특징이나 관련 사건을 묻는 문제가 자주 출제되니 이를 잘 기억해 두자.

연습 문제 (가) **국가에 관한 설명으로 옳은 것은?**

① 거란을 멸망시켰다.
② 조광윤이 건국하였다.
③ 각지에 행성을 설치하였다.
④ 문치주의 정책을 시행하였다.
⑤ 5대 10국의 분열을 수습하였다.

① 捐&

함께 보자! **심화 자료**

원의 패자

패자는 몽골 제국에서 발급한 통행증이야. 이를 휴대한 사람은 역참의 시설을 이용할 수 있었지. 당시에는 관리와 외교 사절뿐만 아니라 상인 등 일반인들도 패자를 발급받아 안전하고 편안한 여행을 할 수 있었어.

맥 잡는 **연표 문제**

◉ 916년 야율아보기, 거란(요) 건국

◉ 960년 조광윤, ❶ _____ 건국

[1000]

◉ 1038년 탕구트족, 서하 건국

◉ 1069년 송, 신법 시행

[1100]

◉ 1115년 여진족의 아구다, ❷ _____ 건국

◉ 1125년 거란, 금과 송의 협공으로 멸망
◉ 1127년 남송 수립

[1200]

◉ 1206년 ❸ _____, 몽골고원의 유목민 통일

◉ 1227년 서하, 몽골에 멸망

◉ 1234년 금, 몽골에 멸망

◉ 1271년 쿠빌라이, 국호 ❹ _____으로 변경
◉ 1274년 쿠빌라이, 1차 일본 원정 개시
◉ 1279년 원, 남송을 정복하고 중국 통일
◉ 1281년 쿠빌라이, 2차 일본 원정 개시

핵심 짚는 **확인 문제**

1 빈칸에 알맞은 말을 넣어 보자.

(1) 송 태조는 문신을 우대하는 (   )를 앞세워 황제권을 강화하였다.

(2) 송대 유학자인 주희는 (   )을/를 집대성하였다.

(3) (   )은/는 남송을 멸망시켜 유목민 최초로 중국 전역을 지배하였다.

(4) 몽골 제국은 주요 도로망을 따라 (   )을/를 설치하였다.

2 내용이 맞으면 O표, 틀리면 X표를 해 보자.

(1) 금은 발해를 멸망시켰다. (   )

(2) 송대에는 교자라 불리는 지폐가 사용되었다. (   )

(3) 칭기즈 칸은 천호제를 바탕으로 영토를 확장하였다. (   )

(4) 원대에 서아시아의 화약, 인쇄술 등이 중국으로 유입되었다. (   )

3 물음에 알맞은 답을 써 보자.

(1) 황제가 최종 시험관이 되어 과거 합격자의 등수를 정하는 제도는? (   )

(2) 송의 재정난을 극복하기 위해 신법 시행을 주장한 인물은? (   )

(3) 원대에 재정 관료 등으로 활동한 서방계의 외국인들을 일컫는 단어는? (   )

4 다음 국가명과 관련 내용을 옳게 연결해 보자.

(1) 송 • • ㉠ 5대 10국 통일

(2) 거란 • • ㉡ 아구다가 건국

(3) 금 • • ㉢ 지방에 행성 설치

(4) 원 • • ㉣ 발해 정복, 고려 침입

1 다음 내용에 해당하는 국가로 옳은 것은?

> • 조광윤이 건국하였다.
> • 5대 10국의 분열을 수습하였다.

① 금
② 송
③ 원
④ 거란
⑤ 서하

시험 단골

2 밑줄 친 '황제'에 관한 설명으로 옳은 것은?

> 황제는 카이펑을 수도로 하는 새 왕조를 개창하였다. 그리고 당의 멸망으로부터 교훈을 얻어 지방의 절도사 세력을 약화시키기 위한 정책들을 구상하였다.

① 발해를 멸망시켰다.
② 신법을 추진하였다.
③ 원을 북쪽으로 몰아냈다.
④ 전시 제도를 도입하였다.
⑤ 자와에 원정군을 파견하였다.

시험 단골

3 (가) 국가에 관한 설명으로 옳지 <u>않은</u> 것은?

> 당이 무너진 뒤 혼란스러운 상황을 틈타 야율아보기는 부족을 통일하고 [(가)]을/를 건국하였다.

① 발해를 정복하였다.
② 몽골에게 멸망하였다.
③ 고유 문자를 사용하였다.
④ 송과 연운 16주를 두고 대립하였다.
⑤ 유목민을 고유의 부족제로 통치하였다.

4 (가)에 들어갈 내용으로 옳은 것은?

> 갑: 오늘 배운 서하에 대해 알려줄래?
> 을: 응, 서하는 [(가)]

① 여진족에 의해 세워졌어.
② 여러 울루스로 분할되었어.
③ 금과 송의 연합 공격으로 멸망하였어.
④ 발해를 무너뜨리고 고려에 침입하였어.
⑤ 비단길을 통한 중계 무역을 전개하였어.

5 밑줄 친 '이 국가'에 관한 설명으로 옳은 것은?

> 송은 이 국가의 공격을 받아 강남으로 이동하였다. 이후로 송은 약 150여 년 동안 더 존속하였다.

① 아구다가 건국하였다.
② 일본 원정을 시도하였다.
③ 아바스 왕조를 정복하였다.
④ 지방에 행성을 설치하였다.
⑤ 임안(항저우)을 수도로 하였다.

고난도

6 (가), (나) 국가에 관한 설명으로 옳은 것은?

① (가) – 아구다가 건국하였다.
② (가) – 한족을 주현제로 다스렸다.
③ (나) – 발해를 멸망시켰다.
④ (나) – (가)에 화북 지방을 빼앗겼다.
⑤ (나) – (가)와 함께 거란을 멸망시켰다.

실력 쑥쑥

New 신유형

7 (가) 국가에서 볼 수 있는 모습으로 옳은 것은?

① 주희의 가르침을 받는 학생
② 재정 관련 업무를 처리하는 색목인
③ 역참에 들러 패자를 제시하는 여행자
④ 일본 원정을 위해 함선을 제조하는 노동자
⑤ 홍건적을 진압하기 위해 조정에서 파견한 진압군

8 밑줄 친 '이 계층'에 관한 설명으로 옳은 것을 〈보기〉에서 고른 것은?

> 문치주의 정책이 추진되었던 송대에는 이 계층이 성장하였다. 이들은 송의 지배층으로서 전국에 학교를 세우고 제자를 기르는 데 힘써 학문 발전에 기여하였다.

보기
ㄱ. 유교적 소양을 바탕으로 하였다.
ㄴ. 5대 10국의 분열기를 초래하였다.
ㄷ. 과거제를 통해 관직에 진출하였다.
ㄹ. 소설과 잡극 등의 주요 소비층이었다.

① ㄱ, ㄴ   ② ㄱ, ㄷ   ③ ㄴ, ㄷ
④ ㄴ, ㄹ   ⑤ ㄷ, ㄹ

시험 단골

9 (가) 인물에 관한 설명으로 옳은 것은?

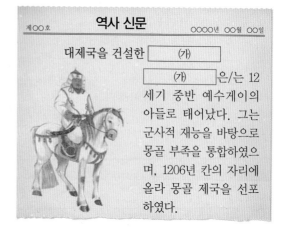

제○○호   **역사 신문**   ○○○○년 ○○월 ○○일

대제국을 건설한 [(가)]

[(가)]은/는 12세기 중반 예수게이의 아들로 태어났다. 그는 군사적 재능을 바탕으로 몽골 부족을 통합하였으며, 1206년 칸의 자리에 올라 몽골 제국을 선포하였다.

① 대도로 천도하였다.
② 남송을 멸망시켰다.
③ 천호제를 도입하였다.
④ 문치주의 정책을 시행하였다.
⑤ 대월(베트남) 원정을 시도하였다.

10 (가) 국가에 관한 설명으로 옳은 것을 〈보기〉에서 고른 것은?

보기
ㄱ. 금을 멸망시켰다.
ㄴ. 전시가 처음 시행되었다.
ㄷ. 한족을 고위 관직에 등용하였다.
ㄹ. 다른 종교를 관용적으로 허용하였다.

① ㄱ, ㄴ   ② ㄱ, ㄷ   ③ ㄱ, ㄹ
④ ㄴ, ㄹ   ⑤ ㄷ, ㄹ

11 다음 대외 정책을 시행한 국가와 관련 있는 탐구 활동으로 가장 적절한 것은?

> 면국(현재의 미얀마 지역에 존재했던 국가) 정벌을 위해 장만을 부도원수로, 아선철목아를 다루가치로, 천호(千戶)인 장성을 초토사로 임명하였다. …… 6천 명의 군대로 면국을 정벌하도록 하였다.

① 『동방견문록』의 내용을 분석한다.
② 사대부 계층이 대두된 배경을 탐구한다.
③ 보수파가 신법을 반대한 이유를 알아본다.
④ 모내기법의 보급으로 나타난 변화를 찾아본다.
⑤ 절도사 세력의 강화가 가져온 결과를 파악한다.

12 밑줄 친 '이 사람'에 관한 설명으로 옳은 것은?

> 이 사람은 칭기즈 칸의 손자이다. 고려를 복속시키고 대칸이 되었으며, 국호를 원으로 바꾸었다.

① 카이펑을 수도로 하였다.
② 홍건적의 난을 주도하였다.
③ 절도사 세력을 억제하였다.
④ 재정난 극복을 위한 개혁을 실시하였다.
⑤ 유목 민족 최초로 중국 전역을 차지하였다.

13 (가) 민족이 세운 국가에 관한 설명으로 옳은 것은?

> (가) 은/는 이미 폴란드와 헝가리까지 공격한 바 있었는데, 신이 도우셔서 간신히 위협을 피했다. 현재 잠시 공격을 중단하고 있지만 새로운 대칸이 선출되면 공격을 재개할 것이다.

① 주요 교통로에 역참을 설치하였다.
② 북방 민족에게 세폐를 지급하였다.
③ 멸망 이후 5대 10국으로 분열되었다.
④ 문신을 우대하고 무인 세력을 억제하였다.
⑤ 북방 민족의 침략으로 수도를 강남으로 옮겼다.

주관식·서술형 문제

14 다음 자료를 보고 물음에 답하시오.

> 인물 탐구 – [(가)]
>
> 중국 송대의 정치인이다. 송 신종의 신임을 얻어 부재상이 된 그는 ㉠심화되는 국가의 재정난을 극복하고 대상인·대지주의 횡포로부터 농민들과 중소 상인들을 보호하기 위해 개혁을 추진하였다.

(1) (가)에 들어갈 명칭을 쓰시오.

_____

(2) 밑줄 친 ㉠의 주요 원인을 서술하시오.

_____

_____

15 다음 자료를 읽고 물음에 답하시오.

> 원은 정복한 지역을 효과적으로 다스리기 위해 각지에 지방 행정을 담당하는 기관인 [(가)]을/를 설치하고, [(나)]을/를 파견함으로써 지방 행정을 관리 감독하였다. 또한 소수의 몽골인들이 다수의 피지배 민족을 지배하기 위해 ㉠민족 차별 정책을 시행하였다.

(1) (가), (나)에 들어갈 명칭을 각각 쓰시오.

_____

(2) 밑줄 친 ㉠의 구체적인 내용을 서술하시오.

_____

_____

2 동아시아 지역 질서의 변화

❶ 명의 발전과 동아시아 질서의 재편

1 명의 건국과 홍무제의 정책

(1) **건국**: 한족 농민 출신 주원장(태조 홍무제)이 농민 봉기를 이용하여 금릉(난징)을 수도로 건국(1368) → 몽골 세력을 북으로 몰아내고 중국 대륙 장악

(2) **홍무제의 정책**

① 유교 이념 부활: ⁺육유 반포, 학교와 과거제 정비 → 한족 전통 부흥

② 체제 정비: 토지 대장과 호적을 정비하여 세금 징수에 이용, ⁺이갑제 도입

③ 황제권 강화: 공신 숙청, 황제가 6부 직접 관리

2 명 중심의 동아시아 질서 수립

(1) **조공·책봉 체제 부활**: ⁺화이사상을 바탕으로 주변국을 책봉하고 조공 요구 → 조공·책봉 관계를 수용하는 국가들에 한해 공무역 허용 증명서인 감합 발급

(2) **해금 정책**: 일체의 민간 무역(사무역) 금지 → 명 말인 16세기 후반 부분적 해제

3 명의 발전과 쇠퇴

> **Why?** 밀무역이 성행하고 해적들이 창궐했기 때문이었어.

(1) **전성기(성조 영락제)**: 베이징 천도하고 자금성 건설(1421), 대외 팽창(몽골·대월(베트남) 공격, 7차에 걸쳐 정화의 함대 파견)

(2) **쇠퇴**: 명 중기 이후 황제의 방관 아래 환관 득세, 몽골 세력과 왜구의 침입

(3) **멸망**: 임진왜란 지원으로 재정난 심화, 세금 수탈 → 농민 반란으로 멸망(1644)

> **How?** 이자성의 농민 반란군에 의해 베이징이 함락되었어.

❷ 청의 발전과 동아시아 질서의 변화

1 청의 등장과 중국 지배

> **When?** 1627년(정묘호란), 1636년(병자호란)에 공격하였어.

(1) **건국**: 누르하치가 여진족(만주족) 통합하여 후금 건국(1616), ⁺팔기제 바탕으로 세력 확대 → 홍타이지(태종)가 황제를 칭하고 청으로 국호 변경(1636), 조선 공격

(2) **베이징 입성**: 명 멸망을 틈타 진군하여 베이징 점령 → 수도로 선포(1644)

(3) **중국 지배 방식**: 만주족 고유 전통 유지, 한족 대상으로 강경책과 회유책 병행

2 청의 발전: 강희제, 옹정제, 건륭제에 이르는 약 130년 동안 전성기를 누림

강희제	타이완 등 반청 세력 진압 → 청의 지배 체제 강화
옹정제	군기처 설치 → 강력한 황제 독재 체제 수립
건륭제	티베트와 신장, 몽골 포함하는 제국 완성 → 오늘날의 중국 영토 대부분 확보

3 청의 대외 정책

(1) **청의 대외 관계**: 명·청이 교체되며 화이사상 동요 → 동아시아 외교 관계에 영향

청	만주족도 중화가 될 수 있다고 주장 → 주변국에 조공·책봉 관계 강요
조선	청이 두 차례 침입하여 조공·책봉 관계 수립 → 청에 조공하면서도 명과의 의리를 내세우며 청을 오랑캐로 간주, 조선 중화 주장
일본	조공·책봉 없이 청과 교역 관계만 유지, 스스로 중화를 자처
러시아	청과 대등한 입장에서 네르친스크 조약을 맺어 청의 동북부 국경 확정(1689)

(2) **청의 대외 무역**: 초기에 대외 무역 통제하는 해금 정책 실시 → 타이완 정복 후 해금 완화하며 무역 개방 → 18세기 이후 ⁺공행 무역 전개

> **Why?** 타이완의 반청 세력을 고립시키기 위해서였어.

알아 두자! **시험 포인트**

- 홍무제의 정책
- 명·청의 대외 정책
- 양명학과 고증학의 특징
- 명·청대의 서민 문화
- 산킨코타이 제도
- 에도 막부의 쇄국 정책과 난학

＋ 육유
태조 홍무제가 반포한 유교 윤리이다. '부에게 효도하고, 윗사람을 존경하며, 향리 사람들과 화목하고, 자손을 잘 교육하며, 저마다 하는 일에 만족하고, 잘못을 저지르지 말라.'라고 하는 훈계를 담고 있다.

＋ 이갑제
조세 징수와 치안 유지를 목적으로 한 촌락 자치 제도이다. 농가 110호를 1리로 편성하고 그 중 부유한 10호를 이장호라 하여 차례대로 이장을 맡게 하였다. 나머지 100호는 10갑으로 나누고 갑을 담당한 갑수가 행정을 담당하도록 하였다.

＋ 화이사상
중국에서 발생한 자문화 중심주의적 사상이다. 한족의 중국 문명이 천하 문명의 중심이라는 뜻으로 '중화(中華)'라 부르고 주변 나라나 민족은 문화가 발달하지 않은 '이(夷, 오랑캐)'라 부르며 배척한다.

＋ 팔기제
부족 구성원들을 8개의 군사 및 행정 집단으로 편성한 제도이다. 각 집단은 서로 다른 깃발을 사용하였으며, 구성원들은 각종 특권을 누리고 토지를 받았다.

＋ 공행 무역
청은 18세기 중반 광저우에 서양과의 교역을 독점적으로 허가받은 상인 조합인 공행을 두고, 서양 상인들은 이들을 통해서만 청과 무역에 임할 수 있도록 제한하였다. 이를 공행 무역이라 한다.

놓치지 말자! 핵심 **자료**

자료 ① 명 제국의 발전과 정화의 원정

영락제는 명의 위엄을 세계에 알리고 많은 나라들과 조공·책봉 관계를 맺기 위해 환관 정화로 하여금 대규모 항해에 나서도록 하였다. 이에 정화는 대규모의 함대를 꾸려 1405년부터 1433년까지 일곱 차례에 걸쳐 대원정에 나섰는데, 그의 함대는 인도와 아프리카 동부까지 닿았다고 한다. 이 항해는 명 중심의 국제 질서가 확대되는 결과를 가져왔다. 또한 이를 계기로 한족들의 동남아시아 진출이 더욱 활발해졌다. 하지만 정화의 원정 이후 명이 해상 진출에 대한 관심을 접음으로써 이 같은 위엄은 오래 가지 못하였다.

자료 ② 청의 한족 지배 정책

1. 고위 관직에 만주족과 한족을 같은 수로 등용

2. 변발과 만주족의 의복을 강요

3. 청 왕조를 비방할 시 가혹하게 처형

4. 『사고전서』 편찬에 한족 동원함과 동시에 모든 도서 검열

청을 세운 만주족은 자신들보다 수적으로 우세한 한족들을 효과적으로 통치하기 위해 강경책과 회유책을 함께 시행하였다. 회유책의 일환으로 청의 황제들은 한족의 문화와 관습을 존중하고 유교식 의례를 따름으로써 한족들의 저항을 약화하였다. 또한 한족 관료를 적극 등용하였고, 『사고전서』 편찬에 한족 지식인을 동원하여 중국의 역대 문물을 총 정리하였다. 동시에 청은 한족의 복종을 확인하고자 변발과 만주족의 의복 착용을 강요하였고, 조금이라도 청 왕조를 비방하면 가차 없이 처형하였다. 『사고전서』 편찬은 청의 모든 도서를 검열하기 위한 것이기도 했다.

점검하자! **시험 유형**

정화의 원정과 관련된 자료를 제시하고, 이를 추진한 국가인 명이나 지시한 황제인 영락제에 대해 묻는 문제가 자주 출제되니 이를 잘 기억해 두자.

연습문제 (가) 황제에 관한 설명으로 옳은 것은?

> (가) 은/는 명의 위엄을 널리 알리기 위해 환관 정화로 하여금 대규모 원정을 떠나도록 지시하였다. 정화는 대함대를 이끌고 7차례의 원정을 떠나 명의 국력을 과시하였다.

① 육유를 반포하였다.
② 이갑제를 도입하였다.
③ 군기처를 설치하였다.
④ 베이징으로 천도하였다.
⑤ 삼번의 난을 진압하였다.

④ 답정

함께 보자! **심화 자료**

『사고전서』

건륭제 시기에 편찬된 대형 총서야. 역대 중국의 주요 서적 및 기록을 4부로 분류하여 편찬한 것이야. 청 왕조는 이를 통해 한족 문화를 계승한다는 명분으로 한족 지식인을 포섭하였으나, 한편으로는 대대적으로 서적을 검열함으로써 청의 중국 지배에 방해가 되는 내용을 제거하기도 하였지.

❸ 명·청대의 경제와 문화

1 명·청대의 경제

(1) 농업과 상공업의 발달

농업·수공업	• 농업 기술 발달, 품종 개량, 신대륙 작물 보급(고구마·감자·땅콩·담배·옥수수 등) • 곡창 지대였던 강남 지방이 비단·면포 수공업의 중심지로 발전 → 창장강 중·상류 지방이 새롭게 쌀 생산 중심지화
상업	쑤저우, 항저우 등 대도시 발전, 쌀·비단·면포·차 등을 유통하는 대상인 등장

(2) 은 유통 증가: 차·비단·도자기 수출 → 은 유입 증가 → 은화 유통, 세금 은납화

2 새로운 학문의 발전

명	• 양명학: 왕수인(왕양명)이 집대성, 경전의 가르침보다 개인의 깨달음 중시 • 서양 문물에 자극받아 실용 서적 편찬(『농정전서』, 『천공개물』)
청	• 『강희자전』, 『사고전서』 등 대규모 편찬 사업 전개 • 고증학: 현실 정치에 거리 두고 경전이나 역사서를 실증적으로 연구

3. 서민 문화의 발달: 강남 지방 중심으로 도시 발전, 서민의 경제력 향상 → 소설(명대『수호지』·『삼국지연의』, 청대『홍루몽』 등), 연극(청대 경극 등)

4. 유럽과의 교류

What? 로마 교황청 직속 가톨릭 선교 단체야.

(1) 명 말부터 마테오 리치 등 예수회 선교사들이 서양 과학 기술 소개

(2) 선교 단체가 제사를 우상 숭배라며 반대 → 선교사 추방, 교류 상당 기간 제한

❹ 일본 막부의 변화와 발전

1 가마쿠라 막부(1185~1333)

(1) 성립: 헤이안 시대 후기 혼란으로 무사 성장 → 미나모토노 요리토모가 막부를 세우고 천황으로부터 쇼군(장군) 칭호 획득

(2) 쇠퇴: 13세기 후반 원의 침입 방어(신국 사상 대두) → 재정 부담으로 쇠퇴

Why? 원의 침입이 모두 태풍으로 실패하며 일본은 신이 지켜 주는 나라라는 믿음이 생겨났어.

2 무로마치 막부와 전국 시대

(1) 무로마치 막부(1336~1573): 교토의 무로마치에 수립, 명과 조공·책봉 관계 수립하고 일본 국왕 칭호 획득, 조선과 국교 체결

(2) 전국 시대(1467~1590): 막부 약화, 다이묘(지방 영주)들의 다툼, 조총 전래(1543)

3 도요토미 히데요시의 집권: 전국 시대 통일(1590) → 토지 조사 시행하여 조세 원칙 수립, 무사와 농민의 신분 구분 확립, 조선 침략(임진왜란, 1592~1598)

How? 무사와 농민의 거주를 엄격히 구분하고, 농민들의 무기를 몰수하였어.

4 에도 막부(1603~1867)

(1) 수립: 도요토미 히데요시 사후 도쿠가와 이에야스가 에도(도쿄)에 막부 수립 → 다이묘의 영지와 지위를 인정하면서도 산킨코타이 제도로 통제

Who? 조선에서 파견한 사절단이야.

(2) 교류: 크리스트교 금지, 쇄국 정책(청·네덜란드에만 나가사키 개방), 조선 통신사 통해 문물 수용

Why? 평등을 주장하여 신분 질서를 흔들었기 때문이야.

(3) 도시와 상업의 발전: 에도, 오사카, 교토 등 대도시 발전, 조카마치 성장, 상공업자 조닌이 성장하며 조닌 문화(연극 가부키, 채색 판화 우키요에 등) 발전

(4) 문화: 네덜란드 통해 난학 수용, 국학 사상 발전(19세기 막부 타도 운동에 영향)

✚ **마테오 리치**
명 말기에 중국에서 활동한 예수회 선교사이다. 천주교 교리서 『천주실의』를 저술하고 세계 지도인 「곤여만국전도」를 제작하였다. 명의 관리 서광계와 함께 『기하원본』을 번역하기도 하였다.

마테오 리치(좌)와 서광계(우)

✚ **막부**
전쟁터에서 장군이 머물던 막사에서 유래한 말로, 무사 정권을 뜻한다. 막부가 탄생하면서 쇼군(장군)이 실질적인 통치권을 장악하였고 천황은 상징적인 존재로 전락하였다.

✚ **쇄국 정책**
에도 막부는 크리스트교 유입을 막고 정권을 안정시키기 위해 유럽 상인들의 입항과 일본인의 해외 진출을 금하였다. 막부는 크리스트교 포교에 관심이 없던 네덜란드인과 중국인들에게만 나가사키를 개방하여 제한적인 교역을 허락하였다.

✚ **난학**
에도 막부 시대에 네덜란드를 통해 수용한 서양의 학문, 기술, 문화 등을 총칭하는 말이다.

✚ **국학 사상**
18세기 후반에 발전한 학문이다. 고대 일본인의 정신으로 돌아갈 것을 주장하였으며, 천황을 신성시하였다.

놓치지 말자! 핵심 **자료**

자료 ① 16~17세기경 세계 은의 유통

16세기 이후 은은 국제 화폐로 이용되었다. 당시 중국의 비단과 도자기가 유럽에서 선풍적인 인기를 끌며 아메리카에서 생산된 은이 포르투갈과 에스파냐, 네덜란드 등 유럽 상인들을 거쳐 중국에 대량으로 유입되었다. 일본 또한 전 세계 은 생산량의 1/3을 점하는 은 생산국이었는데, 일본의 은도 여러 경로를 거쳐 중국으로 건너갔다. 이로 인해 중국의 은 유통량은 급증하였고, 급기야 세금도 은으로 내도록 하는 제도 개편까지 이루어졌다.

자료 ② 산킨코타이 제도

아이즈번의 산킨코타이 행렬(일본 난탄시)

에도 막부의 쇼군은 지방 영주인 다이묘들을 통제하기 위해 산킨코타이 제도를 시행하였다. 다이묘들은 처자식을 자신의 영지(번)가 아닌 에도에 머무르게 해야 했고, 본인도 정기적으로 쇼군이 있는 에도를 방문해야 했다. 다이묘는 에도로 이동할 때마다 수많은 무사와 가신들을 대동하였기 때문에 재정적 압박을 받았다. 또한 에도에 가족들이 인질로 있었기 때문에 쇼군에 대항하기 어려웠다. 이를 바탕으로 에도 막부의 쇼군은 중앙 집권 체제를 구축할 수 있었다. 한편 에도로 향하는 다이묘들의 행렬은 도로망이 정비되고 숙박업과 상업 등이 발전하는 결과를 가져오기도 하였다.

점검하자! **시험 유형**

16~17세기 무렵의 은의 유통과 관련된 자료를 제시하고 은의 특징 등을 묻는 문제가 자주 출제되니 이를 잘 기억해 두자.

연습문제 밑줄 친 '이것'에 관한 설명으로 옳은 것은?

16세기 이후 국제 화폐로 쓰인 이것은 일본과 아메리카 대륙에서 다량 생산되었는데, 그 상당량이 중국으로 유입되었다.

① 중국에서 세금 납부에 이용되었다.
② 유럽인들이 아시아에 진출하는 동기를 제공하였다.
③ 창장강 중·상류 지방이 생산 중심지로 대두되었다.
④ 농기구로 제작되어 농업 생산량 증대에 기여하였다.
⑤ 16세기 중국에서 전 세계 생산량의 1/3이 만들어졌다.

① 답①

함께 보자! **심화 자료**

보호, 토지 분배 — 쇼군(장군) — 충성, 봉사

다이묘(지방 영주)

막부는 주군이 가신의 충성을 대가로 영지(번)의 지배를 인정해주는 봉건제적 모습을 띠고 있었어. 일반적인 봉건제는 지방 분권적 성향을 띠고 있는데, 에도 막부 시기에는 산킨코타이 제도 등을 통해 봉건제이면서 중앙 집권적인 성격을 가진 일본 특유의 '막번 체제'가 형성되었지.

맥 잡는 연표 문제

◉ 1185년 가마쿠라 막부 성립

1300

◉ 1336년 무로마치 막부 성립
◉ 1368년 ❶ _____, 명 건국

1400

◉ 1402년 명, 영락제 즉위
◉ 1405년 정화 함대, 1차 원정 개시
◉ 1421년 영락제, ❷ _____ 천도

◉ 1467년 일본, 전국 시대 시작

1500

◉ 1590년 ❸ _____, 일본 통일
◉ 1592년 임진왜란 발발
◉ 1598년 임진왜란 종료

1600

◉ 1603년 에도 막부 성립
◉ 1616년 ❹ _____, 후금 건국

◉ 1627년 정묘호란 발발
◉ 1636년 후금, 국호를 청으로 개칭
    병자호란 발발

◉ 1644년 청, 베이징 입성

◉ 1689년 청, 러시아와 네르친스크 조약 체결

핵심 짚는 확인 문제

1 빈칸에 알맞은 말을 넣어 보자.

(1) 명은 일체의 민간 무역을 금지하는 ( ) 을/를 시행하였다.

(2) ( )은/는 황제를 칭하고 국호를 청으로 바꾸었다.

(3) 왕수인은 개인의 깨달음을 중시하는 ( ) 을/를 집대성하였다.

(4) 에도 막부는 ( )을/를 시행 하여 다이묘를 통제하였다.

2 내용이 맞으면 O표, 틀리면 X표를 해 보자.

(1) 명은 『사고전서』 등 대규모 편찬 사업을 전개하 였다. ( )

(2) 강희제는 타이완을 정복하여 청의 중국 지배를 확고하게 하였다. ( )

(3) 명·청대에 은 유입이 증가하면서 세금의 은납화 가 이루어졌다. ( )

(4) 에도 막부는 포르투갈인에게 개방된 나가사키를 통해 난학을 수용하였다. ( )

3 물음에 알맞은 답을 써 보자.

(1) 티베트와 신장, 몽골을 포함하는 거대 제국을 완 성한 황제는? ( )

(2) 유가 경전을 실증적으로 연구한 학문은?
( )

(3) 전국 시대에 도입되었으며, 다이묘들의 패권 경 쟁에 활용된 신무기는? ( )

4 다음 인물과 관련 내용을 옳게 연결해 보자.

(1) 홍무제 • • ㉠ 군기처 설치
(2) 옹정제 • • ㉡ 이갑제 도입
(3) 강희제 • • ㉢ 타이완 정복
(4) 마테오 리치 • • ㉣ 「곤여만국전도」 제작

1 다음 내용에 해당하는 국가로 옳은 것은?

> • 한족 출신 주원장이 건국하였다.
> • 몽골 세력을 북으로 몰아내고 중국 대륙을 장악하였다.

① 당   ② 송   ③ 금
④ 명   ⑤ 청

2 다음 제도를 처음 시행한 황제에 관한 설명으로 옳은 것은?

> 농가 110호를 1리로 편성하고 부유한 10호를 이장호라 하여 차례대로 이장을 맡게 하였다. 나머지 100호를 10갑으로 나누어 촌락의 조세 징수와 치안 유지 등을 돌아가며 담당하도록 하였다.

① 육유를 반포하였다.
② 조선을 공격하였다.
③ 해금 정책을 완화하였다.
④ 공행 무역을 전개하였다.
⑤ 임진왜란에 군사적 지원을 하였다.

3 명의 대외 관계에 관한 설명으로 옳은 것을 〈보기〉에서 고른 것은?

>
> ㄱ. 해금 정책을 시행하였다.
> ㄴ. 책봉국에게 감합을 발급하였다.
> ㄷ. 러시아와 국경을 확정하는 조약을 맺었다.
> ㄹ. 유럽 국가 중에서 네덜란드에만 교역을 허가하였다.

① ㄱ, ㄴ   ② ㄱ, ㄷ   ③ ㄴ, ㄷ
④ ㄴ, ㄹ   ⑤ ㄷ, ㄹ

4 시험 단골   다음 원정을 지시한 황제의 정책으로 옳은 것은?

① 타이완을 정복하였다.
② 베이징으로 천도하였다.
③ 『사고전서』 편찬을 지시하였다.
④ 러시아와 네르친스크 조약을 맺었다.
⑤ 오늘날 중국과 유사한 국경선을 형성하였다.

5 시험 단골   (가) 국가에 관한 설명으로 옳은 것은?

> 누르하치는 명이 약화된 틈을 타 여진족을 통합하였으며, 마침내 _____(가)_____ 을/를 세웠다.

① 금릉(난징)을 수도로 하였다.
② 책봉국에게 감합을 발급하였다.
③ 농민 반란으로 인해 멸망하였다.
④ 한족에 대한 강경책과 회유책을 병행하였다.
⑤ 문치주의 정책을 통해 지방 절도사를 견제하였다.

6 다음 제도가 운영된 국가에서 있었던 역사적 사실로 옳은 것은?

> 사방을 기준으로 정람기, 정홍기, 정황기, 정백기 네 가지 색의 기(旗)를 만들었다. 각각의 기에 테두리를 두어 양람기, 양홍기, 양황기, 양백기를 만들었으니 이를 합하여 팔기(八旗)라 하였다.

① 이갑제가 도입되었다.
② 양명학이 집대성되었다.
③ 타이완이 중국에 정복되었다.
④ 카르피니가 중국을 방문하였다.
⑤ 『농정전서』와 같은 실용 서적이 편찬되었다.

7 다음 주장을 내세운 국가에 관한 설명으로 옳은 것을 〈보기〉에서 고른 것은?

> 오랑캐라고 부르는 것은 대개 변방에 거처하여 중원과 말이 통하지 않기 때문이다. 중원에 태어났다고 하여 중화가 되는 것이 아니며, 변방에 태어났다고 하여 중화가 될 수 없는 것도 아니다.

보기

ㄱ. 한족에게 변발을 강요하였다.
ㄴ. 조선과 조공·책봉 관계를 맺었다.
ㄷ. 임진왜란 당시 조선에 지원군을 파견하였다.
ㄹ. 일본에 감합을 발급하여 무역을 허가하였다.

① ㄱ, ㄴ ② ㄱ, ㄷ ③ ㄴ, ㄷ
④ ㄴ, ㄹ ⑤ ㄷ, ㄹ

고난도

8 밑줄 친 '이 시기' 이후에 볼 수 있는 모습으로 옳지 않은 것은?

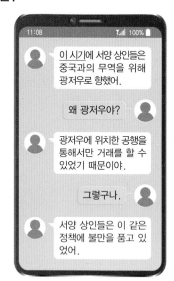

> 11:08 📶 100% 🔋
>
> 이 시기에 서양 상인들은 중국과의 무역을 위해 광저우로 향했어.
>
> 왜 광저우야?
>
> 광저우에 위치한 공행을 통해서만 거래를 할 수 있었기 때문이야.
>
> 그렇구나.
>
> 서양 상인들은 이 같은 정책에 불만을 품고 있었어.

① 고구마를 먹는 농민
② 『사고전서』를 읽는 학자
③ 자금성 건설에 동원된 노동자
④ 통신사 일행을 맞이하는 일본 관리
⑤ 베이징으로 향하는 조선의 조공 사절단

9 (가)에 관한 설명으로 옳은 것은?

▲ ☐(가)☐의 유통로

① 중국에서 화폐로 유통되었다.
② 중국의 주요 수출 상품이었다.
③ 창장강 중·상류 지방에서 주로 생산되었다.
④ 모내기법의 보급으로 생산량이 증가하였다.
⑤ 16~17세기 무렵 상당한 양이 중국에서 해외로 유출되었다.

시험 단골

10 밑줄 친 '이 학문'에 관한 설명으로 옳은 것은?

> 이 학문은 명의 왕수인이 집대성하였다. 그는 성리학을 비판하면서 새로운 유학을 제시하였다.

① 개인의 깨달음을 중시하였다.
② 서양 문물에 자극받아 성립하였다.
③ 『천공개물』의 편찬에 영향을 주었다.
④ 우주의 원리와 인간의 본성을 탐구하였다.
⑤ 경전이나 역사서를 실증적으로 연구하였다.

11 (가) 인물에 관한 설명으로 옳은 것은?

> ☐(가)☐은/는 전국 시대의 혼란을 끝내고 일본을 통일하였다.

① 과거제를 정비하였다.
② 가마쿠라 막부를 수립하였다.
③ 군기처를 설치하여 권력을 강화하였다.
④ 무사와 농민의 신분 구분을 확립하였다.
⑤ 명으로부터 감합을 발급받아 무역을 하였다.

12 (가) 국가에 관한 설명으로 옳은 것을 〈보기〉에서 고른 것은?

『해체신서』

『해체신서』는 일본 에도 시대의 의사 스기타 겐파쿠가 번역한 의학서이다. 이 책은 ___(가)___ 에 의해 일본에 도입된 난학을 대표하는 성과물이라 평가된다. 이는 일본 의학의 발전에 크게 공헌하였다.

① 통신사를 파견하였다.
② 일본에 조총을 전래하였다.
③ 일본과 조공·책봉 관계를 맺었다.
④ 에도 막부의 쇄국 정책으로 추방되었다.
⑤ 나가사키의 데지마에서 일본과 교역하였다.

13 (가), (나) 막부에 관한 설명으로 옳지 <u>않은</u> 것은?

① (가) – 조닌 문화가 발전하였다.
② (가) – 명과 조공·책봉 관계를 맺었다.
③ (나) – 최초로 수립된 막부이다.
④ (나) – 미나모토노 요리토모가 개창하였다.
⑤ (가), (나) – 쇼군이 실질적 지배자였다.

주관식·서술형 문제

14 다음 자료를 읽고 물음에 답하시오.

명 말기 예수회 선교사인 마테오 리치는 세계 지도인 ___(가)___ 을/를 제작하고 『기하원본』을 번역하는 등 서양 과학 기술을 소개하였다. 예수회의 선교 활동은 청대까지 이어졌으나, ㉠청 정부가 선교사들을 추방하면서 상당 기간 제한되었다.

(1) (가)의 명칭을 쓰시오.

_____

(2) 밑줄 친 ㉠의 주요 원인을 서술하시오.

_____

_____

15 다음 자료를 읽고 물음에 답하시오.

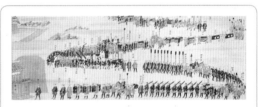

에도 막부 시대에 지방의 다이묘들이 정기적으로 쇼군이 있는 에도를 왕래하도록 한 제도이다. 다이묘들의 처와 자식들도 에도에 머물러야 하였다.

(1) 자료에서 설명된 제도의 명칭을 쓰시오.

_____

(2) (1)이 쇼군과 다이묘에게 미친 영향을 각각 서술하시오.

_____

_____

3 서아시아와 북아프리카 지역 질서의 변화

① 서아시아 지역 국가의 번영

1 셀주크 튀르크의 발전
(1) **성장**: 9세기 성장 → 11세기 바그다드 점령, 아바스 왕조로부터 **술탄** 칭호 획득
(2) **변천**: 예루살렘 점령 → 유럽과 충돌(십자군 전쟁) → 13세기 몽골 제국에 멸망

2 티무르 왕조와 사파비 왕조의 등장
(1) **티무르 왕조**: 몽골 제국의 부흥을 내세우며 건국(티무르, 1370), 인도 서북부에서 서아시아까지 장악, 이슬람 문화와 몽골·페르시아·튀르크 문화 융합, 수도 사마르칸트 중심의 중계 무역으로 번영 → 내분과 이민족 침입으로 멸망(1507)
(2) **사파비 왕조**: 페르시아 제국 계승 내세우며 건국(이스마일 1세, 1501) → 오스만 제국 격퇴(아바스 1세), 이란·이슬람 문화 발전 → 18세기 이후 외침으로 몰락
Who? 사파비 왕조의 전성기를 이끈 왕으로, 수도를 이스파한으로 옮겼어.

② 오스만 제국의 성립과 발전

1 건국: 튀르크계의 오스만족이 소아시아(터키) 부근에서 건국(오스만 1세, 1299)
2 발전: 크리스트교 연합군 격파, 칼리프로부터 술탄 칭호 획득(14세기 말) → 비잔티움 제국 정복, 이스탄불(콘스탄티노폴리스) 천도(메흐메트 2세, 1453) → 이집트 정복, 칼리프직 차지(셀림 1세, 1517) → 전성기(술레이만 1세, 16세기)
3 문화: 비잔티움 문화 계승하면서 튀르크 문화 발전 → 동서 융합
(1) **종교**: 인두세 납부 시 이교도 신앙 인정(밀레트의 자치권 인정), 크리스트교 소년들을 선발하여 이슬람교로 개종시키고 술탄의 친위 부대인 예니체리로 육성
(2) **미술·건축**: 세밀화·아라베스크(페르시아 계승), 모스크(비잔티움 양식 도입)
(3) **기타**: 실용 학문(천문학, 수학, 지리학 등), 궁정 문학(페르시아 계승)
4 교류: 자연 과학과 커피 문화 등이 유럽에 전래, 유럽의 귀족 문화 유입

③ 이슬람 세력의 확대와 인도 무굴 제국의 성립

1 델리 술탄 시대(1206~1526): 굽타 왕조 쇠퇴 후 이슬람 세력이 인도에 침입 → 약 300년간 인도 북부에 이슬람계 다섯 왕조가 교체
2 무굴 제국의 성립과 발전
Why? 이슬람계 왕조가 번갈아 델리를 중심지로 삼아 술탄을 칭했던 시대이기 때문이야.
(1) **성립**: 바부르가 델리 술탄 왕조를 무너뜨리고 무굴 제국 건국(1526)
(2) **발전과 쇠퇴** Who? 티무르의 혈통을 이어받아 몽골족의 후예를 자처하였어.

아크바르 황제	16세기 영토 확장, 이교도 존중(힌두교도 관리·군인 등용, 인두세 폐지)
아우랑제브 황제	17세기 말, 데칸고원 이남 정복하여 최대 영토 확보(→ 재정난 심화), 이슬람 제일주의(힌두교 사원 파괴, 인두세 부활) → 반란, 18세기 영국·프랑스의 침입으로 쇠퇴

3 힌두·이슬람 문화의 발전

언어	공식 문서·외교 문서에 페르시아어 사용, 일상에서 우르두어(힌두어+페르시아어) 사용
화학	페르시아 세밀화와 인도 문화가 조화를 이룬 무굴 회화 발달
건축	힌두·이슬람 양식 발달 → 타지마할이 대표적
종교	힌두교와 이슬람교가 융합된 시크교 등장

알아 두자! **시험 포인트**
• 셀주크 튀르크의 성장
• 오스만 제국의 발전 과정
• 오스만 제국의 관용 정책
• 아크바르 황제의 업적
• 무굴 제국의 문화

✚ **술탄**
이슬람 세계의 종교 지도자인 칼리프가 지방 총독 및 군주에게 정치·군사적 실권을 위임하며 수여한 칭호이다.

✚ **칼리프**
이슬람 세계의 종교 지도자로, 로마 가톨릭교의 교황과 비교된다. 아바스 왕조 전반까지는 종교는 물론 정치적으로도 최고의 권위를 가졌으나, 아바스 왕조가 쇠약해지며 '술탄'이라 불리는 지방 총독 및 군주들이 정치적 실권을 장악하였다. 이후 칼리프는 이슬람 세계의 종교 지배자를, 술탄은 정치적 지배자를 뜻하게 되었다.

✚ **밀레트**
오스만 제국에서 인정한 종교 공동체이다. 밀레트에 소속된 이교도들은 인두세만 내면 종교의 자유 및 광범위한 자치권을 인정받았다. 이러한 관용 정책은 오스만 제국에서 다양한 민족과 종교가 공존할 수 있는 기반이 되었다.

✚ **타지마할**
무굴 제국의 황제 샤자한이 왕비 뭄타즈 마할을 추모하기 위해 만든 궁전 양식의 묘당이다. 이슬람건축 양식과 인도 건축 양식이 잘 어우러진 순백색의 아름다운 건축물이다.

놓치지 말자! 핵심 **자료**

자료 ① 오스만 제국의 발전

- 오스만 제국의 초기 영역(1300년경)
- 술레이만 1세 시대의 최대 영역
- — 오스만 제국의 최대 영역
- → 진출 방향

오스만 제국의 술탄 메흐메트 2세는 콘스탄티노폴리스를 함락시킴으로써 비잔티움 제국을 멸망시켰다. 이후 콘스탄티노폴리스는 이스탄불로 불리며 제국의 수도가 되었다. 16세기 초에는 셀림 1세가 이집트를 정복하였는데, 이때 몽골족에게 바그다드가 함락된 후 이집트로 옮겨와 있던 아바스 왕조의 칼리프직을 넘겨받았다. 셀림 1세의 아들인 술레이만 1세 시기는 아시아, 아프리카, 유럽 세 대륙에 걸친 영토를 차지하고 지중해를 장악하는 등 전성기를 맞이하였다.

자료 ② 아크바르 황제의 관용 정책

> 나는 나의 신앙에 일치시키려고 다른 사람들을 박해하였으며, 그것이 신에 대한 귀의라고 생각하였다. 그러나 …… 강제로 개종시킨 사람에게서 어떤 성실성을 기대할 수 있을까? …… 모든 사람은 자신의 처지에 따라 각각 자기가 최고로 여기는 존재에 각기 다른 이름을 붙여 놓는다. 인간의 힘으로 이해할 수 없는 존재에 이름을 붙이는 것은 부질없는 짓이다.
>
> – 아불 파즐, 『아크바르나마』 –

아크바르 황제

아크바르 황제는 무굴 제국의 전성기를 연 황제로, 무굴 제국의 영토를 크게 확장하였다. 이에 따라 자연스럽게 이슬람교를 믿지 않는 세력들도 상당수 제국 내로 편입되었는데, 그는 이들도 모두 포섭하기 위해 다양한 정책을 시행하였다. 아크바르 황제는 힌두교도도 관리와 군인으로 차별 없이 등용하였고 이교도에게 부과되던 인두세도 폐지하였다. 이 같은 관용 정책은 제국 내 이교도들, 특히 많은 수를 차지하고 있던 힌두교도들에게 큰 환영을 받았고, 무굴 제국이 이후 약 1세기 동안 번영을 누리는 중요한 계기가 되었다.

점검하자! **시험 유형**

오스만 제국의 영역이나 술탄들의 업적을 제시하고 제국의 역사에 대해 묻는 문제가 자주 출제되니 이를 잘 기억해 두자.

연습문제 밑줄 친 '이 인물'에 대한 설명으로 옳은 것은?

> 이 인물은 1453년 콘스탄티노플을 함락시킴으로써 천 년을 이어 온 비잔티움 제국을 멸망시켰다.

① 칼리프직을 차지하였다.
② 블루 모스크를 건설하였다.
③ 이스탄불을 수도로 삼았다.
④ 세 대륙에 걸친 영토를 확보하였다.
⑤ 칼리프로부터 처음 술탄의 칭호를 받았다.

ⓒ 정답

함께 보자! **심화 자료**

- 아크바르 시대의 최대 영역
- 아우랑제브 시대의 최대 영역
- 무굴 제국의 최대 영역

무굴 제국의 발전

아크바르 황제는 무굴 제국의 영토를 약세 배로 늘렸고 국가 재정을 탄탄하게 하였어. 그의 증손자인 아우랑제브 황제 때에 이르러 무굴 제국은 최대 영토를 확보하였지.

맥 잡는 연표 문제

1055년 셀주크 튀르크, ❶ _____ 점령

1200

1206년 인도, 델리 술탄 시대 시작

1258년 아바스 왕조 멸망

1299년 오스만 1세, 오스만 제국 건국

1370년 티무르 왕조 성립

1400

1453년 오스만 제국, 비잔티움 제국 정복
❷ _____ 천도

1501년 이스마일 1세, 사파비 왕조 개창

1507년 티무르 왕조 멸망

1517년 오스만 제국, 이집트 정복하고
❸ _____ 직 차지

1526년 ❹ _____, 무굴 제국 건국

1600

1736년 사파비 왕조, 이민족에게 멸망

핵심 짚는 확인 문제

1 빈칸에 알맞은 말을 넣어 보자.

(1) 셀주크 튀르크는 약 200년간 유럽에서 파견된 (   )의 공격을 받았다.

(2) 사파비 왕조의 아바스 1세는 (   ) 을/를 격퇴하였다.

(3) 오스만 제국의 메흐메트 2세는 비잔티움 제국을 멸망시키고 (   )(으)로 천도하였다.

(4) 굽타 왕조 멸망 후 이슬람 세력이 인도 북부에 침입하면서 (   ) 시대가 열렸다.

2 내용이 맞으면 O표, 틀리면 X표를 해 보자.

(1) 사파비 왕조는 몽골 제국의 부흥을 내세웠다.
(   )

(2) 오스만 제국은 이교도에게 이슬람교로의 개종을 강요하였다. (   )

(3) 아크바르 황제는 이교도에게 부과되던 인두세를 폐지하였다. (   )

(4) 무굴 제국 시기에 인도에서 힌두교와 이슬람교가 융합된 시크교가 등장하였다. (   )

3 물음에 알맞은 답을 써 보자.

(1) 오스만 제국에서 인정한 이교도 종교 공동체의 명칭은? (   )

(2) 무굴 제국의 최대 영토를 확보한 황제는?
(   )

(3) 무굴 제국의 황제 샤자한이 만든 힌두·이슬람 양식의 건축물은? (   )

4 다음 인물과 관련 내용을 옳게 연결해 보자.

(1) 이스마일 1세 •   • ㉠ 무굴 제국 건국

(2) 바부르 •   • ㉡ 비잔티움 제국 정복

(3) 아크바르 황제 •   • ㉢ 사파비 왕조 개창

(4) 메흐메트 2세 •   • ㉣ 인두세 폐지

키워 보자! 실력 쑥쑥

1 다음 내용에 해당하는 것으로 옳은 것은?

> 아바스 왕조 전반까지는 이슬람 세계에서 정치적·종교적으로 최고의 권위를 가진 자를 의미하였으나, 점차 종교적인 의미만 남게 되었다.

① 교황　　② 술탄　　③ 황제
④ 밀레트　　⑤ 칼리프

2 밑줄 친 '이들'에 관한 설명으로 옳은 것은?

> 이들은 9세기부터 아바스 왕조의 용병으로 세력을 키웠으며, 11세기에는 바그다드를 점령하여 아바스 왕조로부터 '술탄' 칭호를 받았다.

① 비잔티움 제국을 멸망시켰다.
② 사마르칸트를 수도로 하였다.
③ 몽골 제국의 부흥을 내세웠다.
④ 18세기 이후 외침으로 몰락하였다.
⑤ 유럽 세력과 십자군 전쟁을 하였다.

3 밑줄 친 '이 왕조'에 관한 설명으로 옳은 것은?

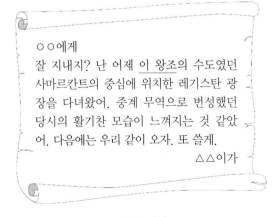

> ○○에게
> 잘 지내지? 난 어제 이 왕조의 수도였던 사마르칸트의 중심에 위치한 레기스탄 광장을 다녀왔어. 중계 무역으로 번성했던 당시의 활기찬 모습이 느껴지는 것 같았어. 다음에는 우리 같이 오자. 또 쓸게.
> △△이가

① 데칸고원 이남을 정복하였다.
② 몽골 제국을 계승하고자 하였다.
③ 일상에서 우르두어가 사용되었다.
④ 칼리프와 술탄의 칭호를 모두 차지하였다.
⑤ 술탄의 친위 부대인 예니체리를 육성하였다.

4 (가)에 들어갈 내용으로 옳은 것은?

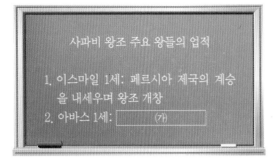

> 사파비 왕조 주요 왕들의 업적
> 1. 이스마일 1세: 페르시아 제국의 계승을 내세우며 왕조 개창
> 2. 아바스 1세: ___(가)___

① 인두세 폐지
② 힌두교도 존중
③ 오스만 제국 격퇴
④ 티무르 왕조 정복
⑤ 인도 서북부에서 서아시아 장악

5 오스만 제국에 관한 설명으로 옳은 것은?

① 칼리프직을 차지하였다.
② 십자군 전쟁을 일으켰다.
③ 몽골의 후예를 자처하였다.
④ 델리 술탄 왕조를 무너뜨렸다.
⑤ 이란·이슬람 문화를 발전시켰다.

고난도

6 (가)~(라)를 발생 순서대로 옳게 배열한 것은?

> (가) 오스만 제국이 이집트를 정복하였다.
> (나) 메흐메트 2세가 콘스탄티노폴리스를 함락하였다.
> (다) 술레이만 1세가 세 대륙에 걸친 영토를 확보하였다.
> (라) 오스만 제국의 지도자가 칼리프에게 술탄의 지위를 받았다.

① (가) – (라) – (나) – (다)
② (나) – (다) – (라) – (가)
③ (나) – (라) – (가) – (다)
④ (라) – (나) – (가) – (다)
⑤ (라) – (나) – (다) – (가)

시험 단골

7 밑줄 친 ㉠에 관한 탐구 활동으로 옳은 것은?

> 오스만 제국의 광대한 영토 내에는 많은 이교도들이 존재하였다. ㉠오스만 제국은 이들에게 이슬람교로의 개종을 강제하지 않는 관용 정책을 시행하였다.

① 밀레트의 특징을 조사한다.
② 시크교의 등장 배경을 파악한다.
③ 아우랑제브 황제의 정책을 탐구한다.
④ 십자군 전쟁이 발생한 원인을 찾아본다.
⑤ 델리 술탄 왕조의 변천 과정을 알아본다.

8 (가)에 들어갈 내용으로 가장 적절한 것은?

> **역사 신문**
> 제○○호　　　　○○○○년 ○○월 ○○일
>
> **이스탄불의 푸른 보물, 술탄 아흐메트 사원**
>
> 이 건물의 이름은 '술탄 아흐메트 사원'이다. 벽을 뒤덮은 푸른 타일 때문에 '블루 모스크'라고도 불리며, ___(가)___ 을/를 잘 보여 주는 대표적인 건축물이다.

① 크리스트교 문화
② 힌두·이슬람 양식
③ 이란·이슬람 문화
④ 바로크 양식과 오스만 양식
⑤ 몽골·페르시아·튀르크 문화의 융합

New 신유형

9 다음 글의 배경이 된 제국에 관한 설명으로 옳은 것을 〈보기〉에서 고른 것은?

> 나는 술탄이 사원으로 행차하는 것을 보러 갔습니다. 머리에 커다란 깃털을 꽂은 예니체리 부대가 앞서가고, 말을 탄 호위병이 지나갔습니다.

보기

ㄱ. 인도 최초의 이슬람 왕조였다.
ㄴ. 몽골 제국에 의해 멸망하였다.
ㄷ. 콘스탄티노폴리스를 함락하였다.
ㄹ. 페르시아의 전통을 잇는 궁정 문학이 발전하였다.

① ㄱ, ㄴ　　② ㄱ, ㄷ　　③ ㄴ, ㄷ
④ ㄴ, ㄹ　　⑤ ㄷ, ㄹ

10 다음 내용에 해당하는 시대에 관한 설명으로 옳은 것은?

> 약 300년간 인도 북부에 이슬람계 다섯 왕조가 교체된 시대를 말한다.

① 바부르에 의해 종결되었다.
② 유럽의 귀족 문화가 유입되었다.
③ 페르시아 제국의 계승을 강조하였다.
④ 영국과 프랑스의 침입이 본격화되었다.
⑤ 힌두교 신자도 관리와 군인으로 등용되었다.

11 밑줄 친 '이 황제'에 관한 설명으로 옳은 것은?

> 이 황제는 데칸 고원 이남을 정복하여 무굴 제국 역사상 최대 영토를 차지하였다.

① 이스탄불로 천도하였다.
② 델리 술탄 왕조를 무너뜨렸다.
③ 오스만 제국의 군대를 격퇴하였다.
④ 이슬람 제일주의 정책을 시행하였다.
⑤ 이집트를 정복하고 칼리프직을 차지하였다.

12 (가) 제국에 관한 설명으로 옳은 것을 〈보기〉에서 고른 것은?

타지마할에 대해 알려 줄래?

(가) 의 황제 샤자한이 왕비를 추모하기 위해 건설하였어.

① 비잔티움 제국의 수도를 함락하였다.
② 공식 문서에 페르시아어를 사용하였다.
③ 자연 과학과 커피 등을 유럽에 전하였다.
④ 최고 지도자는 칼리프와 술탄을 겸하였다.
⑤ 크리스트교 소년들을 군인으로 육성하였다.

세계사능력검정시험 응용 문제

13 (가) 민족에 관한 설명으로 옳은 것은?

① 티무르가 왕조를 건설하였다.
② 16세기 초에 이민족에게 멸망하였다.
③ '몽골'에서 따온 이름을 국호로 정하였다.
④ 이교도 종교 공동체의 자치를 인정하였다.
⑤ 예루살렘 점령으로 십자군 전쟁을 유발하였다.

주관식·서술형 문제

14 다음 자료를 보고 물음에 답하시오.

넓은 영역을 지배하였던 (가) 은/는 구성원들의 충성심을 이끌어내기 위해 ㉠종교적으로 관용 정책을 실시하였다. 이는 다양한 민족과 종교가 공존할 수 있는 원동력이 되었다.

(1) (가) 국가의 이름을 쓰시오.

(2) 밑줄 친 ㉠의 사례를 두 가지 서술하시오.

15 다음 글을 읽고 물음에 답하시오.

나는 나의 신앙에 일치시키려고 다른 사람들을 박해하였으며, 그것이 신에 대한 귀의라고 생각하였다. 그러나 …… ㉠강제로 개종시킨 사람에게서 어떤 성실성을 기대할 수 있을까? …… 인간의 힘으로 이해할 수 없는 존재에 이름을 붙이는 것은 부질없는 짓이다.

(1) 밑줄 친 '나'의 이름을 쓰시오.

(2) 밑줄 친 ㉠에 나타난 생각을 바탕으로 (1)의 인물이 실시한 정책을 두 가지 서술하시오.

신항로 개척과 유럽 지역 질서의 변화

① 미지의 바다로 나서는 유럽인

1 신항로 개척의 배경
Why? 동방 산물의 가격이 이슬람 세계와 이탈리아의 상인을 거치며 비싸졌기 때문이야.

(1) **동양 산물에 대한 욕구**: 십자군 전쟁 이후 유럽에서 향료·비단·도자기 등 동양 산물 인기 증가 → 동양과 직접 교역할 수 있는 교역로 탐색

(2) **크리스트교 전파**: 이슬람 세력을 몰아내고 크리스트교를 널리 포교하기를 희망

(3) **동양에 대한 관심 증가**: 마르코 폴로의 『동방견문록』 등이 출간 → 유럽인들의 호기심 자극
Who? 이탈리아의 상인으로, 원에서 17년간 머물고 돌아왔어.

(4) **기술의 발전**: 천문학·지리학 발전(지구 구형설 입증), 항해술 발전(정확한 항해 지도 작성, 선박 제조 기술 발전, 나침반 도입) → 원거리 항해 가능

2 신항로 개척의 전개: 에스파냐, 포르투갈 등이 신항로 개척 주도

(1) **바르톨로메우 디아스**: 아프리카 남단 희망봉으로 가는 항로 개척(1488)

(2) **콜럼버스**: 에스파냐의 후원으로 대서양을 건너 아메리카 서인도 제도 도착(1492)

(3) **바스쿠 다 가마**: 유럽에서 아프리카 희망봉을 돌아 인도 캘리컷 도착(1498)

(4) **마젤란**: 에스파냐의 지원으로 아메리카 돌아 태평양 가로질러 필리핀 도착 → 마젤란이 필리핀에서 사망한 후 그 일행이 인도양 거쳐 세계 일주(1519~1522)

② 신항로 개척의 영향

1 대서양 무역의 등장

(1) **무역 거점의 변화**: 유럽 경제 무대가 지중해에서 대서양으로 변화 → 지중해 무역을 주도하던 이탈리아 도시들 쇠퇴, 포르투갈과 에스파냐가 번영

(2) **유럽인의 활동**: 에스파냐는 아메리카에서 플랜테이션 농장 경영, 포르투갈은 인도양에 거점 두고 향료 무역 → 네덜란드, 영국, 프랑스 등도 뒤이어 국외 진출

(3) **삼각 무역의 성행**: 유럽-아메리카-아프리카 연결

유럽	아프리카에 공산품을 제공하고 금·상아 등 수입
아프리카	아메리카에 노예 노동력 공급
아메리카	노예 노동력을 대농장에 투입 → 귀금속, 농작물 등을 생산하여 유럽에 수출

2 라틴 아메리카 문명의 파괴

(1) **원주민 제국의 멸망**: 에스파냐의 코르테스와 피사로가 각기 아스테카 제국(멕시코)과 잉카 제국(페루) 정복 → 원주민은 대농장·광산 등지에서의 가혹한 노동과 새로운 질병 등으로 희생

(2) **노예 무역의 번성**: 에스파냐는 원주민의 사망으로 인한 노동력 부족을 만회하기 위해 아프리카 노예를 대농장 등지에 투입 → 유럽 각국도 적극 가담

3 신항로 개척 이후 유럽의 변화

(1) **가격 혁명**: 라틴 아메리카의 금과 은이 유럽에 대규모로 유입되며 물가 급등 → 지주층 타격, 신흥 상공업자의 지위 향상 **Why?** 지대 수입은 고정되어 있는데 물가가 급등하였기 때문이야.

(2) **경제 호황**: 유럽-아시아-아프리카-아메라카가 상권으로 연결

(3) **신상품 등장**: 중국의 차, 인도의 면제품, 아메리카의 설탕과 감자 등 유입

시험 포인트 **알아 두자!**

- 신항로 개척의 배경
- 대서양 무역의 특징
- 신항로 개척이 유럽에 미친 영향
- 절대 왕정의 구조
- 과학 혁명과 계몽사상
- 유럽 절대 왕정과 절대 군주

✚ 서인도 제도
중앙아메리카 동쪽 바다에 흩어져 있는 섬의 무리를 일컫는다. 콜럼버스가 이곳을 인도의 서쪽으로 오인한 데서 유래한 명칭이다.

✚ 플랜테이션
열대 기후 지역에서 주로 서양의 자본과 기술, 원주민의 노동력이 결합되어 단일 경작을 하는 기업적인 농업 형태이다. 주로 향신료와 차, 사탕수수, 담배 등 가치가 높은 농작물이 재배된다.

✚ 아스테카 제국
아스테카 제국은 14세기 중반부터 16세기 중반까지 오늘날 멕시코 지역에 존재하였다. 에스파냐의 코르테스가 화포 등 압도적인 무기와 기병 전술을 바탕으로 수적으로 훨씬 우세했던 아스테카 제국을 정복하였다.

✚ 잉카 제국
잉카 제국은 오늘날 페루 지역에 존재하였다. 11세기에 특히 융성하여 거대한 제국을 이루었다. 이후 피사로 등 에스파냐인의 침입으로 멸망하였다.

✚ 감자
감자는 라틴 아메리카의 안데스 산맥이 원산지로, 춥고 척박한 환경에서도 잘 자라고 경작이 쉽다. 이 같은 특성 덕분에 구황작물로 각광받았으며, 특히 유럽의 가난한 농민들에게 중요한 영양 공급원이 되었다.

놓치지 말자! 핵심 **자료**

자료 ① 신항로 개척의 배경

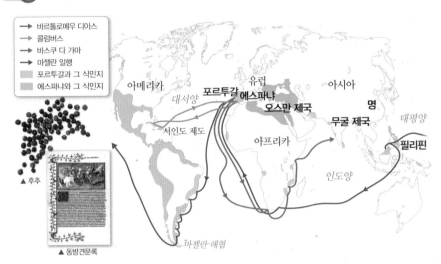

→ 바르톨로메우 디아스
→ 콜럼버스
→ 바스쿠 다 가마
→ 마젤란 일행
▨ 포르투갈과 그 식민지
▨ 에스파냐와 그 식민지

▲ 후추

▲ 동방견문록

오스만 제국이 세력을 확대하여 그동안 유럽 해상 무역의 중심 무대였던 지중해의 패권을 장악하자, 유럽 각국은 새로운 돌파구를 찾아야 했다. 특히 서쪽에 위치하여 상대적으로 지중해 무역에서 소외되어 있었던 포르투갈과 에스파냐가 적극적이었다. 당시 유럽인들은 향료에 대한 욕망이 컸고, 원거리 항해에 필요한 각종 도구 및 선박을 제작할 수 있었다. 또한 『동방견문록』에서 황금의 세계로 표현된 동양에 대해 큰 관심을 갖고 있었다. 동쪽 어딘가에 크리스트교 국가가 있다는 전설 역시 유럽인들의 호기심을 자극하였다. 이들을 찾아 함께 이슬람 세력을 몰아내고, 크리스트교를 널리 전파하겠다는 생각으로 항해에 나선 이들도 있었다.

자료 ② 신항로 개척이 라틴 아메리카와 아프리카에 끼친 영향

포토시 광산의 원주민들

아프리카 노예 무역선

라틴 아메리카에 도착한 유럽인들은 원주민들을 정복하고, 이들의 노동력을 대농장과 광산 등지에 투입하였다. 원주민들은 천연두, 파상풍 등 유럽에서 건너온 새로운 질병에 노출되거나 가혹한 노동에 시달리며 대규모로 희생되었다. 이에 유럽인들은 아프리카인들을 노예로 만들어 아메리카에 투입하였다. 아프리카 노예들은 마치 '책꽂이의 책처럼' 배에 실려 수송되었다. 이들은 주로 사탕수수 등을 재배하는 데 동원되었다. 반면 유럽인들은 은 광산 등 라틴 아메리카의 자원을 이용하여 막대한 부를 획득하였다.

점검하자! **시험 유형**

신항로 개척과 관련된 자료를 제시하고 그 배경을 묻는 문제가 자주 출제되니 이를 잘 기억해 두자.

연습 문제 **다음 활동이 이루어진 배경으로 옳지 않은 것은?**

- 바르톨로메우 디아스가 희망봉으로 가는 항로를 개척하였다.
- 콜럼버스가 서인도 제도를 발견하였다.

① 나침반이 도입되었다.
② 향료 무역이 활성화되었다.
③ 『동방견문록』이 인기를 끌었다.
④ 크리스트교를 전파하고자 하였다.
⑤ 오스만 제국이 세력을 확대하였다.

② 日요

함께 보자! **심화 자료**

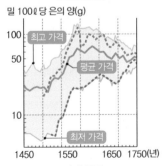

밀 100ℓ 당 은의 양(g)

가격 혁명

위 그래프는 신항로 개척 이후 막대한 금·은의 유입으로 인해 유럽에서 나타난 급격한 물가 상승을 보여 주고 있어. 이 시기 유럽의 물가는 평균적으로 약 2~3배 상승하였어. 이는 고정적인 수입으로 살아가던 지주나 임금 노동자에게 큰 타격을 주었지만, 도시 상공업자의 경제적 지위를 강화시켰지.

신항로 개척과 유럽 지역 질서의 질서의 변화

❸ 절대 군주가 다스린 유럽

1 절대 왕정의 등장

(1) 의미: 강력한 권력을 가진 왕이 통치하는 중앙 집권적 정치 체제, 16~18세기 유럽에서 등장

(2) 구조

제도적 기반	• 관료제: 관료들이 왕의 명령에 따라 국가 업무를 전담 • 상비군: 왕이 언제든지 동원할 수 있도록 항상 대기 중인 군대
사상적 기반	• 왕권신수설: 왕의 권력은 신이 하사 → 신하와 백성들의 절대복종 강요 • 중상주의 경제 정책 부강한 나라 건설 위해 수입을 제한하고 수출 증대 → 상업 장려, 국내 제조업 보호, 국외 식민지 확보 경쟁 전개

2 절대 왕정기의 문화

(1) 건축 양식

바로크 양식	화려하고 웅장(프랑스 루이 14세가 건설한 베르사유 궁전)
로코코 양식	경쾌하고 사치(프로이센 프리드리히 2세가 건설한 상수시 궁전)

(2) 과학: 과학적 사고방식 확산 → 과학 혁명 전개

데카르트	기계론적 세계관 제시
뉴턴	만유인력의 법칙 발견, 『프린키피아』 저술

(3) 사상: 인간의 이성과 인류의 진보를 믿는 계몽사상이 확산되어 낡은 제도와 관습 타파 주장(로크, 볼테르, 몽테스키외, 루소 등) → 훗날 시민 혁명에 영향

3 유럽 각국의 절대 왕정

(1) 서유럽의 절대 왕정: 에스파냐와 포르투갈이 가장 먼저, 뒤이어 영국과 프랑스 등이 수립

> **Why?** 이베리아반도의 이슬람 세력을 몰아내는 과정에서 강력한 국가 체제를 갖추었기 때문이야.

에스파냐	펠리페 2세 때 아메리카에서 획득한 금과 은 바탕으로 번영, 오스만 제국을 격퇴하고 해상권 장악(레판토 해전, 1571), 관료제 확립, 엘에스코리알 궁전 건립 → 국내 산업 육성에 실패하여 주도권을 영국과 네덜란드에 이양
영국	엘리자베스 1세 때 전성기 구가, 펠리페 2세의 에스파냐 무적함대 격파(칼레 해전, 1588), 동인도 회사 설립
프랑스	루이 14세(태양왕) 때 번영, 베르사유 궁전 건립, 콜베르를 재상으로 등용하여 중상주의 정책 적극 추진

(2) 동유럽의 절대 왕정

① 농노제가 지속되고 상공업 발달 미약 → 절대 왕정이 서유럽보다 늦게 출현

> **Why?** 상공업 발달이 미약하여 시민 계급의 성장이 더뎠기 때문이지.

② 동유럽의 절대 군주는 시민 계급보다 봉건 귀족 세력에 의존

③ 러시아와 프로이센의 왕들은 계몽사상의 영향을 받아 위로부터의 개혁 추진 (부국강병 추구)

프로이센	프리드리히 2세가 계몽 전제 군주 자처, 상수시 궁전에서 계몽 사상가들과 교류, 영토 확장
러시아	표트르 대제가 서유럽 문물 수용, 스웨덴과의 북방 전쟁에서 승리하여 발트해 진출, 수도 상트페테르부르크에 페테르고프 궁전 건립

➕ 절대 왕정의 구조

절대 왕정의 군주들은 관료제와 상비군으로 왕권을 뒷받침하였으며, 왕권신수설과 중상주의를 사상적 기반으로 삼았다. 특히 중상주의 경제 정책을 펼치는 과정에서 상공업자 등 시민 계층의 이익을 보호해 주었고, 그들로부터 관료제와 상비군 등의 운영에 필요한 재정을 지원받았다.

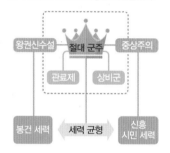

➕ 기계론적 세계관

세상에 나타나는 모든 현상은 자연적 인과 법칙의 지배를 받으며, 인간의 이성으로 이를 파악하고 설명할 수 있다고 보는 관점이다.

➕ 만유인력의 법칙

모든 물체 사이에는 서로 끌어당기는 힘이 작용한다는 법칙이다. 뉴턴의 『프린키피아』를 통해 세상에 처음 알려졌다.

➕ 동인도 회사

17세기 영국, 프랑스, 네덜란드 등이 아시아 지역에서의 무역을 위해 국가적 차원에서 설립한 회사이다. 이름은 회사이지만 아시아 지역의 식민지 관리까지 맡았으므로 총독부의 성격도 띠고 있으며, 개인이 설립한 일반적인 회사와는 성격이 다르다.

놓치지 말자! **핵심 자료**

자료 1 절대 왕정의 정치적인 특징

> 왕은 공적인 인격이며, 국가 전체가 그 안에 있다. 모든 완전성과 권능이 신에게 결합하여 있듯이 개개인의 모든 권력이 군주의 인격 안에 결합하여 있다.
> ─ 보쉬에의 말 ─

> 국가는 그 자체가 하나의 공동체를 이루는 것이 아니라 오직 왕의 존재를 통해서만 결속할 수 있다.
> ─ 루이 14세, 『회고록』 ─

프랑스의 사제이자 사상가인 보쉬에는 국왕의 권력은 신으로부터 부여받은 것이므로 무조건적으로 복종해야 한다는 왕권신수설을 내세웠다. 실제로 절대 왕정기에 이르면 군주의 권한은 관료제와 상비군으로 뒷받침되었고, 귀족들은 정치적으로 약화하여 왕에게 예속된 존재가 되었다. 국가는 왕을 통해서만 결속될 수 있다는 루이 14세의 회고를 통해 당시 왕이 가졌던 자신감이 어느 정도였는지 알 수 있다. 절대 왕정은 군주가 입법·사법·행정의 권한을 모두 가졌고 주권이 시민이 아닌 군주에게 있다는 점에서 근대 국가와는 구분 된다. 절대 왕정은 중세 봉건 국가에서 근대 시민 국가로의 이행기에 나타난 과도기적인 형태라고 할 수 있다.

자료 2 계몽사상의 등장

> 자연권인 생명, 자유, 재산의 권리를 가진 인간은 이러한 권리가 잘 보장되도록 정부를 세우는 데 합의(계약)한 것이다.
> ─ 로크, 『시민 정부론』(『심마니 세계사』, 2000) ─

> 정부에는 입법권, 행정권, 사법권이 있는데, 이들 삼권을 한 사람이나 어느 한 단체가 행사하게 되면 모든 일은 끝장이 날 것이다.
> ─ 몽테스키외, 『법의 정신』(『심마니 세계사』, 2000) ─

17세기 이후 유럽에서는 계몽사상이 확산되었다. 인간이 지닌 이성의 힘을 통해 사회를 진보시킬 수 있다고 믿었던 계몽사상가들은 절대 왕정을 비이성적이고 낡은 제도라고 생각하였다. 특히 로크는 국가는 사람들 간 계약에 의해 성립한다는 사회 계약설을 주장하였으며, 국가가 국민의 생명과 재산을 보호하지 못한다면 정부를 타도할 수 있다는 저항권의 개념을 내세웠다. 또한 몽테스키외는 삼권 분립의 이론적 기초를 제공하였다. 이러한 계몽 사상가들의 주장은 현실 개혁적 성향을 띠었고, 시민 혁명을 통한 근대 유럽 사회의 형성과 발전에 큰 영향을 주었다.

점검하자! **시험 유형**

절대 왕정과 관련된 사료를 제시하고 관련 있는 설명을 고르는 문제가 자주 출제되니 이를 잘 기억해 두자.

연습 문제 다음 글과 관련된 정치 체제에 관한 설명으로 옳지 않은 것은?

> 왕은 공적인 인격이며, 국가 전체가 그 안에 있다. 모든 완전성과 권능이 신에게 결합하여 있듯이 개개인의 모든 권력이 군주의 인격 안에 결합하여 있다.
> ─ 사제 보쉬에의 말 ─

① 왕권신수설을 추구하였다.
② 귀족들이 왕에게 예속되었다.
③ 관료제와 상비군을 운용하였다.
④ 주권이 시민에게 있다고 보았다.
⑤ 중상주의 경제 정책을 추진하였다.

④ 답정

함께 보자! **심화 자료**

계몽사상가들과 교류하는 프리드리히 2세
계몽사상은 절대 왕정 타파에 영향을 주었어. 그러나 시민 계급의 성장이 더뎠던 동유럽에서는 국왕이 계몽 전제 군주를 자처하며 절대 왕정을 이룩하기도 하였단다.

맥 잡는 연표 문제

1488년 바르톨로메우 디아스, 희망봉 항로 개척

1492년 ❶ _____, 서인도 제도 도착

1498년 ❷ _____, 인도 캘리컷 도착

1500

1519년 마젤란 일행, 세계 일주 시작

1521년 아스테카 제국 멸망

1522년 마젤란 일행, 세계 일주 완료

1533년 잉카 제국 멸망

1588년 영국, ❸ _____에서 에스파냐의 무적함대 격파

1600

1600년 영국, 동인도 회사 설립

1687년 ❹ _____, 『프린키피아』 출판

1700

1721 북방 전쟁 종결

핵심 짚는 확인 문제

1 빈칸에 알맞은 말을 넣어 보자.

(1) 마르코 폴로의 (   )은/는 동양에 대한 호기심을 자극하였다.

(2) (   )은/는 유럽에서 아프리카 희망봉을 돌아 인도 캘리컷에 도착하였다.

(3) 에스파냐의 코르테스는 (   )을/를 정복하였다.

(4) 절대 왕정 국가는 수입을 제한하고 수출을 늘리는 (   ) 경제 정책을 추진하였다.

2 내용이 맞으면 O표, 틀리면 X표를 해 보자.

(1) 향료 등 동양 산물에 대한 욕구는 신항로 개척의 배경이 되었다. (   )

(2) 마젤란은 서인도 제도에 도착하였다. (   )

(3) 신항로 개척의 영향으로 유럽의 물가는 하락하였다. (   )

(4) 상수시 궁전은 웅장하고 화려한 바로크 양식의 대표적인 건축물이다. (   )

3 물음에 알맞은 답을 써 보자.

(1) 엘에스코리알 궁전을 세운 에스파냐의 절대 군주는? (   )

(2) 만유인력의 법칙을 발견하고 『프린키피아』를 저술한 인물은? (   )

(3) 인간의 이성과 인류의 진보를 믿는 사상은? (   )

4 다음 인물과 관련 내용을 옳게 연결해 보자.

(1) 표트르 대제 •   • ㉠ 칼레 해전 승리

(2) 엘리자베스 1세 •   • ㉡ 북방 전쟁

(3) 루이 14세 •   • ㉢ 상수시 궁전 건립

(4) 프리드리히 2세 •   • ㉣ 콜베르 등용

1 밑줄 친 '이것'에 관한 설명으로 옳은 것은?

> 이것은 음식이나 화장품 등에 넣어 향을 내는 물질이다. 그중에서도 향신료는 육류의 잡내를 잡아 맛을 더 좋게 하였기 때문에 육식을 즐겼던 유럽인들 사이에서 인기를 끌었다. 이것은 유럽인들이 신항로 개척에 나서는 데 중요한 계기가 되었다.

① 구황 작물로 각광받았다.
② 이슬람 세력의 대두로 가격이 매우 비쌌다.
③ 아프리카에서 아메리카에 주로 공급하였다.
④ 라틴 아메리카의 포토시에서 다량 생산되었다.
⑤ 원주민의 사망으로 인한 노동력 부족을 만회하는 데에 기여하였다.

시험 단골

2 다음과 같은 상황의 배경으로 옳지 <u>않은</u> 것은?

> 에스파냐와 포르투갈을 필두로 유럽인들이 동양으로 향하는 항로를 찾고자 항해하였다.

① 『동방견문록』이 널리 읽혔다.
② 천문학과 지리학이 발전하였다.
③ 유럽의 물가가 크게 상승하였다.
④ 향신료에 대한 수요가 증가하였다.
⑤ 오스만 제국의 세력이 강화하였다.

3 (가)에 들어갈 인물로 옳은 것은?

> **가상 인터뷰 대본**
> 기자: 어떻게 대서양을 항해하실 계획을 세우셨습니까?
> [(가)]: 지구는 둥글기에 서쪽으로 계속 가면 인도가 나오리라 생각했었어요. 저는 여전히 제가 찾은 지역이 인도라 믿습니다.

① 마젤란   ② 피사로
③ 콜럼버스   ④ 바스쿠 다 가마
⑤ 바르톨로메우 디아스

4 다음 농업이 이루어지던 시기에 관한 설명으로 옳은 것을 〈보기〉에서 고른 것은?

> 에스파냐는 아메리카에서 원주민과 노예 노동력을 동원하여 플랜테이션 농장을 경영하였다.

보기

ㄱ. 잉카 제국이 번성하였다.
ㄴ. 이탈리아의 도시들이 쇠퇴하였다.
ㄷ. 포르투갈이 인도양에 거점을 마련하였다.
ㄹ. 지중해가 유럽 경제의 중심 무대가 되었다.

① ㄱ, ㄴ   ② ㄱ, ㄷ   ③ ㄴ, ㄷ
④ ㄴ, ㄹ   ⑤ ㄷ, ㄹ

5 다음 내용에 해당하는 국가에 관한 설명으로 옳은 것은?

> • 신항로 개척을 주도하였다.
> • 코르테스와 피사로를 앞세워 라틴 아메리카를 정복하였다.

① 지중해 무역을 주도하였다.
② 레판토 해전에서 패배하였다.
③ 예니체리 제도를 운영하였다.
④ 마젤란의 항해를 지원하였다.
⑤ 인도양에 향료 무역 거점을 마련하였다.

6 밑줄 친 '이 시기'에 볼 수 있는 모습으로 옳지 <u>않은</u> 것은?

> 이 시기에는 유럽 전반에 걸쳐 평균적으로 2배에서 3배가량 물가가 상승하는 기현상이 벌어졌다.

① 십자군 전쟁에 나서는 기사
② 감자로 굶주린 배를 채우는 유럽인
③ 중국에서 차를 수입하는 포르투갈 상인
④ 사탕수수 농장에서 일하는 아프리카 노예
⑤ 포토시 광산에서 노동에 시달리는 라틴 아메리카 원주민

7 밑줄 친 '이 작물'에 관한 설명으로 옳은 것은?

> 이 작물은 라틴 아메리카의 안데스산맥이 원산지로, 춥고 척박한 환경에서도 잘 자라고 경작이 쉽다. 신항로 개척 이후 유럽으로 유입되었다.

① 유럽에 가격 혁명을 초래하였다.
② 대표적인 동양 산물 중 하나였다.
③ 신항로 개척의 동기를 제공하였다.
④ 플랜테이션 형태로 주로 재배되었다.
⑤ 가난한 농민들의 주요 영양 공급원이었다.

8 (가) 정치 체제에 관한 설명으로 옳은 것은?

> (가) 은/는 강력한 권력을 가진 왕이 통치하는 정치 체제로, 16~18세기 유럽에서 등장하였다.

① 계몽사상을 사상적 기반으로 삼았다.
② 관료제와 상비군에 의해 뒷받침되었다.
③ 서유럽보다 동유럽에서 먼저 등장하였다.
④ 수입을 장려하는 경제 정책을 전개하였다.
⑤ 봉건 세력에게서 국가 운영에 필요한 재정을 지원받았다.

시험 단골

9 밑줄 친 '정책'의 사례로 옳은 것을 〈보기〉에서 고른 것은?

> 절대 왕정 국가들은 부강한 나라를 건설하기 위한 경제 정책을 실시하였다. 이를 통해 권력 기반을 유지하는 데 필요한 재원을 확보하였다.

보기
ㄱ. 국내 제조업을 육성하였다.
ㄴ. 상업을 억제하고 농업을 장려하였다.
ㄷ. 국외 식민지 확보를 위해 노력하였다.
ㄹ. 귀족 계급의 이익을 우선적으로 보호하였다.

① ㄱ, ㄴ   ② ㄱ, ㄷ   ③ ㄴ, ㄷ
④ ㄴ, ㄹ   ⑤ ㄷ, ㄹ

New
신유형

10 다음 글에 나타난 사상에 관한 설명으로 옳은 것은?

> 신은 국왕을 그의 사자(使者)로 만들어 국왕을 통해 백성을 지배한다. 이미 보아 왔듯이, 모든 권력은 신으로부터 나온다. …… 일단 국왕이 결정을 내린 다음에는 바꿀 수 없다. 그러므로 정의 그 자체에 복종하는 것처럼 국왕에게 복종하라.

① 인간의 이성을 존중하였다.
② 시민 혁명의 발생에 기여하였다.
③ 절대 왕정의 사상적 배경이 되었다.
④ 기계론적 세계관을 바탕으로 하였다.
⑤ 낡은 제도와 관습의 타파를 주장하였다.

11 밑줄 친 '이 건물'의 명칭으로 옳은 것은?

> 이 건물은 독일 포츠담 교외에 위치하고 있으며, 프로이센 왕 프리드리히 2세가 휴식을 취하기 위한 목적으로 건설하였다. 경쾌하고 사치스러운 로코코 양식을 잘 보여주는 대표적인 건축물이다.

① 타지마할   ② 상수시 궁전
③ 베르사유 궁전   ④ 페테르고프 궁전
⑤ 엘에스코리알 궁전

고난도

12 (가) 인물에 관한 설명으로 옳은 것은?

> (가) 은/는 『시민 정부론』을 저술하여 자연권인 생명, 자유, 재산의 권리를 가진 인간은 이러한 권리가 잘 보장되도록 정부를 세우는 데 합의(계약)한 것이라고 주장하였다.

① 『프린키피아』를 저술하였다.
② 저항권의 개념을 강조하였다.
③ 만유인력의 법칙을 발견하였다.
④ 기계론적 세계관을 제시하였다.
⑤ 삼권 분립의 이론적 기초를 제공하였다.

13 밑줄 친 '왕'에 관한 설명으로 옳은 것은?

에스파냐의 무적함대가 영국을 공격하려 하자, 왕의 명을 받아 전투에 나선 드레이크 제독은 함대를 이끌고 칼레 앞바다에서 이들을 격파하였다.

① 오스만 제국을 격퇴하였다.
② 북방 전쟁에서 승리하였다.
③ 동인도 회사를 설립하였다.
④ 계몽 전제 군주를 자처하였다.
⑤ 콜베르를 재상으로 등용하였다.

📍 **세계사능력검정시험 응용 문제**

14 다음 자료와 관련된 정치 형태에 관한 설명으로 적절한 것을 〈보기〉에서 고른 것은?

결정하는 권리를 신하에게, 또는 명령하는 권리를 백성에게 귀속시키는 것은 사물의 참다운 질서를 문란하게 하는 것이다. 심의 또는 결정의 권리는 오로지 수장인 왕에게 귀속되어 있다. 신하의 모든 권리는 그들에게 주어진 명령을 효과 있게 운영하고 수행하는 데 있다.   ─루이 14세 ─

보기

ㄱ. 계몽사상을 주장하였다.
ㄴ. 국외 식민지를 확보하고자 하였다.
ㄷ. 관료제와 상비군을 통해 왕권을 강화하였다.
ㄹ. 19세기 이후 서유럽에서 본격적으로 등장하였다.

① ㄱ, ㄴ   ② ㄱ, ㄷ   ③ ㄴ, ㄷ
④ ㄴ, ㄹ   ⑤ ㄷ, ㄹ

주관식·서술형 문제

15 다음 글을 읽고 물음에 답하시오.

에스파냐의 코르테스는 ┌ (가) ┘을/를, 피사로는 ┌ (나) ┘을/를 멸망시키는 등 유럽인들이 진출하면서 라틴 아메리카의 문명들이 파괴되었다. 이후 유럽인들이 라틴 아메리카에 본격적으로 진출하면서 ㉠유럽─아메리카─아프리카를 연결하는 새로운 무역 체계가 형성되었다.

(1) (가), (나)에 들어갈 명칭을 각각 쓰시오.

(2) 밑줄 친 ㉠의 명칭을 쓰고, 그 구조에 대해 서술하시오.

16 다음 글을 읽고 물음에 답하시오.

동유럽의 대표적인 절대 군주로는 프로이센의 프리드리히 2세, 러시아의 ┌ (가) ┘ 등이 있다. 이들은 17세기 후반에서 18세기 무렵에 활동하였는데, 이는 ㉠동유럽의 절대 왕정이 서유럽에 비해 시기적으로 다소 늦게 출현하였음을 보여 준다.

(1) (가)에 들어갈 단어를 쓰시오.

(2) 밑줄 친 ㉠의 주요 원인을 두 가지 서술하시오.

정리해 보자! 대주제 **탄탄**

●○○

1 밑줄 친 '이 정책'에 관한 내용으로 옳은 것은?

> 조광윤은 카이펑을 수도로 송을 건국하였다. 이후 이 정책을 채택하여 절도사 세력을 견제하고 황제권을 강화하였다.

① 전시 제도를 도입하였다.
② 재정 지출이 감소하였다.
③ 무인 세력을 우대하였다.
④ 농민들의 무기를 몰수하였다.
⑤ 군사력이 강화하는 결과를 낳았다.

●●○

2 다음 설명에 해당하는 국가에 관한 설명으로 옳은 것은?

> • 야율아보기가 건국하였다.
> • 발해를 멸망시키고 고려를 공격하였다.
> • 송과 연운 16주를 두고 대립하였다.

① 왕안석의 신법이 시행되었다.
② 임안(항저우)을 수도로 하였다.
③ 지방에 다루가치를 파견하였다.
④ 송을 공격하여 화북을 차지하였다.
⑤ 한족과 유목민을 별도의 체제로 다스렸다.

●●●

3 밑줄 친 '이 왕조' 시기 볼 수 있는 모습으로 옳지 않은 것은?

> 성리학은 이 왕조 시기의 유학자인 주희가 집대성하였다. 이후 중국 및 주변국으로 전파되면서 지배 이념으로 자리를 잡았다.

① 모내기를 하는 농민
② 『홍루몽』을 읽고 있는 학생
③ 교자로 물건을 구입하는 상인
④ 화약의 성능을 시험하는 기술자
⑤ 시장에서 연극을 관람하는 청년

●○○

4 다음과 같은 모습이 나타난 국가에 관한 설명으로 옳은 것을 〈보기〉에서 고른 것은?

> 서아시아 출신의 색목인들은 재정 및 행정 담당 관료로 활동하였으나, 남인들은 차별을 받아 관직에 진출하기가 어려웠다.

> 〈보기〉
> ㄱ. 대도를 수도로 하였다.
> ㄴ. 각지에 행성을 설치하였다.
> ㄷ. 5대 10국의 분열을 수습하였다.
> ㄹ. 팔기제를 바탕으로 세력을 확대하였다.

① ㄱ, ㄴ   ② ㄱ, ㄷ   ③ ㄴ, ㄷ
④ ㄴ, ㄹ   ⑤ ㄷ, ㄹ

●●●

5 (가) 황제에 관한 설명으로 옳은 것을 〈보기〉에서 고른 것은?

명의 3대 황제로, 베이징으로 천도하고 자금성을 건설하였어.

> 〈보기〉
> ㄱ. 육유를 반포하였다.
> ㄴ. 천호제를 도입하였다.
> ㄷ. 정화의 함대를 파견하였다.
> ㄹ. 몽골과 대월을 공격하였다.

① ㄱ, ㄴ   ② ㄱ, ㄷ   ③ ㄴ, ㄷ
④ ㄴ, ㄹ   ⑤ ㄷ, ㄹ

6 다음과 같은 정책을 시행한 공통된 목적으로 가장 적절한 것은?

> • 책봉을 받은 국가들에게 감합을 발급하였다.
> • 7차에 걸쳐 정화의 함대를 파견하였다.

① 세금 징수
② 황제권 강화
③ 밀무역 감소
④ 유교 이념 부활
⑤ 중국 중심 질서 확립

7 밑줄 친 '이 황제'에 관한 설명으로 옳은 것은?

> 이 황제는 티베트와 신장, 몽골까지 포함하는 거대한 제국을 완성하였다. 이로써 청은 동아시아의 강자로 군림하며 오늘날까지 이어지는 중국 영토 대부분을 확보하였다.

① 군기처를 설치하였다.
② 전국 시대를 통일하였다.
③ 『사고전서』 편찬을 지시하였다.
④ 타이완의 반청 세력을 진압하였다.
⑤ 황제가 6부를 직접 관리하도록 하였다.

8 ㈎ 학문에 관한 설명으로 옳은 것은?

> ㈎ 은/는 청대에 『강희자전』 등 대규모 편찬 사업이 이루어지는 과정에서 크게 유행하였다.

① 왕수인이 집대성하였다.
② 우주의 원리와 인간의 본성을 탐구하였다.
③ 경전이나 역사서를 실증적으로 연구하였다.
④ 중국과 주변국의 지배 이념으로 정착되었다.
⑤ 경전의 가르침보다 개인의 깨달음을 중시하였다.

9 밑줄 친 '이 막부' 시기의 상황으로 옳은 것을〈보기〉에서 고른 것은?

> ○○에게
> 잘 지내? 난 나가사키를 여행하고 있어. 오늘은 데지마에 갈 거야. 이 막부가 만든 인공 섬이었는데, 당시 일본과 교역할 수 있었던 네덜란드의 상관이 있었대. 지금은 주변이 매립되어 섬이라고 보기 힘들지만 그래도 기대가 돼. 다음에 같이 오자.

> 보기
> ㄱ. 조총이 전래되었다.
> ㄴ. 난학이 발달하였다.
> ㄷ. 산킨코타이 제도가 실시되었다.
> ㄹ. 일본이 명과 조공·책봉 관계를 맺었다.

① ㄱ, ㄴ
② ㄱ, ㄷ
③ ㄴ, ㄷ
④ ㄴ, ㄹ
⑤ ㄷ, ㄹ

10 다음 내용에 해당하는 국가에 관한 설명으로 옳은 것은?

> • 11세기에 바그다드를 점령하고 아바스 왕조로부터 술탄의 칭호를 받았다.
> • 13세기 몽골 제국에 멸망하였다.

① 티무르가 건국하였다.
② 페르시아 제국의 계승을 내세웠다.
③ 예루살렘을 점령하여 유럽과 충돌하였다.
④ 아바스 1세 때 오스만 제국을 격퇴하였다.
⑤ 수도 사마르칸트를 중심으로 중계 무역을 전개하였다.

11 ㈎ 국가에 관한 설명으로 옳은 것은?

> 역사 골든벨
>
> 45번 문제입니다.
> 비잔티움 제국을 멸망시켰으며, 이집트를
> 정복하고 칼리프직을 차지한 나라는?
> 정답은 [㈎] 입니다.

① 이스파한을 수도로 하였다.
② 몽골 제국의 부흥을 내세웠다.
③ 델리 술탄 왕조를 멸망시켰다.
④ 술탄의 친위대로 예니체리를 두었다.
⑤ 18세기에 영국과 프랑스의 침입으로 쇠퇴하였다.

12 밑줄 친 '그'에 관한 탐구 활동으로 가장 적절한 것은?

> 그는 바부르의 손자로, 남부 일부 지역을 제외한
> 전 인도를 통일하였다. 그의 치세에 무굴 제국은
> 강국으로 발전할 수 있는 기반을 다졌다.

① 밀레트의 특징을 조사한다.
② 티무르 왕조의 멸망 원인을 분석한다.
③ 이란·이슬람 문화의 사례를 찾아본다.
④ 이스탄불로 수도를 옮긴 배경을 파악한다.
⑤ 이교도에 대한 인두세를 폐지한 이유를 알아본다.

13 밑줄 친 ㉠의 사례로 옳지 <u>않은</u> 것은?

> 무굴 제국은 이슬람 국가였지만 힌두교도들도 존
> 중을 받았고, 이에 따라 ㉠힌두교 문화와 이슬람
> 문화가 융합되어 나타나기도 하였다.

① 시크교가 등장하였다.
② 타지마할이 건축되었다.
③ 무굴 회화가 발달하였다.
④ 일상에서 우르두어가 사용되었다.
⑤ 술탄 아흐메트 사원이 건설되었다.

14 ㈎～㈐에 들어갈 단어를 옳게 연결한 것은?

바르톨로메우 디아스	희망봉으로 가는 항로 개척
㈎	아메리카 서인도 제도 도착
㈏	희망봉 거쳐 인도 도착
㈐	태평양 가로질러 필리핀 도착

	㈎	㈏	㈐
①	콜럼버스	마젤란	바스쿠 다 가마
②	콜럼버스	바스쿠 다 가마	마젤란
③	바스쿠 다 가마	콜럼버스	마젤란
④	바스쿠 다 가마	마젤란	콜럼버스
⑤	마젤란	콜럼버스	바스쿠 다 가마

15 다음은 신항로 개척이 가져온 변화에 관한 대화 모습이다. ㈎에 들어갈 내용으로 옳지 <u>않은</u> 것은?

① 유럽에서 가격 혁명이 발생하였어.
② 라틴 아메리카 문명이 파괴되었어.
③ 포르투갈과 에스파냐가 번영하였어.
④ 설탕과 감자 등이 유럽에 유입되었어.
⑤ 유럽의 경제 무대가 지중해로 바뀌었어.

16 각 군주의 이름과 그 업적을 옳게 연결한 것은?

① 펠리페 2세 – 페테르고프 궁전을 세웠다.
② 표트르 대제 – 북방 전쟁에서 승리하였다.
③ 프리드리히 2세 – 오스만 제국을 격퇴하였다.
④ 루이 14세 – 에스파냐의 무적함대를 격파하였다.
⑤ 엘리자베스 1세 – 콜베르를 재상으로 등용하였다.

주관식·서술형 문제

17 다음 글을 읽고 물음에 답하시오.

> 몽골의 ___(가)___ 은/는 일본에게 조공을 요구하는 사절을 보냈으나 일본의 가마쿠라 막부는 답변을 하지 않았다. 이에 몽골은 고려에게 함선 건조를 명령하여 1274년 대규모의 원정군을 파견하였으나, 태풍으로 인해 실패하였다. ___(가)___ 은/는 포기하지 않고 1281년 2차 원정을 시도하였는데, 이 역시 태풍으로 인해 실패하였다.

(1) (가)에 들어갈 인물의 이름을 쓰시오.

(2) 위 사건이 일본에 끼친 영향을 두 가지 서술하시오.

18 다음을 읽고 물음에 답하시오.

> ___(가)___ 은/는 무굴 제국의 제6대 황제이다. 그는 정복 활동에 남다른 의욕을 보였으며, 데칸고원 이남을 정복하여 무굴 제국 역사상 최대의 영토를 확보하였다. 하지만 ㉠그의 치세 중에 국력은 쇠퇴하였으며, 반란이 발생하여 제국이 분열되기에 이르렀다.

(1) (가)에 들어갈 인물의 이름을 쓰시오.

(2) 밑줄 친 ㉠과 같은 변화가 나타난 이유를 두 가지 서술하시오.

19 유럽인들이 지도에 나타난 활동을 전개한 배경을 세 가지 서술하시오.

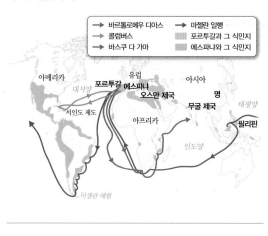

20 다음을 읽고 물음에 답하시오.

> 절대 왕정은 강력한 권력을 가진 왕이 통치하는 정치 체제이다. 제도적으로 관료들이 왕의 명령에 따라 국가 업무를 전담할 수 있도록 하는 ___(가)___ 와/과 왕이 언제든지 군사력을 동원할 수 있게 해 주는 ___(나)___ 에 의해 뒷받침되었다. 사상적으로는 왕권 신수설과 ㉠중상주의를 기반으로 하였다.

(1) (가), (나)에 들어갈 명칭을 각각 쓰시오.

(2) 밑줄 친 ㉠을 바탕으로 전개된 정책의 사례를 두 가지 서술하시오.

Ⅳ 제국주의 침략과 국민 국가 건설 운동

이 대주제를 배우면

시민 혁명과 세계 각지의 국민 국가 건설 과정, 그리고 산업 혁명 이후 제국주의 국가들의 침략을 파악할 수 있어요.

📋 나의 학습 계획표

중주제	학습 코너	쪽수	학습 예정일	학습 완료일	달성도
1 유럽과 아메리카의 국민 국가 체제	기억하자! 핵심 내용	100쪽	◯월 ◯일	◯월 ◯일	☆☆☆☆☆
		102쪽	◯월 ◯일	◯월 ◯일	☆☆☆☆☆
	놓치지 말자! 핵심 자료	101쪽	◯월 ◯일	◯월 ◯일	☆☆☆☆☆
		103쪽	◯월 ◯일	◯월 ◯일	☆☆☆☆☆
	되짚어 보자! 기본 개념	104쪽	◯월 ◯일	◯월 ◯일	☆☆☆☆☆
	키워 보자! 실력 쑥쑥	105~107쪽	◯월 ◯일	◯월 ◯일	☆☆☆☆☆
2 유럽의 산업화와 제국주의	기억하자! 핵심 내용	108쪽	◯월 ◯일	◯월 ◯일	☆☆☆☆☆
		110쪽	◯월 ◯일	◯월 ◯일	☆☆☆☆☆
	놓치지 말자! 핵심 자료	109쪽	◯월 ◯일	◯월 ◯일	☆☆☆☆☆
		111쪽	◯월 ◯일	◯월 ◯일	☆☆☆☆☆
	되짚어 보자! 기본 개념	112쪽	◯월 ◯일	◯월 ◯일	☆☆☆☆☆
	키워 보자! 실력 쑥쑥	113~115쪽	◯월 ◯일	◯월 ◯일	☆☆☆☆☆
3 서아시아와 인도의 국민 국가 건설 운동	기억하자! 핵심 내용	116쪽	◯월 ◯일	◯월 ◯일	☆☆☆☆☆
		118쪽	◯월 ◯일	◯월 ◯일	☆☆☆☆☆
	놓치지 말자! 핵심 자료	117쪽	◯월 ◯일	◯월 ◯일	☆☆☆☆☆
		119쪽	◯월 ◯일	◯월 ◯일	☆☆☆☆☆
	되짚어 보자! 기본 개념	120쪽	◯월 ◯일	◯월 ◯일	☆☆☆☆☆
	키워 보자! 실력 쑥쑥	121~123쪽	◯월 ◯일	◯월 ◯일	☆☆☆☆☆
4 동아시아의 국민 국가 건설 운동	기억하자! 핵심 내용	124쪽	◯월 ◯일	◯월 ◯일	☆☆☆☆☆
		126쪽	◯월 ◯일	◯월 ◯일	☆☆☆☆☆
	놓치지 말자! 핵심 자료	125쪽	◯월 ◯일	◯월 ◯일	☆☆☆☆☆
		127쪽	◯월 ◯일	◯월 ◯일	☆☆☆☆☆
	되짚어 보자! 기본 개념	128쪽	◯월 ◯일	◯월 ◯일	☆☆☆☆☆
	키워 보자! 실력 쑥쑥	129~131쪽	◯월 ◯일	◯월 ◯일	☆☆☆☆☆
정리해 보자! 대주제 탄탄		132~135쪽	◯월 ◯일	◯월 ◯일	☆☆☆☆☆

1 유럽과 아메리카의 국민 국가 체제

알아 두자! **시험 포인트**
• 청교도 혁명과 명예혁명의 과정
• 미국 혁명의 배경과 의의
• 프랑스 혁명의 과정과 영향
• 빈 체제의 특징
• 독일과 이탈리아의 통일 과정
• 라틴 아메리카의 독립 배경

❶ 입헌 군주정의 수립, 영국 혁명

1 혁명의 배경
(1) 16세기 이후의 변화: 자영농과 젠트리(지주층) 등장(농촌), 시민층 성장(도시)
(2) 청교도의 성장: 젠트리·시민층의 다수인 청교도가 의회 진출 → 절대 왕정 비판
  > **Why?** 절대 왕정이 수시로 청교도를 탄압했기 때문이야.

2 청교도 혁명
(1) 발단: 찰스 1세가 의회 동의 없이 세금 부과, 청교도 박해
(2) 전개: 의회파와 왕당파의 충돌 → 크롬웰이 이끄는 의회파 승리, 공화정 수립

3 명예혁명의 전개와 내각 책임제 도입
(1) 명예혁명(1688): 크롬웰 사후 왕정 복귀, 제임스 2세의 전제 정치 강화 → 의회가 제임스 2세를 추방하고 메리 2세와 윌리엄 3세를 공동 왕으로 추대
(2) 입헌 군주정의 수립: 공동 왕이 의회의 권한을 강조한 「권리 장전」 승인(1689)
(3) 내각 책임제의 시작: 앤 여왕 사후 독일 출신의 조지 1세 즉위하며 시작
  > **Who?** 스코틀랜드를 통합하여 연합 왕국을 이루었지.

❷ 신대륙에서 들려오는 독립의 함성, 미국 혁명

1 배경: 영국이 아메리카에서 수입되는 설탕과 차 등에 세금 부과, 인지세법 제정 → 식민지인들의 반발(보스턴 차 사건, 1773), 갈등 시작

2 과정
(1) 대륙 회의: 영국의 보스턴 항구 폐쇄를 계기로 개최, 영국에 항의 → 무력 충돌
(2) 「독립 선언문」: 워싱턴을 총사령관 임명하고 발표(1776), 기본권과 민주주의 천명
(3) 독립 전쟁: 식민지 군대의 초반 열세 → 워싱턴의 활약, 프랑스·에스파냐의 지원으로 전세 역전 → 요크타운 전투 승리(1781), 파리 조약(1783)으로 독립 인정
(4) 미국의 탄생: 헌법 제정(연방·공화주의, 삼권분립) → 최초의 민주 공화국 탄생

3 의의: 프랑스 혁명, 라틴 아메리카의 독립운동에 영향

❸ 프랑스 혁명, 구제도에서 국민 국가로

1 배경: 구제도의 모순, 시민의 성장, 자유·평등에 대한 소망

2 과정
  > **What?** 절대 왕정과 신분제로 유지되던 구제도 아래에서 제1 신분인 성직자와 제2 신분인 귀족은 부와 특권을 누렸어. 그러나 제3 신분인 평민은 세금 부담에 시달렸지.

국민 의회	• 성립: 왕실 재정 악화로 삼부회 소집 → 표결 방식을 두고 대립하다 결렬 → 제3 신분 대표가 의회를 결성하고 새 헌법을 주장(테니스코트의 선언) • 봉건제 폐지 선언, 「인권 선언」 발표(1789)
입법 의회	오스트리아 프로이센에 선전 포고 → 혁명전쟁 시작
국민 공회	공화정 선포 → 자코뱅파 주도로 루이 16세 처형, 공포 정치 시행
총재 정부	공포 정치에 대한 불만으로 로베스피에르 등 자코뱅파 탄핵·처형하며 수립

3 나폴레옹의 집권과 몰락
(1) 통령 정부의 수립: 쿠데타로 권력 장악(제1 통령 취임)
(2) 제정의 성립: 국민 투표로 황제 즉위(1804) 『나폴레옹 법전』 편찬
(3) 유럽 정복: 대륙 봉쇄령(1806)으로 영국 압박 → 이를 어긴 러시아 응징 위해 원정 시도하였으나 실패(1812) → 유럽 각국의 공세로 몰락(워털루 전투, 1815)
(4) 결과: 자유주의(자유·평등·박애)의 확산, 민족주의의 성장 → 국민 국가 형성

✚ **청교도**
16~17세기 영국에서 칼뱅주의의 흐름을 이어받은 신교 개혁파를 말한다. 영국 국교회(성공회)의 정통파와 대립하였다. 영국 혁명 당시 젠트리와 시민 계급의 다수가 청교도였다.

✚ **연방주의**
미국 헌법은 중앙 정부와 주 정부 간의 권력을 나누는 연방주의를 채택한다. 중앙 정부는 외교권과 군사권 등 합중국 전체 이익을 대변한다. 한편 각 주들도 자치권을 가지고 있다.

✚ **삼부회**
프랑스 세 신분의 대표로 구성되는 회의이다. 1302년에 최초로 소집되었으며, 입법권을 가지지는 않았지만, 과세권을 행사하기도 하였다. 1789년 5월 소집된 삼부회는 프랑스 혁명의 도화선이 되었다.

✚ **자코뱅파**
프랑스 혁명 시기의 급진적인 정치 단체를 이르는 말이다. 로베스피에르 등을 우두머리로 하여 급진적인 공화주의를 주장하였다. 자코뱅 수도원에서 이름이 비롯되었다.

✚ **국민 국가**
주권이 국민에게 있는 국가 형태이다. 즉 국민 공동체에 기초한 국가 형태를 말한다. 이는 오늘날 가장 일반적인 국가 형태이다.

놓치지 말자! 핵심 자료

자료 ① 「독립 선언문」(1776)

> 모든 사람은 평등하게 태어났으며, 창조주로부터 빼앗을 수 없는 권리를 부여받았다. 그 중에는 생명과 자유, 행복을 추구할 권리가 포함되어 있다. 이 권리를 확보하기 위해 인민은 정부를 조직하였으며, 이 정부의 정당한 권력은 인민의 동의로부터 유래한다. 또 어떠한 형태의 정부이든 본래의 목적을 파괴했을 때, 인민은 언제든지 정부를 바꾸거나 무너뜨릴 권리가 있다.

「독립 선언문」은 아메리카의 식민지 대표들이 영국의 불합리한 지배로부터 독립하기 위해 발표한 선언문이다. 식민지 대표들은 생명과 자유, 행복을 추구할 권리가 인간의 기본권이라는 사실과 정부의 권력은 인민의 동의로부터 유래한다는 인민 주권, 그리고 정부가 본래의 목적을 파괴하면 인민은 언제든지 정부를 무너뜨릴 수 있다는 저항권을 주장하였다. 이는 이후 발생한 프랑스 혁명에 직접적인 영향을 미쳤다.

점검하자! 시험 유형

「독립 선언문」을 자료로 제시하고 발표 시기와 관련 사건에 대해 묻는 문제가 자주 출제되니 이를 잘 기억해 두자.

연습 문제 「독립 선언문」이 발표된 사건으로 옳은 것은?

① 명예혁명
② 미국 혁명
③ 프랑스 혁명
④ 청교도 혁명
⑤ 러시아 혁명

② 검정

자료 ② 구제도의 모순

혁명 전 프랑스 사회의 신분 구조

구제도의 모순을 풍자한 그림

함께 보자! 심화 자료

삼부회 개회식

1789년의 삼부회 개회식을 표현한 그림이야. 루이 16세가 삼부회를 소집하자, 세 신분의 대표들은 표결 방식을 놓고 대립하였어. 제1 신분과 제2 신분은 기존의 신분별 표결을 고집하였지만, 제3 신분은 머릿수 표결을 주장하였지. 신분별 표결을 할 경우 제3 신분이 2:1로 질 확률이 높았지만, 머릿수 표결을 할 경우 제1,2 신분을 합쳐도 제3 신분보다 적었기에 이길 확률이 높았어.

왼쪽 자료는 혁명 전 프랑스 사회의 신분 구조를 나타낸 것이다. 당시 제1 신분인 고위 성직자와 제2 신분인 귀족은 2%에 불과하였으나 관직을 독점하고 세금을 면제받았다. 반면 제3 신분인 평민은 무거운 세금을 내면서도 고위 관직에 오를 수 없었다. 오른쪽 풍자화를 통해 제3 신분이 당면했던 어려운 상황을 추측할 수 있다. 제3 신분 중에서도 상공업이나 전문직에 종사하는 시민 계급은 자신들이 과중한 세금을 부담하는데도 성직자와 귀족들만이 여러 특권을 누리는 것에 큰 불만을 가지고 있었다. 이들은 계몽사상과 미국 혁명의 소식을 접하고 불공평한 사회 구조를 바꿀 수 있다는 희망을 품었다. 그리고 농민과 노동자들도 서서히 크리스트교에서 벗어나 세속화하면서 성직자들의 특권을 비판하였다.

유럽과 아메리카의 국민 국가 체제

❹ 빈 체제의 동요와 자유주의의 확산

1 빈 체제(1815~1848)의 성립
(1) 유럽의 영토와 지배권을 프랑스 혁명 이전으로 되돌리기 위해 각국 간에 동맹 체결
(2) 빈 체제에 저항하여 유럽과 라틴 아메리카에서 자유주의와 민족주의 운동이 확산

2 프랑스의 자유주의 혁명
(1) 7월 혁명(1830): 샤를 10세의 전제 정치 → 파리 시민과 자유주의자들이 루이 필리프를 '시민의 왕'으로 추대, 입헌 군주정 수립
(2) 2월 혁명(1848): 새 왕정이 부유층의 이익만을 보호 → 중하층 시민, 노동자, 공화주의자들이 왕정 폐지 → 공화정 재수립, 혁명 이념 확산(→ 빈 체제 붕괴)

3 영국의 자유주의 개혁
(1) 제1차 선거법 개정(1832): 도시 상공업자, 중간 계급에게 선거권 부여
(2) 차티스트 운동: 노동자들이 「인민헌장」(1838) 내세워 선거권 요구 → 선거법 개정
(3) 그 밖의 개혁: 곡물법과 항해법 폐지 → 자유 무역, 양당 정치 발전

> Why? 영국이 산업 혁명에 성공하면서 자유 무역을 확대해야 했기 때문이야.

❺ 민족주의의 확산과 새로운 국민 국가의 등장

1 이탈리아의 통일

민족주의자	마치니, 가리발디 등이 독립과 통일 추구하는 혁명 운동 전개 → 실패
샤르데냐 왕국	카보우르가 통일 운동 주도 → 산업 진흥, 프랑스와 동맹을 맺어 오스트리아와 대결 → 중북부 이탈리아 통합(1860)
가리발디	붉은 셔츠단(의용군) 이끌고 남부 이탈리아 정복 → 정복지 샤르데냐 왕국에 헌납 → 이탈리아 왕국 탄생(1861)

2 독일의 통일
(1) 프로이센의 노력: 경제 통합(관세 동맹, 1834), 비스마르크의 철혈 정책
(2) 통일 과정: 프로이센이 오스트리아와의 전쟁 승리하여 북독일 연방 창설 → 프랑스와의 전쟁 승리 → 남부 독일 통합 → 독일 제국 선포(1871)

❻ 미국과 라틴 아메리카의 발전

1 남북 전쟁과 미국의 발전
(1) 배경: 독립 이후의 발전 과정에서 남부와 북부가 노예 제도 등을 두고 대립
  ① 북부: 상공업 발달, 노예 제도 확산 반대, 보호 무역 주장
  ② 남부: 대농장 발달, 노예 제도 유지, 자유 무역 주장
(2) 남북 전쟁: 노예 제도 확산에 반대한 링컨이 대통령 당선되자 남부가 연방에서 이탈 → 전쟁 발발(1861) → 북부 승리(1865)
(3) 복구와 산업화: 대륙 횡단 철도 건설, 이민자 유입 → 본격적 산업화 추진

2 라틴 아메리카의 독립
(1) 배경: 미국·프랑스 혁명의 이념 전파, 나폴레옹 전쟁으로 유럽의 통제력 약화
(2) 독립운동의 전개: 크리오요가 독립운동 주도(볼리바르, 산마르틴)
(3) 독립 이후의 라틴 아메리카: 유럽인 후손이 부와 권력 독점하며 독재 정권 출현, 국내 공업 기반 약화, 미국이 정치적으로 간섭(파나마 운하에 대한 권리 양도)

✚ 곡물법
1815년 영국에서 제정된 법이다. 외국산 곡물 가격이 일정 수준 이하일 경우 수입을 제한하였다. 값싼 곡물 수입을 제한함으로써 영국 내에서 생산되는 곡물 생산자의 이익을 보호하고자 한 것이다. 하지만 소비자인 대중은 풍흉에 관계없이 일정 가격 이상의 비싼 곡물을 구매해야 했기에 이 법에 불만이 많았다. 1846년 결국 폐지된다.

✚ 항해법
청교도 혁명 시기 크롬웰은 유럽 대륙에서 영국으로 수입되는 상품은 영국 선박이나 생산국의 선박만이 수송할 수 있게 하였으며, 유럽 이외 지역의 상품은 영국 선박만이 수송할 수 있다고 규정하였다. 이는 영국의 해상 진출과 상업 자본 축척에 큰 역할을 담당했다. 하지만 자유 무역에는 방해가 되는 법이었기 때문에 1849년 폐지되었다.

✚ 마치니(1805~1872)
이탈리아의 혁명가이자 통일 운동가이다. 청년 이탈리아당을 창설하여 이탈리아가 외세의 지배에서 벗어난 통일 국가가 되어야 함을 주장하였다.

✚ 크리오요
라틴 아메리카에서 태어난 에스파냐인을 뜻하는 단어이다.

놓치지 말자! 핵심 자료

자료 ① 프랑스의 7월 혁명과 영국의 차티스트 운동

「민중을 이끄는 자유의 여신」

차티스트 운동의 6개 요구 사항

1. 21세 이상 모든 남자의 선거권 인정
2. 유권자 보호를 위해 비밀 투표제 시행
3. 하원 의원의 재산 자격 조항 폐지
4. 하원 의원에게 보수 지급
5. 인구 비례에 따른 동등한 선거구 설정
6. 의원 임기를 1년으로 하여 매년 선거 시행

－「인민헌장」－

유럽의 질서를 프랑스 혁명 이전으로 되돌리려는 빈 체제는 유럽의 곳곳에 자유주의 운동을 불러일으켰다. 프랑스의 7월 혁명은 빈 체제에 대한 저항을 보여 주는 대표적인 사건이다. 프랑스 시민들은 결국 혁명을 성공시키며 입헌 군주정을 수립하였다. 영국에서는 노동자를 중심으로 한 차티스트 운동이 일어났다. 당시 영국의 노동자들은 「인민헌장」을 내세워 선거권을 요구하였다. 이들은 1867년에 2차 선거법 개정으로 선거권을 획득하였다.

점검하자! **시험 유형**

프랑스와 영국의 자유주의 운동에 대한 자료를 제시하고 해당 운동에 관한 사실을 묻는 문제가 자주 출제되니 이를 잘 기억해 두자.

연습 문제 다음 그림에 표현된 혁명의 배경이 되는 사건으로 옳은 것은?

① 명예혁명
② 청교도 혁명
③ 빈 체제 수립
④ 나폴레옹 전쟁
⑤ 미국의 독립 혁명

③ 답정

자료 ② 비스마르크의 철혈 정책

비스마르크

독일이 눈여겨보아야 할 것은 프로이센의 자유주의가 아니라 군비입니다. …… 이 시대의 중요한 문제들은 더 이상 언론이나 다수결에 의해 좌우되는 것이 아니며 …… 오직 철(鐵)과 피(血)에 의해서만 문제(독일 통일)가 해결될 수 있습니다.

－ 비스마르크의 의회 연설(1862) －

비스마르크는 프로이센의 총리로 강력한 군사 정책을 펼친 인물이다. 오른쪽 자료는 그의 사상을 잘 보여 주는 연설문이다. 빈 체제하에서 독일은 작은 나라들로 나뉘어 있었다. 그래서 비스마르크는 말 그대로 '철과 피'를 통해서 통일을 이루겠다는 생각을 표현하였다. 이러한 목표 아래 프로이센은 군사 제도를 개혁하고 각종 군수 물자를 마련하여 강력한 군사력을 키우는 데 집중하였다. 그리고 이렇게 마련한 군사력으로 통일을 이루고 독일 제국을 선포하였다.

함께 보자! **심화 자료**

▢ 독일 제국의 경계(1871)

발트해
북해
베를린
알자스·로렌
프랑스
스위스
오스트리아·헝가리 제국

통일된 독일 제국

통일 제국을 이룬 독일의 영역을 나타낸 지도야. 비스마르크는 철혈 정책으로 군사력을 강화하여 프로이센 중심의 독일 통일에 반대하던 오스트리아와 프랑스를 제압하였지. 그리고 독일 지역의 여러 나라를 통합한 결과 독일 제국을 수립할 수 있었어.

되짚어 보자! 기본 **개념**

정답과 해설 • 20쪽

핵 잡는 **연표 문제**

- ⊙ 1642년 영국, ❶ _____ 혁명
- ⊙ 1649년 영국, 찰스 1세 처형

- ⊙ 1688년 영국, ❷ _____ 혁명
- ⊙ 1689년 영국, 「권리 장전」 승인

1700

- ⊙ 1776년 미국, 「독립 선언문」 발표

- ⊙ 1783년 파리 조약 체결

- ⊙ 1789년 국민 의회, ❸ _____ 발표
- ⊙ 1793년 국민 공회, 루이 16세 처형

1800

- ⊙ 1804년 아이티 독립
  프랑스, 나폴레옹 황제 즉위

- ⊙ 1815년 빈 체제 수립

- ⊙ 1830년 프랑스, 7월 혁명

- ⊙ 1838년 차티스트 운동 시작

- ⊙ 1848년 프랑스, ❹ _____ 혁명

- ⊙ 1861년 이탈리아 통일
  미국 남북 전쟁 발발
- ⊙ 1865년 미국 남북 전쟁 종료

- ⊙ 1871년 독일 통일

핵심 짚는 **확인 문제**

1 빈칸에 알맞은 말을 넣어 보자.

(1) 영국에서는 ( )이/가 승인되면서 입헌 군주정이 수립되었다.

(2) 식민지 대표들이 발표한 「독립 선언문」에는 인간의 기본권과 ( ) 정신이 담겨 있다.

(3) 혁명 이전 프랑스 사회에서 ( )은/는 과중한 세금을 내면서도 차별에 시달렸다.

(4) 비스마르크는 강력한 군사 정책인 ( ) 정책을 추진하였다.

2 내용이 맞으면 O표, 틀리면 X표를 해 보자.

(1) 메리 2세와 윌리엄 3세는 스코틀랜드를 통합하였다. ( )

(2) 파리 조약으로 미국의 독립이 승인되었다. ( )

(3) 샤를 10세의 전제 정치에 파리 시민과 자유주의자들은 2월 혁명을 일으켰다. ( )

(4) 사르데냐 왕국의 카보우르와 민족주의자 가리발디가 이탈리아의 통일을 주도하였다. ( )

3 물음에 알맞은 답을 써 보자.

(1) 청교도 혁명을 이끌었던 의회파의 지도자는?
( )

(2) 빈 회의를 주도한 오스트리아의 외상은?
( )

(3) 라틴 아메리카에서 최초로 독립한 국가는?
( )

4 다음 사건과 관련 내용을 옳게 연결해 보자.

(1) 명예혁명 • • ㉠ 「권리 장전」

(2) 미국 혁명 • • ㉡ 「인권 선언」

(3) 프랑스 혁명 • • ㉢ 「인민헌장」

(4) 차티스트 운동 • • ㉣ 「독립 선언문」

키워 보자! 실력 쑥쑥

1 16세기 전반 영국 상황으로 옳지 <u>않은</u> 것은?

① 시민층 가운데 청교도가 많았다.
② 지주층인 젠트리 계층이 형성되었다.
③ 상공업이 발달하여 시민층이 성장하였다.
④ 제3 신분이 무거운 세금을 내면서도 차별받았다.
⑤ 시민층이 의회에 진출하여 전제 왕권과 대립하였다.

2 다음 사건을 계기로 발생한 혁명에 관한 설명으로 옳은 것은?

> 왕은 의회의 동의 없이 세금을 걷고 청교도를 박해하였다.

① 찰스 1세가 처형되었다.
② 루이 16세가 처형되었다.
③ 로베스피에르가 공포 정치를 펼쳤다.
④ 메리와 윌리엄 3세가 공동 왕으로 추대되었다.
⑤ 다수당이 내각을 구성하는 내각 책임제가 시행되었다.

3 다음 빈칸에 공통으로 들어갈 단어로 옳은 것은?

> ・국왕은 [ ]의 동의 없이 법의 효력과 집행을 정지할 수 없다.
> ・국왕은 [ ]의 동의 없이 평상시에 군대를 징집, 유지할 수 없다.

① 국민　　② 귀족　　③ 교황
④ 의회　　⑤ 삼부회

시험 단골

4 다음 사건들을 시간 순서대로 옳게 배열한 것은?

> ㄱ. 요크타운 전투　　ㄴ. 보스턴 차 사건
> ㄷ. 파리 조약 체결　　ㄹ. 미국 헌법 제정

① ㄱ - ㄴ - ㄷ - ㄹ　　② ㄴ - ㄱ - ㄷ - ㄹ
③ ㄴ - ㄱ - ㄹ - ㄷ　　④ ㄷ - ㄴ - ㄱ - ㄹ
⑤ ㄹ - ㄷ - ㄴ - ㄱ

5 다음 사건을 계기로 발생한 혁명에 관한 설명으로 옳지 <u>않은</u> 것은?

> 1773년 12월, 인디언으로 변장한 백인 수십 명이 보스턴항에 정박해 있던 영국 상선에 올라가 차 상자 300여 개를 바다에 던졌다.

① 프랑스 혁명에 큰 영향을 주었다.
② 라틴 아메리카의 독립운동을 일깨웠다.
③ 빈 회의에서 미국의 독립이 승인되었다.
④ 프랑스, 에스파냐가 식민지 독립을 지원하였다.
⑤ 혁명 이후 연방주의, 공화주의, 민주주의 원칙이 담긴 헌법이 만들어졌다.

6 다음 그림이 표현한 시기의 프랑스 상황에 대한 설명으로 옳은 것은?

① 노인을 공경하는 문화가 사라졌다.
② 성직자와 귀족들은 세금 부담에 시달렸다.
③ 제3 신분인 평민층이 극심한 부담을 지고 있다.
④ 왕실의 재정 악화로 식민지의 설탕과 차에 세금을 부과하였다.
⑤ 식민지인들은 영국의 별다른 간섭 없이 독자적으로 의회를 만들어 자치를 누렸다.

시험 단골

7 국민 공회 시기의 프랑스에서 일어난 일로 옳은 것을 〈보기〉에서 고른 것은?

> 보기
> ㄱ. 「인권 선언」 발표
> ㄴ. 혁명전쟁의 시작
> ㄷ. 루이 16세의 처형
> ㄹ. 로베스피에르의 공포 정치

① ㄱ, ㄴ ② ㄱ, ㄷ ③ ㄴ, ㄷ
④ ㄴ, ㄹ ⑤ ㄷ, ㄹ

New 신유형

8 (가), (나)에 들어갈 단어를 옳게 연결한 것은?

> 교사: 나폴레옹은 결국 [(가)]에서 패배
> 해서 몰락했지. 하지만 그가 전쟁을 하며
> [(나)] 이념이 유럽에 확산되었단다.
> 학생: 맞아요. 유럽 각국이 프랑스의 지배에 저항하
> 면서 민족주의 이념도 성장했죠.

	(가)	(나)
①	렉싱턴 전투	자유주의
②	워털루 전투	중상주의
③	워털루 전투	자유주의
④	요크타운 전투	연방주의
⑤	요크타운 전투	자유주의

9 다음 내용과 관련된 정치 체제에 관한 설명으로 옳지 않은 것은?

> 나폴레옹 몰락 이후, 유럽 각국 대표들은 오스트리아의 빈에서 새로운 유럽 질서를 모색하였다.

① 자유주의와 민족주의 운동을 탄압하였다.
② 프랑스에서는 부르봉 왕가가 복귀하였다.
③ 오스트리아의 메테르니히가 성립을 주도하였다.
④ 그리스와 라틴 아메리카가 독립하면서 체제가 흔들렸다.
⑤ 유럽의 정치와 사회를 2월 혁명 이전으로 되돌리고자 하였다.

시험 단골

10 프랑스의 2월 혁명에 관한 설명으로 옳은 것을 〈보기〉에서 고른 것은?

> 보기
> ㄱ. 프랑스에서 공화정이 수립되었다.
> ㄴ. 루이 필리프가 '시민의 왕'으로 추대되었다.
> ㄷ. 중하층 시민과 공화주의자들이 합세하였다.
> ㄹ. 도시의 상공업자를 비롯한 중간 계급에게 선거권이 부여되었다.

① ㄱ, ㄴ ② ㄱ, ㄷ ③ ㄱ, ㄹ
④ ㄴ, ㄷ ⑤ ㄷ, ㄹ

New 신유형

11 다음 주제와 관련된 탐구 내용으로 옳지 않은 것은?

> ○○ 중학교 수행 평가
> 주제: 19세기 영국의 자유주의 개혁 과정

① 영국의 선거법 개정
② 영국 곡물법 폐지의 영향
③ 영국 항해법 폐지의 영향
④ 차티스트 운동과 「인민헌장」
⑤ 관세 동맹과 수상의 철혈 정책

12 (가) 인물에 관한 설명으로 옳은 것은?

> 프로이센의 총리인 [(가)]은/는 '철과 피'를 통해서만 문제를 해결할 수 있다고 주장하면서 강력한 군사 정책을 펼쳤다.

① 다수결을 통한 문제 해결을 주장했다.
② 오스트리아 및 프랑스와의 전쟁에서 승리하였다.
③ 프랑스와 동맹을 체결하여 오스트리아와 맞섰다.
④ 빈 체제를 주도하여 유럽을 혁명 이전으로 되돌렸다.
⑤ 미국의 독립 전쟁을 지원하고 국가 재정을 악화시켰다.

13 다음 두 인물에 관한 탐구 주제로 적절한 것을 〈보기〉에서 고른 것은?

베네수엘라 화폐 속의 볼리바르

아르헨티나 화폐 속의 산마르틴

〈보기〉
ㄱ. 아이티의 독립
ㄴ. 크리오요의 활약
ㄷ. 라틴 아메리카의 독립운동
ㄹ. 프랑스의 7월 혁명과 2월 혁명

① ㄱ, ㄴ   ② ㄱ, ㄷ   ③ ㄴ, ㄷ
④ ㄴ, ㄹ   ⑤ ㄷ, ㄹ

세계사능력검정시험 응용 문제
14 다음 선언문이 발표된 시기를 연표에서 옳게 고른 것은?

모든 사람은 평등하게 태어났으며, 창조주로부터 빼앗을 수 없는 권리를 부여받았다. 그 중에는 생명과 자유, 행복을 추구할 권리가 포함되어 있다. 이 권리를 확보하기 위해 인민은 정부를 조직하였으며, 이 정부의 정당한 권력은 인민의 동의로부터 유래한다. 또 어떠한 형태의 정부이든 본래의 목적을 파괴했을 때, 인민은 언제든지 정부를 바꾸거나 무너뜨릴 권리가 있다.

(가)	(나)	(다)	(라)	(마)
명예 혁명	미국, 독립 전쟁 발발	혁명 전쟁	빈 체제 성립	

① (가)   ② (나)   ③ (다)   ④ (라)   ⑤ (마)

주관식·서술형 문제

15 다음 자료를 읽고 질문에 답하시오.

제1조 인간은 자유롭고 평등한 권리를 가지고 태어났다.
제2조 모든 정치적 결사의 목적은 인간의 자연권을 보장하는 데 있다. 그 권리는 자유, 재산권, 안전 그리고 압제에 대한 저항이다.
제3조 모든 주권의 원천은 본질적으로 국민에게 있다.

(1) 위 선언이 발표되었던 혁명이 무엇인지 쓰시오.

(2) 위 선언에 나타난 인간의 기본권이 무엇인지 서술하시오.

16 다음 자료를 읽고 질문에 답하시오.

남부는 흑인 ☐(가)☐ 을/를 이용해 목화를 생산하는 대농장 경영이 번성하여 ☐(가)☐ 제도 유지와 자유 무역을 주장하였다. 반면 북부는 자유로운 임금 ☐(나)☐ 에 기초한 상공업이 발달하여 ☐(가)☐ 제도 확산에 반대하고 보호 무역을 주장하였다.

(1) 위 자료의 (가)와 (나)에 들어갈 단어를 각각 쓰시오.

(2) 위 자료의 내용과 관련된 전쟁이 끝난 후 미국의 발전 과정에 대하여 서술하시오.

2 유럽의 산업화와 제국주의

❶ 산업 혁명의 전개

1 영국의 산업 혁명

(1) 배경

① 정치적인 안정 및 경제 활동의 자유 보장

> How? 영국은 내각 책임제의 정착과 점진적인 선거법 개혁으로 유럽의 다른 나라들보다 정치가 안정되어 있었지.

② 석탄과 철 등의 풍부한 지하자원

③ 식민지 개척으로 넓은 해외 시장 확보

④ 농민들의 도시 이주로 인한 풍부한 노동력

> Why? 18세기 이래 젠트리들이 대농장을 경영하며 토지를 상실한 농민들이 도시로 유입되었지.

(2) 산업 혁명의 전개(면직물 공업): 방적기(실), 방직기(옷감) 발명 등 기술 혁신 → '공장제 기계 공업'의 발달(가내 수공업, 공장제 수공업 쇠퇴) → 대량 생산 가능

(3) 동력 혁명: 제임스 와트의 증기 기관 개량 → 대량 생산 체제 확립, 생산력 향상 → 자본주의의 발전, 기계 공업과 제철 공업의 발전에 활용

(4) 교통·통신 혁명: 시장의 확대, 산업화의 확산에 영향

① 교통: 증기 기관차, 증기선 등의 발전 → 원료·제품·사람의 이동·교류 확대

② 통신: 전화, 유·무선 전신 등의 발명 → 사회 변화 야기

2 산업 혁명의 확산과 국제 질서의 변화

(1) 19세기 전반: 벨기에, 프랑스

(2) 19세기 중반: 미국

(3) 19세기 후반: 독일, 러시아, 일본 등 → 정부가 주도하여 철강, 화학, 전기 등 중공업을 중심으로 급속한 산업화 추진(제2차 산업 혁명)

❷ 자본주의의 발전과 사회 문제의 대두

1 자본주의 사회의 발전

(1) 과정: 상품의 대량 생산과 대량 유통 → 생활 수준 향상, 인구 증가, 농촌 인구의 도시 유입으로 도시화 가속

(2) 결과

① 중간 계급: 상공업자, 전문직 종사자 등 부유층 → 선거권을 획득하고 의회로 진출함으로써 자신의 이익 옹호

② 노동자: 낮은 임금을 받고 어렵게 생활

2 새로운 사회 문제 대두

(1) 사회 문제 발생

① 노동 문제: 산업 혁명의 혜택이 일부에게 집중되어 빈부 격차, 저임금 장시간 노동, 아동 노동 등의 문제 발생 → 기계 파괴 운동(러다이트 운동)

② 도시 문제: 급속한 산업화와 도시화로 주택·위생·환경 문제 등 발생

(2) 사회주의의 등장: 자본주의의 발전으로 인한 사회 문제 비판

① 오언: 경쟁보다 협동 중시

② 마르크스: 계급 투쟁을 통해 생산 수단을 노동자가 함께 소유·관리하자고 주장

알아 두자! **시험 포인트**

• 산업 혁명의 배경과 확산 과정

• 자본주의 사회의 발전 과정과 그 결과

• 19세기 문화의 발전

• 제국주의의 개념과 특징

• 제국주의 열강의 아프리카, 아시아·태평양 분할

✚ **증기 기관**

증기의 팽창과 응축을 이용하여 피스톤을 왕복 운동시킴으로써 동력을 얻는 기관이다. 이는 광산, 직조 공장 등 여러 분야에 사용되어 산업 혁명을 이끌었다.

✚ **중간 계급**

산업 혁명과 자본주의 발전이 거듭되며 형성된 중간 계급은 전통적인 귀족은 아니었으나, 그에 준하는 경제력을 갖춤으로서 풍요로운 생활을 향유하였다. 이들은 선거권을 획득하였으며 의회로 진출하여 적극적으로 자신들의 권리를 지켜 나갔다.

✚ **기계 파괴 운동(러다이트 운동)**

기계 파괴 운동은 1811년부터 1817년까지 영국의 직물 공업 지대에서 일어난 기계 도입 반대 운동이다. 지도자는 가공의 인물인 N. 러드였다고 알려져 있다. 산업 혁명 시기에 기계가 도입되면서 많은 숙련 노동자들은 임금 저하 등 어려움을 겪자, 기계를 파괴함으로써 문제를 해결하고자 하였다.

기계 파괴 운동을 묘사한 그림

놓치지 말자! 핵심 자료

자료 1 수력 방적기와 증기 기관

아크라이트 수력 방적기

제임스 와트의 증기 기관

왼쪽 사진은 산업 혁명의 중요한 촉매가 되었던 아크라이트 수력 방적기이다. 영국의 가발 제조공이었던 아크라이트가 제작한 것으로 직물의 대량 생산을 촉진하였다. 오른쪽 사진은 제임스 와트가 개량한 증기 기관이다. 와트는 광산에서 물을 뽑아 올리는 데 사용되던 뉴커먼의 증기 기관을 크기도 작고 다루기도 편하면서 열효율도 2배 이상 높은 증기 기관으로 개량하여 동력 혁명을 이끌었다. 이처럼 영국에서는 기계와 기술의 발전인 '산업 혁명'과 동력 분야의 발전인 '동력 혁명'이 비슷한 시기에 일어나 서로 큰 영향을 주었다. 기술과 기계, 동력의 결합으로 공장제 기계 공업이 발전하면서 사람들은 압도적인 대량 생산 체제를 갖출 수 있었다.

점검하자! **시험 유형**

방적기와 방직기, 증기 기관 등의 사진을 제시하고 산업 혁명과 동력 혁명에 대해 묻는 문제가 자주 출제되니 이를 잘 기억해 두자.

연습 문제 다음 사진과 관련된 역사적 사건으로 옳은 것은?

제니 방적기

① 미국 혁명
② 프랑스 혁명
③ 영국의 명예혁명
④ 영국의 산업 혁명
⑤ 미국의 남북 전쟁

④ 吊段

자료 2 노동 운동과 사회주의 사상의 등장

> 인간은 타인을 위해 고용되었을 때보다 공동의 이익을 위해 함께 일할 때 각 개인이 자신과 사회를 위해 더 유익하게 역할을 수행한다.
> ─ 로버트 오언, 『자서전』 ─

> 지금까지 모든 사회의 역사는 계급 투쟁의 역사였다. 사회 전체는 점점 더 두 개의 직접적으로 대립하는 부르주아 계급과 프롤레타리아 계급으로 나뉘고 있다.
> ─ 마르크스·엥겔스, 『공산당 선언』 ─

산업 혁명으로 모든 이들이 부유하고 행복해 진 것은 아니었다. 오히려 급속한 산업화와 도시화로 열악한 환경에서 많은 노동자들이 고통에 시달렸다. 많은 이들은 산업 혁명의 부작용을 해결하고자 고민하였다. 영국의 공장주 오언은 협동 공동체를 운영하여 문제를 해결하려고 했다. 마르크스는 오언의 주장이 이상적이라고 비판하면서 노동자가 자본가에 대항하여 투쟁에 나서야 한다고 주장하였다.

함께 보자! **심화 자료**

여가를 즐기는 중간 계급

산업 혁명으로 많은 노동자들이 열악한 환경에 내몰렸지만, 상공업자·전문직 종사자 등의 중간 계급은 사회 지도층으로 성장하였지. 이들은 노동자들과 달리 무도회, 승마, 뱃놀이 등을 즐기며 여유로운 삶을 살았어.

2 유럽의 산업화와 제국주의

③ 19세기 문화의 발전

1 19세기 과학과 학문의 발달

(1) 과학: 다윈의 진화론, 멘델의 유전 법칙, 뢴트겐의 X선, 에디슨의 전구·축음기

(2) 학문

① 공리주의: 벤담, 최대 다수의 최대 행복 주장

② 실증주의: 콩트, 관찰과 경험을 통해 사회 분석 → 사회학 개척

③ 역사학: 랑케, 사료를 바탕으로 사실을 객관적으로 기록

④ 자유방임주의: 애덤 스미스, 경제에 대한 국가 개입 반대

2 다양한 문예 사조의 등장

(1) 19세기 전반: 개인의 감정을 중시하는 낭만주의 유행

Why? 프랑스 혁명 이후 고전의 부활을 목표로 엄숙한 분위기의 신고전주의가 유행하였어. 낭만주의는 이에 대한 반발로 등장하였지.

① 문학: 바이런, 하이네

② 음악: 슈베르트

③ 회화: 들라크루아 등

(2) 19세기 후반: 현실을 있는 그대로 묘사하는 사실주의, 자연주의 유행

① 문학: 디킨스, 톨스토이 등

② 음악: 차이콥스키, 베르디 등

③ 회화: 사실주의 화풍(쿠르베, 밀레), 인상주의 미술(모네)

④ 국제 질서의 변화와 제국주의 열강

1 제국주의의 등장

(1) 개념: 서양 열강이 원료를 값싸게 수입하고, 상품을 수출할 시장을 확보하기 위해 군사력을 앞세워 식민지 획득에 나서는 팽창 정책

(2) 배경: 산업 혁명으로 대규모 독점 기업 탄생 → 원산지와 수출 시장을 확보하기 위해 식민지 확보 경쟁 시작

(3) 특징: 사회 진화론과 인종주의를 통해 서양의 식민지 지배를 정당화

2 제국주의 열강의 아프리카 분할

(1) 영국: 북쪽의 카이로와 남쪽의 케이프타운을 잇는 아프리카 종단 정책 추진

(2) 프랑스: 아프리카 서부 해안에서 동쪽으로 진출하는 아프리카 횡단 정책 추진

(3) 파쇼다 사건(1898): 영국과 프랑스가 파쇼다에서 충돌 → 프랑스의 양보

(4) 모로코 사건(1905, 1911): 독일과 프랑스가 모로코를 둘러싸고 두 차례 충돌

(5) 결과: 20세기 전반에는 에티오피아, 라이베리아를 제외한 아프리카 전역이 서양 열강에 분할

3 제국주의 열강의 아시아, 태평양 분할

(1) 영국: 인도 차지(플라시 전투, 프랑스에 승리), 싱가포르·말레이반도·미얀마 식민지화, 오스트레일리아·뉴질랜드 자치령화

(2) 프랑스: 인도차이나반도 점령

(3) 네덜란드: 인도네시아 지배 → 자와섬에 대농장(플랜테이션) 경영

(4) 미국: 필리핀 지배(에스파냐에 승리), 괌·하와이 병합

+ 사회 진화론
19세기 후반에 허버트 스펜서가 다윈의 진화론에 영감을 얻어 발전시킨 학설이다. 그는 사회도 진화하는 유기체로 보아 적자생존의 법칙이 적용된다고 보았다. 이 논리에 따르면 강한 나라가 약한 나라를 침략하는 제국주의 팽창 정책은 적자생존 법칙에 따른 자연스러운 현상이었다. 때문에 많은 제국주의 국가들은 사회 진화론을 신봉하며 자신들의 침략 행위를 정당화하였다.

+ 파쇼다 사건
1898년 영국과 프랑스가 아프리카 수단에서 충돌한 사건이다. 7월에 프랑스가 먼저 파쇼다에 프랑스 국기를 게양하였고, 9월에 영국이 남쪽 하르툼을 점령하였다. 이후 양국의 긴장이 고조되었으나, 이듬해 영국이 이집트를 프랑스가 모로코를 세력에 두기로 합의하면서 프랑스가 파쇼다에서 철수하였다.

+ 플라시 전투
1757년 소규모의 영국군(약 3,000명)과 프랑스군의 지원을 받은 벵골 태수군(약 50,000명)이 벌인 전투이다. 당시 영국군은 대규모의 벵골 태수, 프랑스 연합군을 격파하여 벵골 지방에 대한 징세권을 차지하였다. 이 사건으로 인도에서 영국의 우위가 확정되었다.

플라시 전투에서 승리한 영국

놓치지 말자! 핵심 자료

자료 ① 19세기 과학의 발달

에디슨의 전구

벤츠 자동차

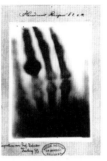

최초의 X선 촬영

19세기에는 산업 혁명이 확대되면서 과학 기술도 큰 폭으로 발전하였다. 이는 인류의 생활을 아주 편리하게 만들어 주었다. 에디슨이 발명한 전구는 사람들이 어둠을 극복할 수 있게 해주었고, 벤츠의 가솔린 자동차는 이동 수단의 혁신을 가져왔다. 그리고 뢴트겐의 X선은 의학 발전의 큰 원동력이 되었다.

자료 ② 사실주의와 인상주의

쿠르베, 「오르낭의 장례식」

밀레, 「만종」

모네, 「인상, 해돋이」

19세기 후반에는 신고전주의와 낭만주의에 대한 반발로 사실주의와 자연주의가 유행하였다. 사실주의 화가 쿠르베가 그린 「오르낭의 장례식」에는 장례식장에 참석한 사람들의 표정이 사실적으로 묘사되어 있다. 또 다른 사실주의 화가 밀레가 그린 「만종」은 하루 일과를 마친 농민 부부가 기도하는 모습이 있는 그대로 표현되어 있다. 한편 19세기 후반에는 화가 개인의 주관적 인상과 빛의 색채를 강조하는 인상주의 미술 또한 발전하였다. 인상주의 화가 모네는 「인상, 해돋이」에서 르아브르 항구의 빛과 대기에 따른 변화 모습을 포착하여 표현하였다.

함께 보자! **심화 자료**

다윈의 진화론을 풍자한 그림

다윈은 "살아남은 종은 가장 강하거나 가장 지적인 종이 아니라, 변화에 가장 잘 적응한 종이다."라고 주장하였어. 이는 자연 선택에 따른 적자생존을 말한 것이지.

점검하자! **시험 유형**

낭만주의, 사실주의, 인상주의 미술 작품을 제시하고 19세기의 문예 사조에 대해 묻는 문제가 자주 출제되니 이를 잘 기억해 두자.

연습 문제 다음 작품 이후에 등장한 문예 사조로 옳은 것은?

① 실증주의　　② 낭만주의
③ 중상주의　　④ 제국주의
⑤ 사실주의

⑨ 정답

맥잡는 **연표 문제**

- 1757년 인도, 플라시 전투 발발

- 1764년 하그리브스, 제니 방적기 발명
- 1765년 제임스 와트, ❶ _____ 개량

- 1769년 아크라이트, 수력 방적기 제작

1800
- 1811년 영국, 기계 파괴 운동 시작

- 1825년 증기 기관차 첫 운행

- 1848년 ❷ _____ · 엥겔스, 『공산당 선언』출간

1850
- 1859년 찰스 다윈, ❸ _____ 초판 출간

- 1878년 에디슨, 박람회에 축음기 · 전구 출품

- 1886년 벤츠, 가솔린 자동차 발명

- 1895년 뢴트겐, ❹ _____ 발견
- 1898년 파쇼다 사건 발생

1900
- 1905년 모로코 사건 발생

핵심 짚는 **확인 문제**

1 빈칸에 알맞은 말을 넣어 보자.

(1) 산업 혁명이 시작된 나라는 ( )이다.

(2) ( )은/는 증기 기관이 기계의 새로운 동력으로 사용되면서 시작되었다.

(3) 자본주의가 발달하면서 상공업자, 전문직 종사자 등 ( )이/가 출현하였다.

(4) 산업 혁명으로 여러 사회 문제가 발생하자 이를 비판하는 ( ) 사상이 등장하였다.

2 내용이 맞으면 O표, 틀리면 X표를 해 보자.

(1) 중간 계급은 낮은 임금을 받고 어려운 생활을 하였다. ( )

(2) 마르크스는 계급 투쟁을 통해 생산 수단을 모두가 함께 소유해야 한다고 주장하였다. ( )

(3) 랑케는 관찰과 경험을 통해 사회를 분석하는 실증주의를 제시하여 사회학을 개척하였다.
( )

(4) 19세기 후반에는 화가의 주관적인 인상과 빛의 색채를 강조하는 인상주의 미술이 유행하였다.
( )

3 물음에 알맞은 답을 써 보자.

(1) 벤담이 '최대 다수의 최대 행복'을 제창하며 주장한 사상은? ( )

(2) 경제에 대한 국가 개입에 반대하는 애덤 스미스의 사상은? ( )

(3) 초기 사회주의자로 협동 공동체 건설을 주장한 인물은? ( )

4 다음 인물과 관련 내용을 옳게 연결해 보자.

(1) 벤츠 •　　　　•　㉠ X선

(2) 모스 •　　　　•　㉡ 전구

(3) 에디슨 •　　　　•　㉢ 전신기

(4) 뢴트겐 •　　　　•　㉣ 가솔린 자동차

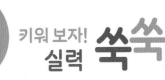

1 영국에서 산업 혁명이 가장 먼저 일어난 까닭으로 옳지 않은 것은?

① 석탄, 철 등 지하 자원이 풍부하였다.
② 농민들이 도시로 이동해 노동력이 풍부하였다.
③ 식민지 개척으로 넓은 해외 시장을 보유하였다.
④ 정치가 안정되고, 자유로운 경제 활동의 보장되었다.
⑤ 정부가 주도하여 철강, 화학, 전기의 중공업을 발전시켰다.

2 다음 기계에 관한 설명으로 옳은 것은?

① 면직물 공업에서 사용하는 방적기이다.
② 모스 전신기로 통신 혁명에 기여하였다.
③ 풀턴의 증기선으로 교통 혁명에 기여하였다.
④ 농촌의 가내 수공업에서 사용하는 방직기이다.
⑤ 증기 기관으로 대량 생산 체제 확립에 기여하였다.

3 산업 혁명에 관한 설명으로 옳은 것을 〈보기〉에서 고른 것은?

> **보기**
> ㄱ. 교통 혁명으로 대량 생산 체제가 확립되었다.
> ㄴ. 교통·통신 혁명으로 산업화가 전 세계로 확대되었다.
> ㄷ. 산업 혁명은 철강, 화학 등 중공업 분야에서 시작되었다.
> ㄹ. 19세기 후반 독일은 정부의 주도 아래 중공업 중심 산업화에 성공했다.

① ㄱ, ㄴ   ② ㄱ, ㄷ   ③ ㄴ, ㄷ
④ ㄴ, ㄹ   ⑤ ㄷ, ㄹ

4 산업 혁명으로 일어난 사회 변화로 옳지 않은 것은?

① 여성과 아동까지 일터로 내몰렸다.
② 계급 간의 빈부 격차가 발생하였다.
③ 인구가 감소하고 도시 인구가 농촌으로 빠져나갔다.
④ 노동자들은 낮은 임금을 받고 장시간 노동에 시달렸다.
⑤ 급속한 산업화와 도시화로 주택, 위생, 환경 문제가 발생했다.

5 다음 그림이 표현한 사건에 관한 설명으로 옳은 것은?

① 19세기 초 중간 계급이 일으킨 운동이다.
② 독일에서 중공업이 발전하며 일어난 운동이다.
③ 산업화로 인한 환경 파괴에 반대하는 운동이다.
④ 기술의 중요성을 주장하며 기계를 수리·개량하는 운동이다.
⑤ 기계가 일자리를 빼앗아 간다고 생각한 노동자들이 일으킨 운동이다.

6 다음 자료와 관련된 사상으로 옳은 것은?

> 인간은 공동의 이익을 위해 함께 일할 때 각 개인이 자신과 사회를 위해 더 유익하게 역할을 수행한다.
> – 로버트 오언 –

① 사회주의   ② 공리주의   ③ 실증주의
④ 낭만주의   ⑤ 자유방임주의

키워 보자!
실력 **쑥쑥** ||||||||||||||||||||||||||||||||||||||||||||||||||||||||||||||

시험 단골

7 다음 중 인물과 관련 내용이 옳게 연결된 것은?

> ㄱ. 뢴트겐 – X선 발견
> ㄴ. 다윈 – 『종의 기원』 출간
> ㄷ. 벤츠 – 축음기와 전구 발명
> ㄹ. 에디슨 – 최초의 가솔린 자동차 발명

① ㄱ, ㄴ ② ㄱ, ㄷ ③ ㄴ, ㄷ
④ ㄴ, ㄹ ⑤ ㄷ, ㄹ

8 다음 빈칸에 들어갈 문예 사조로 옳은 것은?

> 19세기 전반에는 개인의 감정을 중시하는 [ ] 이/가 유행하였다.

① 낭만주의 ② 사실주의 ③ 자연주의
④ 인상주의 ⑤ 신고전주의

New
신유형

9 (가)에 들어갈 설명으로 가장 적절한 것은?

> • 작품명: 인상, 해돋이
> • 시기: 19세기 후반
> • 작품 설명: [(가)]

① 개인의 감정을 중시하는 작품이다.
② 사실주의 화가인 쿠르베의 대표작이다.
③ 낭만주의 화가인 들라크루아의 대표작이다.
④ 개인의 주관적 인상과 빛의 색채가 강조된 작품이다.
⑤ 현실을 있는 그대로 묘사하는 사조가 반영된 작품이다.

10 (가)에 관한 설명으로 옳은 것은?

> 19세기 후반에 이르자, 서양 열강은 앞다투어 국외로 진출하여 식민지를 확보하기 위해 적극적인 팽창 정책을 펼쳤다. 식민지 개척에 나선 이들 국가는 침략을 정당화하고자 힘이 강한 국가가 힘이 약한 국가를 지배하는 것을 자연스럽다고 여기는 [(가)]을/를 주장하였다.

① 최대 다수의 최대 행복을 주장하였다.
② 다윈의 진화론을 사회에 적용한 것이다.
③ 다윈의 생물학적 진화론에 영향을 주었다.
④ 멘델의 유전 법칙을 사회에 적용한 것이다.
⑤ 인종 사이에 유전적인 우열이 있다고 믿는 사상이다.

고난도

11 다음 주장을 펼친 정치인이 활동한 국가에 관한 설명으로 옳은 것을 〈보기〉에서 고른 것은?

> 나는 어제 런던에서 빵을 달라고 외치는 실업자들의 이야기를 들은 후 제국주의가 중요함을 더욱 확신하였다. 나의 포부는 사회 문제를 해결하는 데 있다. 이를 위해서 새로운 영토를 확보하고, 또 상품의 판로를 개척해야만 한다.
> – 세실 로즈, 『유언집』 –

보기

> ㄱ. 프랑스와 파쇼다에서 충돌하였다.
> ㄴ. 아프리카에서 종단 정책을 추진하였다.
> ㄷ. 아프리카에서 횡단 정책을 추진하였다.
> ㄹ. 플라시 전투에서 패배하고 인도차이나반도를 점령하였다.

① ㄱ, ㄴ ② ㄱ, ㄷ ③ ㄱ, ㄹ
④ ㄴ, ㄷ ⑤ ㄷ, ㄹ

12 (가)~(마) 지역에 관한 역사적 사실로 옳지 <u>않은</u> 것은?

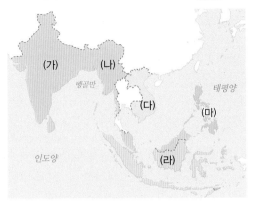

① (가) – 영국이 차지하였다.

② (나) – 프랑스가 1886년에 병합하였다.

③ (다) – 프랑스령 인도차이나 연방이 조직되었다.

④ (라) – 네덜란드가 지배하며 대농장을 경영하였다.

⑤ (마) – 미국이 에스파냐와의 전쟁에서 승리하여 지배하였다.

세계사능력검정시험 응용 문제

13 (가)에 들어갈 내용으로 옳은 것은?

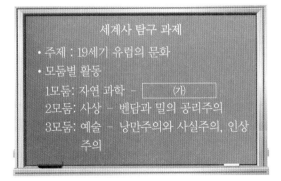

세계사 탐구 과제
• 주제 : 19세기 유럽의 문화
• 모둠별 활동
1모둠: 자연 과학 – [(가)]
2모둠: 사상 – 벤담과 밀의 공리주의
3모둠: 예술 – 낭만주의와 사실주의, 인상 주의

① 오언의 사회주의

② 콩트의 실증주의

③ 멘델의 유전 법칙

④ 다윈의 사회 진화론

⑤ 코페르니쿠스의 지동설

주관식·서술형 문제

14 다음 자료를 읽고 물음에 답하시오.

> 지금까지 모든 사회의 역사는 계급 투쟁의 역사였다. 사회 전체는 점점 더 두 개의 직접적으로 대립하는 부르주아 계급과 프롤레타리아 계급으로 나뉘고 있다.
>
> – [(가)] –

(1) (가)가 주장한 사상의 명칭을 쓰시오.

(2) (1)이 등장하게 된 역사적 배경을 서술하시오.

15 다음 자료를 보고 물음에 답하시오.

(1) 위 풍자화가 비판하는 서양 열강의 정책이 무엇인지 쓰시오.

(2) 서양 열강이 (1)을 정당화했던 주장이 무엇인지 서술하시오.

3 서아시아와 인도의 국민 국가 건설 운동

1 서아시아의 국민 국가 건설 운동

1 오스만 제국의 국민 국가 건설 시도

(1) 오스만 제국의 <u>탄지마트</u>(은혜 개혁)

> **Why?** 19세기 초 유럽 각국에서 민족주의 운동이 일어나고 그리스의 독립은 그 결과 가운데 하나였어.

   ① 배경: <u>그리스 등 제국 내 소수 민족의 독립 움직임</u>, 영국과 러시아의 침입
   ② 전개: 19세기 중엽에 서양 문물 수용, 다양한 개혁 시행 → 입헌 군주제, 의회 설립 등의 내용을 담은 헌법 공포(1876)
   ③ 결과: 러시아·튀르크 전쟁 패배, 보수 세력의 반대, 열강의 간섭 등으로 좌절

(2) <u>청년 튀르크당의 개혁</u>

> **Why?** 탄지마트로 자신의 권한이 약해지는 것을 우려했기 때문이야.

   ① 배경: 탄지마트 실패 이후 술탄 압둘 하미드 2세의 전제 정치 강화
   ② 전개: 젊은 장교·관료·지식인 중심의 청년 튀르크당 조직(1889) → 정권 장악, 의회 부활(1908) → 산업 육성, 세금 감면 등 근대화 추진
   ③ 결과: 제1차 세계 대전 패배 → 오스만 제국의 붕괴

2 아랍 민족주의와 민족 운동

(1) 배경: 서양 열강이 아랍 지역에 침입하여 영향력 확대

(2) <u>+와하브 운동</u>

   ① 전개: 18세기 중엽부터 이븐압둘 와하브가 『쿠란』의 가르침으로 돌아가자고 주장하며 주도 → 와하브 왕국 건설
   ② 결과: 와하브 왕국 오스만 제국에 멸망, 아랍 민족주의의 기반 → 오스만 제국에 반대하는 민족 운동으로 발전

(3) 아랍 문화 부흥 운동

   ① 전개: 시리아, 레바논에서 아랍의 고전을 연구
   ② 영향: 아랍 민족주의의 발전, 아랍 각국의 독립운동에 영향

3 이란의 <u>입헌 혁명</u>

(1) 배경: 18세기 말 <u>카자르 왕조</u>가 근대화 자금을 마련하기 위해 영국 상인에게 담배의 독점 판매권 이양, 경제 종속 심화 → <u>담배 불매 운동</u> 전개 → 실패, 영국에 배상금 지불

> **Why?** 러시아와 영국의 침략을 근대화 개혁으로서 극복하려고 했기 때문이야.

(2) 전개: 반영 운동 세력이 입헌 혁명을 통해 국민 의회를 수립하고 헌법 제정
(3) 결과: 보수 세력의 반발과 영국·러시아의 간섭으로 실패

4 <u>이집트의 근대화 시도</u>

(1) <u>+무함마드 알리의 개혁</u>

   ① 배경: 오스만 제국의 지배 → 나폴레옹의 침공을 계기로 독립 움직임 발생
   ② 전개: 총독 무함마드 알리가 학교·군대 개혁, 산업 장려 등 근대화 정책 시행
   ③ 결과: 오스만 제국으로부터 자치권 획득

(2) 아라비 파샤의 혁명

   ① 배경: 19세기 중반 <u>수에즈 운하</u> 건설 → 영국이 이집트의 빚을 이용하여 수에즈 운하를 차지한 뒤 내정에 간섭
   ② 전개: <u>아라비 파샤</u>가 '이집트인을 위한 이집트의 건설'을 주장하며 발생(1881)
   ③ 결과: 영국이 혁명을 진압하고 이집트를 보호령화

알아 두자! **시험 포인트**

• 탄지마트, 청년 튀르크당 개혁
• 와하브 운동
• 이란의 입헌 혁명
• 이집트의 근대화 운동
• 영국의 인도 침략과 세포이 항쟁
• 인도 국민 회의 활동

+ 와하브 운동

이슬람교 초기의 순수함을 되찾자는 신앙 운동이다. 『쿠란』의 기본 원리에 충실하여 술, 담배, 도박 등을 엄격하게 금지하였다.

+ 무함마드 알리(1769~1849)

무함마드 알리는 오스만 제국 소속의 이집트 지역 관리였다. 그는 나폴레옹의 이집트 침입에 맞서 싸운 공으로 이집트인들의 지지를 받아 총독이 되었다. 그는 훗날 오스만 제국에 저항하며 근대화 정책을 추진하였고, 이집트가 오스만 제국의 영향에서 벗어나는 데 중요한 역할을 한다.

놓치지 말자! 핵심 자료

자료 1 쇠퇴하는 오스만 제국

오스만 제국은 16세기에 북아프리카 – 이집트 – 소아시아 – 발칸반도를 아우르는 대제국을 건설하였다. 그러나 제국은 17세기부터 쇠퇴하기 시작하였다. 19세기 들어 이집트는 무함마드 알리의 지도 아래 독립했으며, 알제리는 프랑스의 차지가 되었다. 1832년에는 그리스의 독립을 승인함으로써 발칸반도에서 제국의 지배력도 흔들리게 되었다. 그리하여 1882년 무렵 오스만 제국은 이전 영토의 약 40퍼센트를 상실하였다. 여기에 제국주의 열강의 침략이 더해지면서 제국은 위기에 처했다.

자료 2 수에즈 운하와 이집트, 그리고 영국

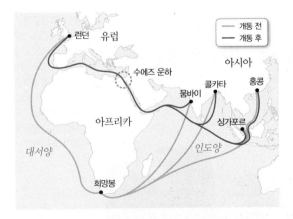

오스만 제국으로부터 사실상 독립한 이집트는 '수에즈 운하'를 건설하여 재정적인 이익을 얻으며 근대화를 이루려 했다. 이러한 계획은 프랑스의 자금 지원 아래 추진되었고, 수에즈 운하는 1869년 개통되었다. 하지만 1871년에 프랑스가 프로이센과의 전쟁에서 패배하고 수에즈 운하 회사의 주식 지분을 영국에 넘기면서 영국이 운하의 운영권을 획득하였다. 이후 영국은 운하를 자국의 이익에 따라 사용했으며, 운하 보호를 명목으로 군대를 주둔시키며 이집트에 대한 정치적 영향력을 발휘하였다.

함께 보자! **심화 자료**

와하브 운동의 세력권

와하브 운동의 세력권

오스만 제국의 지배를 받던 아랍 지역의 민족주의는 와하브 운동으로 표출되었어. 이 운동은 오스만 제국이 18세기 무렵부터 서서히 쇠퇴하고 있었음을 보여 주지. 와하브 운동은 후일에 오스만 제국에 반대하는 민족 운동으로 발전하였어.

점검하자! **시험 유형**

자료 2와 같은 내용을 제시하고 수에즈 운하에 관한 역사적 사실에 대해 묻는 문제가 자주 출제되니 이를 잘 기억해 두자.

연습 문제 (가)와 관련된 이집트 민족 운동을 주도한 사람으로 옳은 것은?

① 간디 ② 하미드 2세
③ 아라비 파샤 ④ 무함마드 알리
⑤ 이븐압둘 와하브

Ⓒ 정답 ③

3 서아시아와 인도의 국민 국가 건설 운동 ● 117

❷ 인도의 국민 국가 건설 운동

1 영국의 침략과 인도 사회의 변화
(1) 무굴 제국의 위기: 18세기에 일어난 내부 반란
(2) 영국의 침략: 영국과 프랑스가 동인도 회사를 앞세워 침략 경쟁 → 영국이 플라시 전투에서 승리하며 벵골 지방에 대한 징세권 차지, 인도 식민지화의 발판 마련
(3) 영국 식민 지배 확대
   ① 영국산 면직물 대량 유통 → 인도 면직물 산업 붕괴
   ② 높은 토지세 부과 → 농촌 경제 침체
   ③ 인도 고유의 전통 종교와 문화 파괴

2 세포이의 항쟁
(1) 세포이: 영국 동인도 회사에서 고용한 인도인 용병
(2) 배경: 영국의 식민 지배 정책에 대한 불만 고조
(3) 전개: 세포이의 봉기 → 각계각층의 참여로 델리 점령하는 등 전국적 반영 운동으로 확대
(4) 결과: 영국군의 반격으로 2년 만에 진압 → 인도인의 민족의식 각성, 무굴제국 황제 폐위(1857), 영국 여왕이 인도 황제를 겸임하는 인도 제국 건설(1877)

3 인도 국민 회의의 활동
(1) 배경: 19세기 후반부터 근대 교육을 받은 지식인이 늘어나면서 정치의식 성장 → 인도 사회 개혁, 영국에 저항하는 민족 운동 추진
(2) 조직: 영국이 인도인의 불만 흡수하고 정치 참여를 점차 확대하기 위해 지식인, 학생, 종교 지도자 중심의 '인도 국민 회의' 조직(1885) → 초기에는 영국의 통치에 협조하면서 인도인의 권익 확보를 위해 노력
(3) 반영 운동
   ① 배경: 영국의 벵골 분할령 발표(1905)에 따른 인도인의 반발
   ② 전개: 콜카타 대회를 개최하여 영국 상품 불매, 스와라지(인도인의 자치), 스와데시(국산품 애용), 국민 교육의 진흥 등을 주도, 일부 이슬람교도들도 합류
   ③ 결과: 벵골 분할령의 취소, 명목상 인도인의 자치권 인정(1911) → 민중의 호응을 얻으며 인도 민족 운동의 중심 역할 수행

인도 국민 회의 창립 대회(1885)

스와데시 행렬(1906)

✚ 무굴 제국의 위기
18세기 초 아우랑제브 황제가 사망한 뒤 무굴제국은 쇠퇴하기 시작하였다. 특히 인도 동부에서 영토를 확대하던 영국은 큰 위협이 되었다. 급기야 플라시 전투로 프랑스를 인도에서 축출한 영국은 노골적으로 무굴 제국을 침략하였다. 결국 1799년 마이소르, 1805년 마라타 등이 함락되며 인도 대부분의 지역은 영국의 지배를 받게 되었다.

✚ 벵골 분할령
벵골 지역은 전통적으로 반영 분위기가 높은 곳이었다. 영국은 이 지역을 분할함으로써 인도 내부의 반영 움직임을 약화시키고, 민족적 통합을 방해하려 하였다. 하지만 이 사건을 계기로 영국 지배에 협조적이던 인도 국민 회의는 반영 운동에 앞장섰고, 결국 영국은 벵골 분할령을 취소하였다(1911).

벵골의 분할(1905~1911)

놓치지 말자! 핵심 자료

자료 ① 영국의 식민 지배 확대와 인도 면직물 산업 붕괴

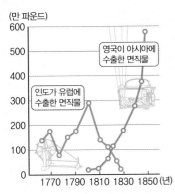

(만 파운드)

영국이 아시아에 수출한 면직물

인도가 유럽에 수출한 면직물

1770 1790 1810 1830 1850 (년)

인도와 영국의 면직물 산업의 변화

물레를 돌리는 간디

18세기 유럽에서 인도산 면직물은 캘리코(Calico)라 불리며 선풍적인 인기를 끌었다. 화려한 색으로 물들일 수 있는 데다가 가볍고 따뜻하며 물세탁도 가능한 면직물은 유럽인들의 마음을 사로잡았다. 하지만 영국은 인도에 대한 식민 지배를 확대하면서 인도산 면직물을 수입하지 않고 원료인 면화를 싸게 가져가 영국에서 재가공하기 시작하였다. 때마침 영국에서는 산업 혁명이 일어나 기계를 사용한 대량 생산이 가능해졌고, 신대륙에서 생산된 면화도 본격적으로 유입되었다. 이러한 흐름 속에 영국산 면직물은 19세기 이후 가격과 품질 면에서 인도산 면직물을 압도하기 시작하였다. 결국 인도의 면직물 산업은 몰락하였고, 이 과정에서 인도인들의 불만이 커져만 갔다. 마하트마 간디가 직접 물레로 옷을 지었던 것도 이러한 상황에 대한 문제의식과 연결되어 있다.

자료 ② 세포이의 항쟁

세포이의 항쟁(1857)

세포이는 영국 동인도 회사가 인도에 대한 침략을 확대하는 과정에서 고용한 인도인 용병이다. 이들은 유럽식으로 전투하도록 훈련받았으며, 동인도 회사는 이러한 세포이를 10만 명 가까이 운용했다. 하지만 영국인들의 수탈이 강화되고 인도의 전통문화가 파괴되자, 세포이들은 영국 지배에 반기를 들고 봉기하였다. 세포이의 항쟁은 2년 만에 진압되었지만 인도인들의 민족의식을 각성시키는 계기가 되었다.

점검하자! 시험 유형

자료 1과 같이 인도 면직물 산업의 붕괴와 관련된 내용을 제시하고 그 원인에 대해 묻는 문제가 자주 출제되니 이를 잘 기억해 두자.

연습 문제 **(개)에 들어갈 내용으로 가장 적절한 것은?**

> 19세기에 들어 유럽으로 수출되는 인도산 면직물의 양이 급감하였다. 반면 아시아로 수출되는 (개) 면직물의 양이 급증하였다. 이는 인도의 면직물 산업이 붕괴되는 결과를 낳았다.

① 영국산   ② 미국산
③ 프랑스산   ④ 네덜란드산
⑤ 아메리카산

① 月정

함께 보자! 심화 자료

세포이 항쟁의 직접적인 계기를 파악할 수 있는 자료야. 세포이는 동인도 회사가 지급한 탄약 주머니를 입으로 찢어 장전하였어. 그런데 어느 날 탄약 주머니 겉면에 힌두교도가 신성시하는 소기름과 이슬람교도가 꺼리는 돼지기름이 발려 있다고 알려졌어. 힌두교와 이슬람교를 믿던 세포이들은 이를 종교 탄압으로 받아들여 항쟁을 전개하였단다.

- 1757년 인도, 플라시 전투 발발

1800
- 1805년 이집트, 무함마드 알리의 개혁

- 1839년 오스만 제국, ❶_____ 단행

1850
- 1857년 인도, ❷_____의 항쟁 발생

- 1869년 이집트, 수에즈 운하의 개통

- 1882년 이집트, 아라비 파샤의 혁명
- 1885년 인도 ❸_____ 결성
- 1889년 오스만 제국, 청년 튀르크당 조직
- 1891년 카자르, 담배 불매 운동 시작

1900
- 1905년 이란, 입헌 혁명 시작
  영국, ❹_____ 발표

- 1911년 영국, 인도의 자치권 인정

- 1919년 간디, 비폭력·불복종 운동 전개

1 빈칸에 알맞은 말을 넣어 보자.

(1) 오스만 제국의 (　　　　　)은/는 입헌 정치의 부활을 요구하며 혁명을 일으켰다.

(2) 18세기 아라비아반도에서는 쿠란의 가르침으로 돌아가자는 (　　　) 운동이 일어났다.

(3) 이란의 (　　　) 왕조는 러시아와 영국의 침략을 근대화 개혁으로 극복하고자 하였다.

(4) (　　　　　)은/는 '이집트인을 위한 이집트의 건설'을 내세우며 혁명을 일으켰다.

2 내용이 맞으면 O표, 틀리면 X표를 해 보자.

(1) 카자르 왕조는 19세기 중반에 수에즈 운하를 건설하였다. (　　)

(2) 프랑스는 플라시 전투에서 영국을 물리치고 벵골 지방의 징세권을 차지하였다. (　　)

(3) 영국의 침략과 수탈에 대한 인도인의 반감은 세포이의 항쟁으로 폭발하였다. (　　)

(4) 인도 국민 회의는 세포이의 항쟁을 계기로 반영 운동을 전개하였다. (　　)

3 물음에 알맞은 답을 써 보자.

(1) 이란의 반영 운동 세력이 국민 의회를 수립하고 헌법을 제정한 사건은? (　　　　　)

(2) 이집트의 근대화를 이끌고 오스만 제국으로부터 자치권을 얻어 낸 인물은?
(　　　　　)

4 다음 운동과 관련 내용을 옳게 연결해 보자.

(1) 스와데시 　•　　　•　㉠ 은혜 개혁

(2) 스와라지 　•　　　•　㉡ 국산품 애용

(3) 와하브 운동 •　　　•　㉢ 인도인의 자치

(4) 탄지마트 　•　　　•　㉣ 『쿠란』의 가르침

1 19세기 오스만 제국에 관한 설명으로 옳은 것은?

① 제국 내 소수 민족이 독립하기 시작하였다.

② 최대 영역을 확보하는 전성기를 구가하였다.

③ 아시아, 유럽, 아프리카에 걸친 제국을 건설하였다.

④ 영국의 경제 침략에 저항하는 담배 불매 운동을 전개하였다.

⑤ 영국이 동인도 회사를 앞세우고 세포이를 고용하여 제국을 침략하였다.

2 '탄지마트'에 관한 설명으로 옳은 것은?

① 『쿠란』의 가르침으로 돌아가자는 운동이다.

② 은혜 개혁이라는 의미로 서양 문물을 적극 수용하였다.

③ '이집트인을 위한 이집트의 건설'을 내세운 혁명이었다.

④ 오스만 제국이 1차 세계 대전에서 패배하며 실패로 돌아갔다.

⑤ 탄지마트 개혁의 성과로 오스만 제국은 러시아와의 전쟁에서 승리했다.

시험 단골

3 (가) 개혁이 실패한 이유로 가장 적절한 것은?

> | (가) |은/는 헌법의 부활을 통해 입헌 정부로의 복귀를 주장하였다. 술탄은 이들의 요구를 받아들여 선거를 실시하고 의회를 구성하였다. 의회에서는 "약속을 지키지 않는 술탄을 폐위할 수 있다."라는 내용을 포함한 헌법을 제정하였다.

① 오스만 제국의 제1차 세계 대전 패배

② 오스만 제국의 제2차 세계 대전 패배

③ 술탄 압둘 하미드 2세의 전제 정치 강화

④ 그리스를 비롯한 소수 민족의 독립 움직임

⑤ 보수 세력의 반대와 러시아와의 전쟁 패배

4 (가) 운동에 관한 설명으로 옳은 것은?

① 영국산 담배를 불매하였다.

② 스와라지 운동이라 불린다.

③ 무함마드 알리가 주도하였다.

④ 『쿠란』의 가르침으로 돌아가자는 운동이다.

⑤ 간디가 비폭력·불복종 운동을 전개하였다.

5 이란의 입헌 혁명에 관한 설명으로 옳은 것은?

① 아라비 파샤가 주도하여 혁명이 일어났다.

② 담배 불매 운동이 성공하여 일어난 혁명이다.

③ 영국과 러시아의 지원으로 혁명은 성공하였다.

④ 혁명 이후 오스만 제국으로부터 자치권을 얻었다.

⑤ 카자르 왕조에서 반영 운동 세력이 중심이 되어 일어났다.

6 무함마드 알리에 관한 설명으로 옳은 것은?

① 수에즈 운하를 완성하였다.

② 담배 불매 운동을 주도하였다.

③ '이집트인을 위한 이집트의 건설'을 주장하였다.

④ 『쿠란』의 가르침으로 돌아가자는 운동을 전개하였다.

⑤ 오스만 제국으로부터 이집트의 자치권을 얻어냈다.

7 (가) 시설과 관련하여 일어난 민족 운동의 결과로 옳은 것은?

> 1869년에 [(가)]이/가 개통되면서 사람들은 아프리카 대륙을 우회하지 않고도 유럽과 아시아를 오갈 수 있게 되었다.

① 영국령 인도 제국이 성립하였다.
② 영국이 벵골 분할령을 취소하였다.
③ 영국이 이집트를 보호령으로 삼았다.
④ 인도 국민 회의가 반영 운동을 전개하였다.
⑤ 무함마드 알리가 근대화 운동을 전개하였다.

시험 단골

8 다음 전투의 결과로 옳은 것은?

> 1757년 인도 플라시 지방에서 소규모의 영국군과 프랑스군의 지원을 받은 벵골 태수군이 맞붙었다. 영국군은 이 전투에서 프랑스·벵골 연합군을 격파하여 승리를 거두었다.

① 영국이 벵골 분할령을 취소하였다.
② 영국이 이집트를 보호령으로 삼았다.
③ 인도 국민 회의가 반영 운동을 전개하였다.
④ 영국이 인도 식민지화의 발판을 마련하였다.
⑤ 프랑스는 계속해서 인도에서 영국과 경쟁하였다.

9 영국의 식민 지배가 확대되면서 인도에 나타난 현상으로 옳은 것을 〈보기〉에서 고른 것은?

> **보기**
> ㄱ. 인도의 면직물 산업이 붕괴되었다.
> ㄴ. 인도의 면직물 산업이 전성기를 맞이하였다.
> ㄷ. 인도 고유의 전통 종교와 문화가 파괴되었다.
> ㄹ. 토지 소유자의 세금이 면제되어 빈부 격차가 확대되었다.

① ㄱ, ㄴ   ② ㄱ, ㄷ   ③ ㄱ, ㄹ
④ ㄴ, ㄷ   ⑤ ㄷ, ㄹ

고난도

10 (가)에 들어갈 사건으로 옳은 것은?

인도 국민 회의 조직 (1885) ➡ (가) ➡ 스와데시 운동 (1906)

① 플라시 전투   ② 세포이의 항쟁
③ 무굴 제국의 멸망   ④ 벵골 분할령의 발표
⑤ 영국령 인도 제국 성립

11 다음 빈칸에 들어갈 단어로 옳은 것은?

> 인도에서는 벵골 분할령을 계기로 국산품 애용을 주장하는 [ ] 운동이 추진되었다.

① 스와라지   ② 스와데시
③ 세포이의 항쟁   ④ 국민 교육 진흥
⑤ 벵골 분할령 찬성

신유형

12 다음 보고서의 제목으로 가장 적절한 것은?

① 무굴 제국의 성립
② 무함마드 알리의 개혁
③ 영국령 인도 제국의 성립
④ 세포이의 항쟁 발발 배경
⑤ 인도 국민 회의의 성립과 변천

세계사능력검정시험 응용 문제

13 (개)에 들어갈 내용으로 옳은 것은?

영국 동인도 회사의 용병이었던 세포이들은 점차 영국인들의 식민 지배에 불만을 가지기 시작하였다. 이러한 상황에서 종교적 갈등까지 발생하자 세포이들은 1857년 대규모의 항쟁을 일으켰다.

↓

(개)

↓

인도의 벵골주는 인도에서 가장 큰 주로 인구도 가장 많았다. 영국은 이 지역을 한 사람의 장관이 다스리기 힘들다는 명분으로 1905년 벵골 분할령을 발표하였다.

① 콜카타 대회가 개최되었다.
② 영국령 인도 제국이 성립하였다.
③ 영국이 벵골 분할령을 취소하였다.
④ 스와데시 운동이 전국에 확산되었다.
⑤ 영국이 명목상 인도인의 자치권을 인정하였다.

주관식·서술형 문제

14 다음 자료를 읽고 물음에 답하시오.

1. 술탄의 권한 일부를 의회에 넘기고, 의회는 술탄의 승인을 얻어 법을 제정한다.
2. 백성들의 생명, 명예, 재산에 대한 충분한 안전을 보장한다.
3. 조세 제도의 확립과 조세 징수에 관한 정식 규정을 정한다.
4. 군대의 징집에 대한 정식 규정 및 근무 기간을 설정한다.

(1) 위 내용에 해당하는 개혁의 명칭을 쓰시오.

_____

(2) (1)이 실패한 까닭을 서술하시오.

_____
_____

15 다음 자료를 읽고 물음에 답하시오.

이 정책에는 반영 운동이 활발한 벵골 지방을 힌두교도와 이슬람교도 거주지로 분리하여 민족 운동을 약화하려는 의도가 담겨 있었다. 영국이 벵골 분할령을 발표한 뒤 [(개)] 은/는 ㉠반영 운동에 앞장서게 되었다.

(1) (개) 단체의 명칭을 쓰시오.

_____

(2) 밑줄 친 ㉠ 운동의 사례를 세 가지 서술하시오.

_____
_____

동아시아의 국민 국가 건설 운동

❶ 동아시아 3국의 개항

1 청의 개항

(1) **제1차 아편 전쟁**: 18세기에 영국이 무역에 사용할 은을 얻기 위해 인도산 아편을 청에 밀수출 → 청의 아편 몰수를 계기로 청과 영국의 전쟁 발발 → 영국 승리, **난징 조약** 체결(1842, 상하이를 비롯한 다섯 항구 개항)

(2) **제2차 아편 전쟁**: 난징 조약 체결 이후 기대만큼 이익을 내지 못한 영국이 애로호 사건을 구실로 프랑스와 함께 청과의 전쟁 전개 → 영국·프랑스 승리, **톈진 조약·베이징 조약** 체결(추가 항구 개항, 베이징에 각국 외교관 상주 허용)

2 일본의 개항
미국의 ✚페리 제독이 개항 강요 → **미·일 화친 조약, 미·일 수호 통상 조약** 체결(불평등 조약, 관세 자주권 부정, 치외 법권·최혜국 대우 인정)

3 조선의 개항
운요호 사건 계기로 일본과 **강화도 조약** 체결(1876, 불평등 조약, 치외 법권 인정, 부산 등 세 곳 항구 개항)

❷ 근대화 운동의 전개

1 청의 근대화 운동

태평천국 운동 (1851~1864)	아편 전쟁을 계기로 백성 생활 악화 → ✚홍수전이 크리스트교를 바탕으로 조직한 상제회의 반란, 난징 점령 → 청조 타도, 양성평등, 토지의 균등 분배, 악습 폐지 주장 → 지도층 분열, 지방 의용군과 서양 세력의 진압
양무운동	증국번, 이홍장 등 한족 관료가 태평천국 진압 과정에서 서양 무기의 우수성 확인 → 전통을 유지하면서 서양의 군사력과 과학 기술만을 수용하여 부국강병 추구(군수 공업, 서양식 군인 양성, 근대적 기업 육성)
변법자강 운동 (1898)	청·일 전쟁 패배로 양무운동의 한계 인식 → 광서제의 지원을 받는 캉유웨이, 량치차오 등이 입헌 군주제와 의회 제도의 도입 추진, 근대화 개혁 도모 → ✚서태후 중심 보수파의 반격으로 100여 일 만에 실패
의화단 운동 (1899)	열강의 침탈 심화하자 중국의 북부 지역에서 의화단 조직 → 반외세 운동 전개, 베이징 점령 → 8개국 연합군에 진압, 신축 조약 체결(열강에 이권 및 배상금 지급, 외국 군대의 주둔 허용)

2 일본의 근대화 운동

메이지 유신(1868)	개항 이후 지방 하급 무사들의 막부 타도 운동 → 천황 중심 정부 수립
메이지 정부의 개혁	천황 중심의 중앙 집권 체제 수립, 서양식 교육·의무 교육 시행, 유학생과 사절단 파견, 신분제 폐지, 징병제 시행, 조세 제도 정비, 서양의 과학 기술 도입, 상공업 육성 → 서양 근대 국가 모방

3 조선의 근대화 운동

임오군란 (1882)	개화 정책에 대한 불만으로 구식 군인과 빈민층이 민란 전개 → 청의 진압, 청의 조선 내정 간섭 → 개화파의 분열(온건 개화파, 급진 개화파)
갑신정변 (1884)	급진 개화파가 근대적 국가 수립을 주장하며 정변 전개, 개혁안 발표(청으로부터의 독립, 문벌 폐지) → 보수파의 반발, 청의 개입으로 실패
동학 농민 운동 (1894)	동학 농민군이 조세 제도 개혁, 신분 차별 폐지 등을 주장하며 운동 전개 → 조선의 요청으로 청군 파병 → 일본군 조선 파병 → 조선이 동학군과 휴전하고 양국에게 군대 철수 요구 → 일본군 철수 거부, 경복궁 공격

✚ **페리 제독**(1794~1858)
매튜 페리는 미국의 군인으로, 미국 동인도 함대의 사령관이었다. 1853년 군함 4척을 이끌고 막부를 상대로 개항을 요구한 뒤, 1854년 다시 일본을 찾아 미·일 화친 조약을 체결하고 일본을 개항시켰다.

✚ **홍수전**(1814~1864)
홍수전은 빈농 출신으로 크리스트교 신앙을 동양적으로 해석하였다. 그는 자신을 야훼의 아들이자 예수의 동생이라고 주장하며 상제회를 조직하였다. 1851년에는 태평천국을 선포하고 토지 개혁, 아편 금지, 악습 폐지 등을 주장하여 호응을 얻었다.

✚ **이홍장**(1823~1901)
이홍장은 한족 출신의 관리로서 태평천국 운동 진압을 계기로 청 조정의 실력자로 떠올랐다. 이후 이홍장은 양무운동을 전면에서 주도하며 서양의 무기, 군사 기술을 도입하였고 규모 면에서 아시아 최강이라는 북양함대를 조직하였다. 하지만 양무운동은 청·일 전쟁의 패배로 그 허실이 드러났고, 이홍장도 권력을 상실했다.

✚ **서태후**(1835~1908)
서태후는 청 함풍제의 후궁 출신으로, 동치제와 광서제의 섭정을 지내며 오랜 기간 청 황실의 최고 실권자로 자리하였다. 1898년 광서제가 캉유웨이와 개혁을 실시하자 정변을 일으켜 입헌파를 쫓아내고 광서제를 유폐하였다. 말년에는 신정을 실시했으나 큰 효과는 없었다.

놓치지 말자! **핵심 자료**

자료 1 청과 영국의 무역 구조와 아편 전쟁의 발발

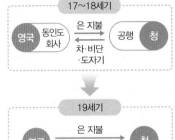

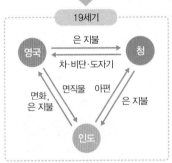

청과 영국의 무역 구조

제1차 아편 전쟁의 전투 모습

영국은 18세기까지 청의 비단·도자기·차를 은을 지불하여 구입함으로써 만성적인 은 유출에 시달렸다. 영국은 청과의 무역에 필요한 은을 획득하기 위해 인도산 아편을 청에 밀수하였다. 이에 19세기 들어서는 오히려 청의 은이 영국으로 유출되는 상황이 발생하였다. 이러한 무역 구조를 배경으로 영국과 청 사이에 아편 전쟁이 일어났고, 결국 청은 패배하여 개항하였다. 청은 서양 열강에 굴욕적으로 패배한 이후 막대한 배상금을 부담하게 되었고, 개항으로 인한 폐단에 백성들의 생활은 급속도로 열악해졌다.

자료 2 이홍장과 후쿠자와 유키치의 주장

> 중국의 문물이나 제도는 서양보다 우세하나, 중국이 자강하려면 외국의 이점을 배워야 한다. 외국의 이점을 배우려면 외국의 좋은 기술, 특히 무기 제조 기술을 중국의 것으로 완성해야 한다.
>
> — 이홍장, 「서양식 철공소 및 기계 설치에 관한 상소문」 —

> 옛것을 버리고 새로운 것을 얻는 과정에서 가장 핵심적인 것은 '아시아를 벗어나 유럽처럼 되는 것'이다. …… 일본은 이미 정신적으로 아시아를 벗어났다. 그런데 이웃의 두 나라는 개혁을 생각조차 하지 못하고 있다.
>
> — 후쿠자와 유키치, 「탈아론」 —

청과 일본의 근대화 과정에서 나타난 두 가지 주장이다. 이홍장은 중국의 전통 체제를 유지하면서 서양의 기술만을 받아들이자고 주장하였는데, 이는 양무운동으로 연결된다. 한편 일본의 사상가인 후쿠자와 유키치는 일본이 하루 빨리 서구를 모방하여 후진적인 아시아에서 벗어나야 함을 강조하였다. 그의 사상은 메이지 정부의 개혁에 큰 영향을 미쳤다.

함께 보자! **심화 자료**

광저우 개항장

18세기 중반 이후 청은 광저우의 공행을 통한 무역만 허용하였어. 이에 영국은 청에 자유 무역을 허가해 달라고 요구하였지만 청은 이에 응하지 않았지. 이후 영국은 제1차 아편 전쟁에서 승리하면서 청에 공행 무역의 폐지와 다섯 항구의 개항을 요구하지.

점검하자! **시험 유형**

동아시아의 근대화 운동에 영향을 미친 인물의 주장 등을 제시하고 관련 운동의 특징을 묻는 문제가 자주 출제되니 이를 잘 기억해 두자.

연습 문제 다음을 주장한 인물이 주도한 운동에 관한 설명으로 옳은 것은?

> 외국의 이점을 배우려면 외국의 좋은 기술, 특히 무기 제조 기술을 중국의 것으로 완성해야 한다.

① 광서제가 지원하였다.
② 청 왕조 타도를 주장하였다.
③ 크리스트교를 바탕으로 전개되었다.
④ 서양의 군사력과 과학 기술만을 수용하였다.
⑤ 보수파의 반격으로 100여 일 만에 실패하였다.

④ 昆段

❸ 국민 국가 수립을 위한 노력

1 신해혁명과 중화민국의 수립

(1) 청의 근대화 정책
  ① 배경: 의화단 운동 이후 청나라의 위기감
  ② '신정' 추진: 신식 군대 편성, 교육 개혁, 실업 진흥 등의 근대화 정책 추진
  ③ 결과: 세금 부담 가중 → 국민들의 불만, 제한적인 개혁 성과

(2) 신해혁명(1911)
  ① 배경: 러·일 전쟁에서 일본 승리 → 입헌 운동 전개 → 실패, 청 정부에 대한 불신 가중 → 혁명 운동 호응(청나라 타도, 공화 정부 수립 주장) → 쑨원이 <mark>삼민주의</mark> 주장, <mark>중국 동맹회</mark> 결성 → 혁명 운동 주도
  ② 전개: 우창에서 신군 봉기 → 각 성의 호응 → 청의 붕괴
  ③ 결과: 중화민국 수립(1912), 「중화민국 임시 약법」 제정, 쑨원이 위안스카이에게 임시 대총통 자리 이양

2 일본의 국민 국가 체제 수립

(1) 배경: 유신 이후 <mark>자유 민권 운동</mark> 발전(의회 개설, 헌법 제정, 언론 자유 등 주장)
(2) 전개: 메이지 정부 자유 민권 운동 탄압 → 정당과 의회 개설 → <mark>「대일본 제국 헌법」</mark> 제정(1889), <mark>천황의 절대 권력 명문화</mark> **Why?** 이토 히로부미 등 정부의 실력자들은 황제의 권한이 강력하게 보장된 독일 헌법을 모델로 생각하고 있었어.
(3) 결과: 제국 의회 개최, 정당 정치, 내각 책임제 도입 → 국민 국가 체제 수립, 제한적 민주정치 발전(천황의 절대 권력 인정)

3 조선의 개혁 운동

(1) 배경: 청·일 전쟁 이후 일본의 조선 압박, 을미사변(1895) → 아관파천(1896) → 환궁 이후 대한 제국 선포, 연호 광무 제정(1897)
(2) 광무개혁: 서구 문물 도입, 「대한국 국제」 선포(1899) → 황제의 무한한 권력과 자주독립국 주장
(3) 독립협회: 자주독립과 자유 민권 운동 전개 → 관민 공동회 개최 → 헌의 6조 결의 → 보수파 모함(공화제 수립) → 해산

❹ 일본의 제국주의 침략

1 일본의 대외 팽창

(1) 대외 팽창: 타이완 침공, 홋카이도, 쿠릴 열도 차지, 조선 개항(강화도 조약), 류큐 병합(→ 오키나와 현으로 편입)
(2) 청·일전쟁 승리: <mark>시모노세키 조약(1895)</mark> 체결 → 조선에 대한 영향력 확인, 막대한 배상금, 랴오둥반도·타이완 차지 → 동아시아의 강자로 부상

2 일본의 제국주의 침략

(1) <mark>삼국 간섭(1895)</mark>: 러시아·프랑스·독일 일본에 압력 → 일본, <mark>랴오둥반도 반환</mark> → 이후 일본의 군비 확장
(2) 러·일 전쟁 승리: 영·일 동맹 체결한 일본의 러시아 공격 → 일본의 승리 → <mark>포츠머스 조약(1905)</mark>체결 → 랴오둥반도, 사할린 일부 양도, 대한 제국 지도 및 보호권 인정 → 이후 대한 제국 강제 병합

✛ 쑨원(1866~1925)
쑨원은 중국의 혁명가로 민족, 민권, 민생의 삼민주의를 주장하였다. 그는 1905년 중국 동맹회를 결성하여 무능력한 청을 타도하고 한족의 공화국을 건설하자는 혁명 운동을 주도하였다. 결국 신해혁명으로 쑨원은 초대 중화민국 임시 대총통에 오르지만, 청을 완전히 무너뜨리고 혁명을 성공시키기 위해 군사력을 가진 위안스카이에게 대총통직을 넘겼다.

✛ 위안스카이(1859~1916)
위안스카이는 청 말기의 군벌로서 이홍장의 휘하에서 출세하여 청 조정의 실권자로 부상하였다. 신해혁명 때는 청 조정의 명을 받고 혁명을 진압하는 임무를 맡았으나, 쑨원에게 중화민국의 대총통직을 넘겨받고 청 왕조를 멸망시켰다. 청 왕조 멸망 후 위안스카이는 독재 체제를 강화하였으며 1915년 황제로 즉위하였다.

✛ 삼국 간섭
청·일 전쟁에서 승리한 일본은 시모노세키 조약을 통해 2억 냥이라는 막대한 배상금과 함께 랴오둥반도와 타이완을 청으로부터 얻어 냈다. 하지만 동아시아 방면에서의 남하를 노리던 러시아는 영국의 지지를 받는 일본이 랴오둥반도를 차지하는 것을 받아들일 수 없었다. 이에 러시아는 랴오둥반도 칭다오에 세력권을 가지고 있으며, 독일과 영국의 적수인 프랑스를 끌어들여 일본에 랴오둥반도의 반환을 요구하였다. 일본은 압박에 굴복하여 랴오둥반도를 반환하였고 이를 계기로 러시아에 대한 일본의 적대감이 커졌다.

놓치지 말자! 핵심 **자료**

「대일본 제국 헌법」(1889)
제1조 일본 제국은 천황이 통치한다.
제3조 천황은 신성하여 누구라도 침범할 수 없다.
제4조 천황은 국가의 원수로서 통치권을 총괄하며 헌법의 조항에 따라 이를 이행한다.
제7조 천황은 제국 의회를 소집하고 개회, 폐회, 정회 및 의회 해산을 명할 수 있다.
제11조 천황은 육해군을 통솔한다.
제13조 천황은 전행을 선언하며 여러 조약을 체결한다.

메이지 천황 ▶

일본은 메이지 유신을 통해 천황을 중심으로 하는 새로운 정부를 만들고 근대화 개혁에 착수하였다. 그런데 근대화가 진행되면서 자연스럽게 의회 개설과 언론의 자유, 헌법 개정 등을 요구하는 자유 민권 운동이 크게 일어나게 되었다. 이에 메이지 정부는 대응을 하게 되는데, 천황의 절대 권력을 헌법으로 명문화하면서도 의회를 개설하고 정당 결성을 허용하여 일본 특유의 입헌 군주 체제를 만들어 냈다. 하지만 천황을 신성불가침의 존재로 추대하고 그것을 헌법에 반영하였기 때문에 온전한 민주주의가 정착하였다고 평가하기는 어렵다.

함께 보자! 심화 자료

자유 민권 운동을 탄압 풍자화
메이지 정부가 자유 민권 운동을 억압하는 상황을 그린 풍자화야. 메이지 정부는 겉으로는 자유 민권 운동을 수용하는 듯 했지만, 실제로는 언론을 감시하고 집회의 자유를 막는 등 탄압하였지. 신문을 들고 있는 관리가 언론의 자유를 억압하는 그림은 이러한 상황을 묘사한 것이란다.

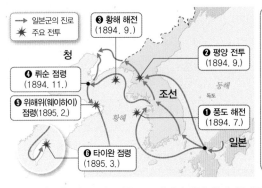

→ 일본군의 진로
✳ 주요 전투

청
❸ 황해 해전 (1894. 9.)
❹ 뤼순 점령 (1894. 11.)
❷ 평양 전투 (1894. 9.)
❺ 위해위(웨이하이) 점령(1895. 2.)
조선
동해
독도
❶ 풍도 해전 (1894. 7.)
황해
일본
❻ 타이완 점령 (1895. 3.)

시모노세키 조약(1895)
제1조 청은 조선이 완전한 자주국임을 인정한다.
제2조 청은 랴오둥반도, 타이완 및 그 부속 여러 섬을 일본에 넘겨준다.
제3조 청은 일본에 배상금 2억 냥을 지불한다.

점검하자! 시험 유형

청·일 전쟁이나 러·일 전쟁에 관한 자료를 제시하고 관련 사건에 대해 묻는 문제가 자주 출제되니 이를 잘 기억해 두자.

연습 문제 다음 전쟁의 결과 체결된 조약으로 옳은 것은?

• 일본 해군이 풍도 앞바다에서 청의 함대를 기습 공격하며 시작되었다.
• 일본군이 일방적인 승리를 거두었다.

① 난징 조약   ② 톈진 조약
③ 강화도 조약   ④ 베이징 조약
⑤ 시모노세키 조약

⑤ 답정

청·일 전쟁은 일본 해군이 풍도 앞바다에서 청의 함대를 기습적으로 공격함으로써 시작되었다. 일본 정부는 열강의 간섭을 피해 가능한 한 빨리 승리를 거두고자 하였다. 일본은 황해에서 청의 함대를 격파하였고, 평양에서는 육군이 청군을 상대로 크게 승리하였다. 일본군은 랴오둥반도로 진격하여 중국의 본토까지 위협하는 등 청·일 전쟁에서 일방적인 승리를 거두었다. 일본은 청과 시모노세키 조약을 체결하여 조선에서 청의 영향력을 없앤 뒤, 막대한 배상금을 받아내고 랴오둥반도와 타이완을 차지하였다.

맥 잡는 **연표 문제**

◉ 1842년 청, 영국과 **❶** _____ 조약 체결

1850

◉ 1851년 청, 태평천국 운동 시작

◉ 1854년 **❷** _____ 조약 체결

◉ 1858년 청, 열강과 톈진 조약 체결
　　　　　미·일 수호 통상 조약 체결

◉ 1860년 청, 열강과 베이징 조약 체결

◉ 1868년 일본, **❸** _____ 유신

◉ 1876년 조선, 강화도 조약 체결

◉ 1885년 청·일, 톈진 조약 체결

◉ 1894년 동학 농민 운동 발생
　　　　　청·일 전쟁 발발

◉ 1895년 시모노세키 조약 체결
　　　　　삼국 간섭 발생

◉ 1897년 대한 제국 성립

◉ 1898년 청, **❹** _____ 운동

◉ 1899년 청, 의화단 운동 발발

1900

◉ 1901년 청, 신축 조약 체결

◉ 1904년 러·일 전쟁 발발

◉ 1905년 러·일, 포츠머스 조약 체결

◉ 1911년 신해혁명

핵심 짚는 **확인 문제**

1 빈칸에 알맞은 말을 넣어 보자.

(1) 청은 제1차 (　　　) 전쟁을 계기로 개항하였다.

(2) 일본은 (　　　　　) 제독의 내항을 계기로 개항하였다.

(3) 조선은 (　　　　　) 조약을 통해 개항하였다.

(4) (　　　　　) 운동은 청 왕조 타도, 양성평등, 토지 균등 분배, 악습 폐지 등을 주장하였다.

2 내용이 맞으면 O표, 틀리면 X표를 해 보자.

(1) 양무운동은 서양의 군사력과 과학 기술을 도입하려는 운동이다. (　　　)

(2) 변법자강 운동은 서양의 기술뿐만 아니라 정치 제도 등 전반적인 개혁을 추구하였다. (　　　)

(3) 메이지 유신을 통해 천황이 물러나고 막부가 중심이 되는 정부가 수립되었다. (　　　)

(4) 갑신정변은 청으로부터의 독립, 문벌 폐지 등을 주장하였다. (　　　)

3 물음에 알맞은 답을 써 보자.

(1) 삼민주의를 주장하고 중국 동맹회를 조직한 인물은? (　　　　　)

(2) 「대일본 제국 헌법」에서 절대 권력을 부여받은 존재는? (　　　　　)

(3) 러·일 전쟁에서 승리한 일본이 랴오둥반도와 사할린 일부를 넘겨받은 조약은?
(　　　　　)

4 다음 사건과 관련 인물을 옳게 연결해 보자.

(1) 신해혁명　　•　　　　　•　㉠ 쑨원

(2) 양무운동　　•　　　　　•　㉡ 고종

(3) 광무개혁　　•　　　　　•　㉢ 이홍장

(4) 아편 전쟁　　•　　　　　•　㉣ 임칙서

1 다음 무역 상황을 배경으로 일어난 사건으로 가장 적절한 것은?

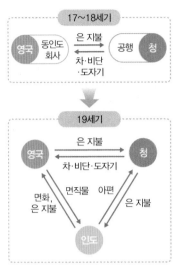

① 아편 전쟁　② 조선 개항　③ 일본 개항
④ 청·일 전쟁　⑤ 러·일 전쟁

2 다음 내용에 해당하는 조약으로 옳은 것은?

> • 미국의 페리 제독의 내항 이후 체결되었다.
> • 일본의 관세 자주권을 부정하고, 상대국에 대한 치외 법권, 최혜국 대우를 인정했다.

① 강화도 조약　　② 베이징 조약
③ 포츠머스 조약　④ 시모노세키 조약
⑤ 미·일 수호 통상 조약

3 (가) 조약에 관한 설명으로 옳은 것은?

> 조선은 운요호 사건을 계기로 [(가)] 조약을 맺으며 개항하였다.

① 공행 무역을 폐지하였다.
② 애로호 사건이 배경이 되었다.
③ 조선과 미국 사이에 체결된 조약이다.
④ 상하이를 비롯한 다섯 항구를 개항하였다.
⑤ 상대국의 치외 법권을 인정한 불평등 조약이다.

4 태평천국 운동에 관한 설명으로 옳은 것을 〈보기〉에서 고른 것은?

> 〈보기〉
> ㄱ. 크리스트교 신앙에 기반한 상제회가 중심이 되었다.
> ㄴ. 영국, 독일, 일본 등 8개국 연합군에 의해 진압 되었다.
> ㄷ. 청 왕조 타도, 양성평등, 토지균등 분배 등을 주장했다.
> ㄹ. 청 왕조를 도와 서양 세력을 물리치려는 반외세 운동을 일으켰다.

① ㄱ, ㄴ　　② ㄱ, ㄷ　　③ ㄱ, ㄹ
④ ㄴ, ㄷ　　⑤ ㄷ, ㄹ

5 다음 주장과 관련한 근대화 운동으로 옳은 것은?

> 중국이 부강한 나라를 이룩하려면 서양의 제도를 배워야 한다. 서양의 의회 제도는 군주와 백성이 하나가 되고 윗사람과 아랫사람이 한마음이 되자는 것이지, 황제권에 손상이 가는 것이 아니다.
> — 캉유웨이, 『무술 주고』 —

① 양무운동　　　② 광무개혁
③ 메이지 유신　④ 변법자강 운동
⑤ 동학 농민 운동

6 (가)에 들어갈 사건으로 옳은 것은?

① 양무운동　② 아편 전쟁　③ 청·일 전쟁
④ 의화단 운동　⑤ 태평천국 운동

시험 단골

7 다음 사절단을 파견한 정부가 시행한 개혁 내용으로 옳지 <u>않은</u> 것은?

이와쿠라 사절단

① 지방 분권적 봉건제를 폐지하였다.
② 신분제를 폐지하고 징병제를 시행하였다.
③ 천황 중심의 중앙 집권 체제를 마련하였다.
④ 양성평등, 토지 균등 분배 등을 추진하였다.
⑤ 서양식 교육과 전 국민 의무 교육을 시행하였다.

시험 단골

8 (가)에 들어갈 내용으로 가장 적절한 것은?

서양의 기술만
도입합시다!

(가)

온건 개화파   급진 개화파

① 서양의 무기 기술만 도입합시다.
② 청을 도와 서양 세력을 몰아냅시다.
③ 서양의 문명과 제도까지 받아들입시다.
④ 천황 중심 중앙 집권 체제를 만들어야 합니다.
⑤ 조세 제도 개혁과 신분 차별 폐지 등을 추진해야
   합니다.

9 밑줄 친 '이 사건'의 직접적인 계기가 된 사건으로 옳은 것은?

> <u>이 사건</u>으로 쑨원이 임시 대총통으로 선출되었으며, 중화민국이 수립하였다.

① 민간 철도 국유화
② 의화단 운동의 실패
③ 변법자강 운동의 실패
④ 「중화민국 임시 약법」 제정
⑤ 러·일 전쟁에서 일본의 승리

New **신유형**

10 다음 요구에 메이지 정부가 취한 조치로 가장 적절한 것은?

> 애초에 정부에 세금을 낼 의무가 국민에게 있다는 것은, 국민이 정부의 정치를 알고 시비를 판단할 권리가 있다는 것을 말합니다. 결국 국민이 뽑은 의원으로 의회를 설립 하는 길밖에는 없습니다.
> – 「민선」 –

① 천황의 권력을 막부에게 되돌려 주었다.
② 관민 공동회를 열어 헌의 6조를 결의하였다.
③ 쇼군의 절대 권력을 헌법으로 명문화하였다.
④ 교육 개혁과 실업 진흥에 나서는 신정을 추진하였다.
⑤ 자유 민권 운동을 지원하고 의원 내각제를 수립하였다.

11 다음은 일본의 대외 팽창 과정에서 벌어진 일들이다. (가)에 들어갈 사건으로 가장 적절한 것은?

청·일 전쟁 승리	(가)	러·일 전쟁 승리
시모노세키 조약	랴오둥반도 반환	포츠머스 조약

① 삼국 간섭
② 강화도 조약
③ 미·일 화친 조약
④ 동학 농민 운동 진압
⑤ 미·일 수호 통상 조약

고난도

12 전쟁에서 승리하여 다음 조약을 체결한 국가에 관한 설명으로 옳은 것은?

포츠머스 조약

① 광무개혁을 시도하였다.
② 변법자강 운동을 시도하였다.
③ 메이지 유신으로 천황 중심 정부를 수립하였다.
④ 조선에 군사를 파견하여 임오군란을 진압하였다.
⑤ 아편 전쟁으로 청을 압박하여 난징 조약을 체결하였다.

세계사능력검정시험 응용 문제

13 (가)와 (나) 조약의 공통점으로 옳은 것은?

> ┌─── (가) ───┐ **조약**(1858)
> 제3조 시모다, 하코다테 외에 가나가와(요코하마), 나가사키, 니가타, 효고(고베)를 개항한다.

> ┌─── (나) ───┐ **조약**(1876)
> 제4조 조선은 부산 외에 두 곳의 항구를 개항하고 일본인이 와서 통상하도록 허가한다.

① 공행을 폐지하였다.
② 쌍방이 평등한 조약이었다.
③ 두 조약 모두 불평등 조약이다.
④ 전쟁 이후에 체결된 조약이었다.
⑤ 영국의 압박에 의해서 체결하였다.

주관식·서술형 문제

14 다음 자료를 읽고 물음에 답하시오.

> ┌─── (가) ───┐ **조약**(1842)
> 제2조 영국 국민은 광저우, 상하이 등 5개 항구에 거주할 수 있으며 방해받지 않고 무역에 종사할 수 있다.
> 제5조 앞으로는 공행하고만 거래하는 제도를 폐지한다.

(1) (가)에 들어갈 말을 쓰시오.

_____

(2) (가) 조약이 체결된 역사적 배경을 서술하시오.

_____
_____

15 다음 자료를 보고 물음에 답하시오.

┌─── (가) ───┐ **조약**(1895)

제1조 청은 조선이 완전한 자주국임을 인정한다.
제2조 청은 랴오둥반도, 타이완 및 그 부속 여러 섬을 일본에 넘겨준다.
제4조 청은 일본에 배상금 2억 냥을 지불한다.

(1) (가)에 들어갈 말을 쓰시오.

_____

(2) (가) 조약이 체결된 역사적 배경을 서술하시오.

_____
_____

1 다음 내용과 관련된 사건으로 옳은 것은?

> • 스튜어트 왕조 제임스 2세의 전제 정치 강화
> • 메리 공주와 윌리엄 3세의 공동 왕 추대
> • 「권리 장전」의 승인

① 명예혁명　　　② 산업 혁명
③ 미국 혁명　　　④ 입헌 혁명
⑤ 프랑스 혁명

2 미국 혁명 중에 발생한 사건으로 옳은 것을 〈보기〉에서 고른 것은?

> **보기**
> ㄱ. 「권리 장전」의 승인　　ㄴ. 요크타운 전투 승리
> ㄷ. 「독립 선언문」 발표　　ㄹ. 플라시 전투 승리

① ㄱ, ㄴ　　② ㄱ, ㄷ　　③ ㄴ, ㄷ
④ ㄴ, ㄹ　　⑤ ㄷ, ㄹ

3 (가)와 (나)에 들어갈 단어를 옳게 연결한 것은?

〈프랑스 혁명의 전개 과정〉

헌장	「인권 선언」 발표
(가)	혁명전쟁 발발
국민 공회	(나)

	(가)	(나)
①	입법 의회	루이 16세 처형
②	입법 의회	테니스코트의 선언
③	입법 의회	나폴레옹의 쿠데타
④	총재 정부	로베스피에르 공포 정치
⑤	통령 정부	나폴레옹의 대륙 봉쇄령

4 다음 그림이 풍자하는 정치 체제에 관한 설명으로 옳은 것은?

① 그리스의 독립을 지원하였다.
② 프랑스에 부르봉 왕가가 복귀하였다.
③ 프랑스 혁명 이념을 유럽에 전파하였다.
④ 프랑스의 나폴레옹이 주도한 정치 체제이다.
⑤ 독일의 비스마르크가 주도한 정치 체제이다.

5 다음의 주장을 한 인물로 옳은 것은?

> 눈여겨보아야 할 것은 프로이센의 자유주의가 아니라 군비입니다. …… 철(鐵)과 피(血)에 의해서만 문제가 해결될 수 있습니다.
> – 철혈 정책에 대한 의회 연설 –

① 크롬웰　　② 가리발디　　③ 마르크스
④ 메테르니히　　⑤ 비스마르크

6 (가)에 들어갈 사건으로 옳은 것은?

> 노예 제도 폐지에 찬성한 링컨이 대통령으로 당선되자, 남부가 연방에서 탈퇴하여 [　(가)　] 이/가 일어났다. 전쟁은 북부의 승리로 끝났고 미국은 빠르게 전쟁 피해를 복구하였다.

① 독립전쟁　　② 혁명 전쟁　　③ 남북 전쟁
④ 아편 전쟁　　⑤ 러·일 전쟁

7 영국 산업 혁명의 배경으로 옳은 것을 〈보기〉에서 고른 것은?

> **보기**
> ㄱ. 정치적인 안정
> ㄴ. 농촌 인구 증가
> ㄷ. 풍부한 지하 자원
> ㄹ. 정부 주도의 중공업 발전

① ㄱ, ㄴ　　② ㄱ, ㄷ　　③ ㄴ, ㄷ
④ ㄴ, ㄹ　　⑤ ㄷ, ㄹ

8 인물과 그의 업적을 옳게 연결한 것을 〈보기〉에서 고른 것은?

> **보기**
> ㄱ. 와트 – 증기 기관을 개량하였다.
> ㄴ. 아크라이트 – 전신기를 발명하였다.
> ㄷ. 에디슨 – 증기 기관차를 발명하였다.
> ㄹ. 하그리브스 – 제니 방적기를 발명하였다.

① ㄱ, ㄴ　　② ㄱ, ㄷ　　③ ㄱ, ㄹ
④ ㄴ, ㄹ　　⑤ ㄷ, ㄹ

9 다음 인물이 주장한 사상에 관한 설명으로 가장 적절한 것은?

칼 마르크스

① 노동자의 불행을 기계 탓으로 돌렸다.
② 최대 다수의 최대 행복을 주장하였다.
③ 경제에 대한 국가의 개입에 반대하였다.
④ 공동체를 강조하며 협동촌을 건설하였다.
⑤ 자본가와 노동자 간의 계급 투쟁을 주장하였다.

10 19세기 학문과 문예 사조에 관한 설명으로 옳지 <u>않은</u> 것은?

① 19세기 전반에 낭만주의가 유행하였다.
② 19세기 후반에는 인상주의 미술이 발전하였다.
③ 콩트는 공리주의를 주장하며 다수의 이익을 강조하였다.
④ 생물학에서는 다윈이 『종의 기원』을 발표하여 진화론을 제시하였다.
⑤ 랑케는 사료를 바탕으로 사실을 객관적으로 기록해야 한다는 것을 강조하였다.

11 제국주의 열강의 침략에 관한 설명으로 옳은 것은?

> ㄱ. 프랑스는 인도에서 영국과 대결하여 패배하였다.
> ㄴ. 영국과 독일이 아프리카 파쇼다에서 충돌하였다.
> ㄷ. 모로코 지배를 둘러싸고 영국과 프랑스가 충돌하였다.
> ㄹ. 제국주의 열강은 침략을 정당화하기 위해 사회 진화론을 이용하였다.

① ㄱ, ㄴ　　② ㄱ, ㄹ　　③ ㄴ, ㄷ
④ ㄴ, ㄹ　　⑤ ㄷ, ㄹ

12 오스만 제국의 국민 국가 건설 시도에 관한 자료이다. (가)에 들어갈 내용으로 옳은 것은?

| 탄지마트 단행 | → | (가) | → | 제1차 세계 대전 패배 |

① 입헌 혁명　　　　② 와하브 운동
③ 콜카타 대회　　　④ 담배 불매 운동
⑤ 청년 튀르크당의 혁명

정리해 보자! **대주제 탄탄**

13 다음 국기를 사용하는 나라의 성립 배경이 되었던 운동으로 옳은 것은?

사우디아라비아 국기

① 의화단 운동   ② 와하브 운동
③ 담배 불매 운동   ④ 변법자강 운동
⑤ 비폭력·불복종 운동

14 다음 사건들을 발생 순서대로 옳게 나열한 것은?

> ㄱ. 세포이의 항쟁
> ㄴ. 벵골 분할령 발표
> ㄷ. 콜카타 대회 개최
> ㄹ. 인도 국민 회의 조직

① ㄱ-ㄴ-ㄷ-ㄹ   ② ㄱ-ㄹ-ㄴ-ㄷ
③ ㄷ-ㄹ-ㄱ-ㄴ   ④ ㄹ-ㄷ-ㄱ-ㄴ
⑤ ㄹ-ㄷ-ㄴ-ㄱ

15 다음 제도에 관한 설명으로 옳은 것은?

> 같이 경작할 밭을 마련하고, 같이 먹을 밥을 준비하며 …… 어디에도 배부르고 따뜻하지 않은 자가 없게 하라.
> － 『천조 전무 제도』－

① 의화단 운동 시기 발표된 제도이다.
② 토지의 균등 분배 이념이 반영되어 있다.
③ 캉유웨이의 변법자강 운동에서 실행되었다.
④ 서태후 중심의 보수파의 반발로 실패하였다.
⑤ 증국번, 이홍장의 양무운동에서 실행되었던 제도이다.

16 다음 인물에 관한 역사적 사실로 옳은 것을 〈보기〉에서 고른 것은?

> 보기
> ㄱ. 삼민주의를 주장하였다.
> ㄴ. 비폭력·불복종 운동을 전개하였다.
> ㄷ. 교육 개혁과 실업 진흥 등의 신정을 추진하였다.
> ㄹ. 중국 동맹회를 결성하여 혁명 운동을 주도하였다.

① ㄱ, ㄴ   ② ㄱ, ㄷ   ③ ㄱ, ㄹ
④ ㄴ, ㄹ   ⑤ ㄷ, ㄹ

17 다음 헌법이 제정된 역사적 배경으로 가장 적절한 것은?

> 제1조 일본 제국은 천황이 통치한다.
> 제3조 천황은 신성하여 누구라도 침범할 수 없다.
> 제4조 천황은 국가의 원수로서 통치권을 총괄하며, 헌법의 조항에 따라 이를 이행한다.
> 제7조 천황은 제국 의회를 소집하고 그 개회, 폐회, 정회 및 의회 해산을 명할 수 있다.
> 제11조 천황은 육해군을 통솔한다.
> 제13조 천황은 전쟁을 선언하며, 여러 조약을 체결한다.

① 러·일 전쟁과 일본의 승리
② 청·일 전쟁과 일본의 승리
③ 일본 자유 민권 운동의 발전
④ 삼국 간섭과 랴오둥반도 반환
⑤ 미·일 화친 조약과 일본의 개항

주관식·서술형 문제

●●○

18 다음 자료를 읽고 물음에 답하시오.

> 모든 사람은 평등하게 태어났으며, 창조주로부터 빼앗을 수 없는 권리를 부여받았다. 그중에는 생명과 자유 행복을 추구할 권리가 포함되어 있다. 이 권리를 확보하기 위해 인민은 정부를 조직하였으며, 이 정부의 정당한 권력은 인민의 동의로부터 유래한다. 또 어떠한 형태의 정부이든 본래의 목적을 파괴했을 때, 인민은 언제든지 정부를 바꾸거나 무너뜨릴 권리가 있다.

(1) 위 선언문이 발표된 혁명의 명칭을 쓰시오.

_____

(2) 위 선언문에 나타난 인간의 기본권을 찾아 서술하시오.

_____

_____

●●○

19 다음 자료를 보고 물음에 답하시오.

「백인의 짐」

(1) 위 작품이 정당화하는 서양 열강들의 정책이 무엇인지 쓰시오.

_____

(2) (1)이 나타나게 된 역사적 배경을 서술하시오.

_____

_____

●●○

20 다음 자료를 보고 물음에 답하시오.

(1) 위 분할 시도 이후 반영 운동을 전개한 단체의 이름을 쓰시오.

_____

(2) 영국이 위 지역을 분할한 의도가 무엇인지 서술하시오.

_____

_____

●●○

21 다음 조약 체결의 결과에 관해 서술하시오.

> **포츠머스 조약**
> 제1조 러시아는 한국에 대한 일본의 지도, 보호, 감리를 승인한다.
> 제2조 뤼순, 다롄의 조차권, 장춘 이남의 철도와 그 부속의 이권을 일본에 양도한다.

_____

_____

V 세계 대전과 사회 변동

1 세계 대전과 국제 질서의 변화

2 민주주의의 확산

3 인권 회복과 평화 확산을 위한 노력

이 대주제를 배우면

세계 대전으로 나타난 국제 질서의 변화, 민주주의의 확산 과정, 인권 회복과 평화 확산을 위한 노력을 살펴볼 수 있어요.

📋 나의 학습 계획표

중주제	학습 코너	쪽수	학습 예정일	학습 완료일	달성도
1 세계 대전과 국제 질서의 변화	기억하자! 핵심 내용	138쪽	( )월 ( )일	( )월 ( )일	☆☆☆☆☆
		140쪽	( )월 ( )일	( )월 ( )일	☆☆☆☆☆
	놓치지 말자! 핵심 자료	139쪽	( )월 ( )일	( )월 ( )일	☆☆☆☆☆
		141쪽	( )월 ( )일	( )월 ( )일	☆☆☆☆☆
	되짚어 보자! 기본 개념	142쪽	( )월 ( )일	( )월 ( )일	☆☆☆☆☆
	키워 보자! 실력 쑥쑥	143~145쪽	( )월 ( )일	( )월 ( )일	☆☆☆☆☆
2 민주주의의 확산	기억하자! 핵심 내용	146쪽	( )월 ( )일	( )월 ( )일	☆☆☆☆☆
	놓치지 말자! 핵심 자료	147쪽	( )월 ( )일	( )월 ( )일	☆☆☆☆☆
	되짚어 보자! 기본 개념	148쪽	( )월 ( )일	( )월 ( )일	☆☆☆☆☆
	키워 보자! 실력 쑥쑥	149~151쪽	( )월 ( )일	( )월 ( )일	☆☆☆☆☆
3 인권 회복과 평화 확산을 위한 노력	기억하자! 핵심 내용	152쪽	( )월 ( )일	( )월 ( )일	☆☆☆☆☆
	놓치지 말자! 핵심 자료	153쪽	( )월 ( )일	( )월 ( )일	☆☆☆☆☆
	되짚어 보자! 기본 개념	154쪽	( )월 ( )일	( )월 ( )일	☆☆☆☆☆
	키워 보자! 실력 쑥쑥	155~157쪽	( )월 ( )일	( )월 ( )일	☆☆☆☆☆
정리해 보자! 대주제 탄탄		158~161쪽	( )월 ( )일	( )월 ( )일	☆☆☆☆☆

세계 대전과 국제 질서의 변화

❶ 제1차 세계 대전과 베르사유 체제

1 제1차 세계 대전

(1) **배경**: 3국 동맹(독일, 오스트리아·헝가리 제국, 이탈리아)과 3국 협상(영국, 프랑스, 러시아)의 대립, 범게르만주의와 범슬라브주의의 갈등(발칸반도)

(2) **전개**
① 사라예보 사건(1914)으로 오스트리아·헝가리 제국이 세르비아에 선전 포고 → 동맹국(3국 동맹)과 연합국(3국 협상) 국가들이 전쟁 가담
② 독일의 진격 → 프랑스가 서부 전선에서 저지 → 전쟁 장기화
③ 이탈리아는 연합국 가담, 독일의 무제한 잠수함 작전 등으로 미국이 참전
④ 오스트리아·헝가리 제국, 독일이 차례로 항복

(3) **특징**: 총력전, 참호전, 신무기의 등장(기관총, 탱크, 비행기, 잠수함, 독가스 등)

2 베르사유 체제와 전후 국제 사회의 변화

> **Why?** 미국의 대통령 윌슨이 발표한 평화 원칙으로, 민족 자결주의 등이 포함되었어.

(1) **배경**: 파리 강화 회의(1919), 윌슨의 14개조 원칙

(2) **베르사유 체제**: 베르사유 조약의 체결(독일의 영토 축소, 식민지 상실, 군대 보유 제한, 막대한 배상금 지불) → 승전국 위주의 새로운 국제 질서 등장

(3) **국제 사회의 변화**: 독일, 오스트리아·헝가리 제국, 오스만 제국, 러시아의 붕괴, 동유럽 여러 민족의 독립, 국제 연맹 창설(군비 축소, 무력 사용 금지 등 노력), 민주주의의 발전, 미국의 성장

❷ 최초의 사회주의 혁명, 러시아 혁명

1 혁명의 배경: 19세기의 산업화에 따른 노동자 계급의 성장, 사회주의 사상의 유입

2 혁명의 전개

피의 일요일 사건	러·일전쟁으로 인한 궁핍으로 상트페테르부르크에서 개혁을 요구하는 시위 발생 → 정부의 무력 진압 → 소극적 개혁, 전제 정치 지속
2월 혁명	제1차 세계 대전 장기화 → 전쟁 중지, 견제 정치 타도를 요구하는 시위 발생 → 소비에트(평의회) 결성, 혁명 전개 → 임시 정부 수립
10월 혁명	임시 정부의 개혁 실패, 전쟁 지속 → 볼셰비키(러시아 사회 민주 노동당 내의 한 분파)의 무장 봉기 → 임시 정부 붕괴, 소비에트 정부 수립

3 소련의 수립: 소비에트 정부가 독일과 강화 조약 체결, 주요 산업 시설 국유화, 일당 독재 체제 강화, 신경제 정책(NEP) 시행 → 소비에트 사회주의 공화국 연방(소련) 수립(1922) → 코민테른 결성(→ 아시아·아프리카의 반제국주의적 민족 운동 지원), 레닌 사후 스탈린의 독재 체제 강화

> **Why?** 혁명을 전파하기 위한 국제 사회주의 운동 조직이야

❸ 전후 아시아·아프리카의 민족 운동

1 중국: 신문화 운동 → 일본의 21개조 요구 → 5·4 운동 → 제1차 국·공 합작(1924) → 장제스의 북벌 및 공산당 탄압 → 마오쩌둥의 국민당에 대한 저항

2 오스만제국: 제1차 세계 대전 패배 후 터키 공화국 수립(무스타파 케말, 1923)

3 이란: 팔레비 왕조 수립(1925)

4 이집트: 와프드당(근대적 민족주의 정당)의 민족 운동 → 영국으로부터 독립(1922)

5 인도: 비폭력·불복종 운동(간디), 네루의 저항

놓치지 말자! 핵심 자료

자료 1 베르사유 조약의 체결

베르사유 조약(1919)

- 독일은 영토의 일부를 프랑스, 벨기에, 폴란드에 넘겨준다.
- 독일은 해외의 식민지에 관한 모든 권리를 포기한다.
- 독일의 군인 수는 육군 10만 명, 해군 1만 6천 5백 명으로 제한되며, 잠수함과 항공기 보유는 금지한다.
- 독일은 연합국에 전쟁 배상금으로 1,320억 마르크를 지불해야 한다.

– 『심마니 세계사』, 2000. –

베르사유 조약에 조인하는 독일 대표

1919년 6월 28일, 연합국과 독일은 파리 강화 회의의 결과로 베르사유 조약을 체결하였다. 이 조약으로 독일은 해외의 모든 식민지를 잃고, 알자스·로렌 지방을 프랑스에 반환하는 등 영토가 축소되었다. 또한 독일은 군대의 보유가 제한되고 막대한 배상금을 물어야 했는데, 이는 당시 전쟁으로 재정이 피폐해진 상태의 독일이 감당할 수 없는 정도의 금액이었다. 이로 인해 독일의 경제가 어려워지고 독일 국민들의 불만이 축적되었다.

점검하자! 시험 유형

베르사유 조약에 대한 자료를 제시하고 조약의 특징 및 결과를 묻는 문제가 자주 출제되니 이를 잘 기억해 두자.

연습문제 다음 조약에 관한 설명으로 옳은 것은?

독일의 군인 수는 육군 10만 명, 해군 1만 6천 5백 명으로 제한되며, 잠수함과 항공기 보유는 금지한다.

① 독일의 영토가 확장되었다.
② 독일에 대한 보복적 성격이 강하였다.
③ 미국과 소련이 조약 체결에 반대하였다.
④ 프랑스는 독일 영토에 대한 이권을 얻지 못하였다.
⑤ 조약의 체결로 승전국의 식민지들이 모두 독립하였다.

② 답정

자료 2 러시아 혁명의 영향

영국 총파업 (1926)	**몽골** 인민 공화국 성립 (1924)
독일 독일 혁명 (1918)	**중국** 중국 공산당 결성 (1921)
모로코 반프랑스·반에스파냐 운동(1920)	**한국** 조선 공산당 결성 (1925)
프랑스 프랑스 공산당 결성 (1920)	**인도네시아** 인도네시아 공산당 결성(1920)	**베트남** 호찌민의 인도차이나 공산당 결성(1930)

러시아 혁명 (1917)

러시아 혁명은 1918년 11월에 발생한 독일 혁명에 영향을 주어 독일 제국이 붕괴하고 바이마르 공화국이 수립되는 계기가 되었다. 또한 러시아 혁명 직후 레닌의 주도하에 사회주의 혁명 전파를 목표로 결성된 코민테른은 세계 각지의 공산당 결성에 영향을 주었는데, 영국과 프랑스에서는 실제로 사회주의 계열의 정당이 정권을 잡기도 하였다. 한편 러시아 혁명으로 사회주의에 대한 관심이 높아져 세계 각지에서 노동 운동과 농민 운동이 활발하게 일어났으며, 코민테른 지원 아래 제국주의 식민지 국가들에서 민족운동도 활발하게 전개되었다.

함께 보자! 심화 자료

피의 일요일 사건

러·일 전쟁에서의 고전으로 혼란스러운 사회 분위기 속에서 상트페테르부르크의 20만 노동자와 그 가족들은 더 나은 임금과 노동 조건 등을 요구하며 차르가 거주하는 겨울 궁전을 향해 행진하였다. 그러나 궁전 수비대는 그들을 무차별로 사격하였다. 많은 사상자가 발생한 안타까운 사건이었지.

1 세계 대전과 국제 질서의 변화

④ 세계를 강타한 대공황과 전체주의

1 대공황의 발생: 제1차 세계 대전 후 미국의 호황 → 생산 과잉 → 1929년 미국 뉴욕 증권 거래 시장 주가 폭락 → 기업과 은행 파산, 실업자 증가 → 전 세계 확산

2 각국의 대응

(1) 미국: **뉴딜 정책**(테네시강 유역 개발 공사 등 공공사업으로 일자리 창출, 노동자 권리 보호, 사회 보장 제도 등)

(2) 영국, 프랑스: **블록 경제**(식민지를 이용하여 시장 확보)

(3) 독일, 이탈리아, 일본: 식민지가 적고 사회·경제적 기반 취약 → 대외 침략

3 전체주의의 등장: 국가·집단 위해 개인의 자유 억압(파시즘, 나치즘, 군국주의)

	이탈리아의 파시즘	독일의 나치즘	일본의 군국주의
내용	• 무솔리니가 당 조직 • 일당 독재 체제 구축 • 에티오피아 침공(1935)	• 히틀러 총리 취임 • 일당 독재 체제 구축 • 오스트리아 병합(1938)	• 군부 주도 • 만주 사변(1931) • 중·일 전쟁(1937)

⑤ 다시 시작된 전쟁, 제2차 세계 대전

1 제2차 세계 대전

(1) 배경: 베를린·로마 추축 형성 → 독일·이탈리아·일본 방공 협정 체결(1937) → **독·소 불가침 조약** 체결(1939)

(2) 유럽 전선

ᐧ **Why?** 독일과 소련이 서로 침공하지 않겠다는 조약을 체결하면서 독일은 서부 전선에 집중할 수 있었지.

① 독일의 폴란드 침공 → 영국과 프랑스가 독일에 선전 포고

② 독일의 파리 점령(프랑스 남부에 괴뢰 정부 수립), 소련 침공(독·소 불가침 조약 파기)

③ 소련의 스탈린그라드 전투 승리(1943) → 이탈리아 항복(1943. 9.) → 연합군의 **노르망디 상륙 작전**(1944), 파리 탈환 → 독일 항복(1945. 5.)

(3) 아시아·태평양 전선

① 중·일 전쟁 장기화 → 일본이 전쟁 물자 확보 위해 동남아시아 침공 → 미국의 경제 봉쇄

② 일본의 하와이 진주만 공격(1941)으로 **태평양 전쟁** 발발

③ 미국의 미드웨이 해전 승리(1942) → 미국의 원자 폭탄 투하, 소련의 대일 참전 선언 → 일본 항복(1945. 8.)

(4) 결과: 독일은 영국, 프랑스, 소련에 의해 분할 점령, 일본은 미군정이 지배 물적·인적 피해 발생

2 전후 평화를 위한 노력

(1) **대서양 헌장**(1941): 전후 평화 수립의 원칙 제시

(2) 카이로 회담(1943), 얄타 회담(1945), 포츠담 회담(1945): 전후 처리 문제 결정

(3) 국제 전범 재판 개최: 전쟁 책임 규명

(4) **국제 연합**(UN) 창설(1945): 유엔군을 조직하는 등 분쟁 발생 시 국제 평화를 위한 적극적인 제재 조치 행사

✚ **뉴딜 정책**
미국 루스벨트 대통령이 실시한 경제 정책이다. 국가가 경제에 적극 개입하여 생산을 조절하고 사회 복지를 확대할 것 등을 주요 내용으로 하였다.

✚ **블록 경제**
본국과 식민지를 하나의 시장으로 묶는 경제 체제이다. 블록 안에서는 관세를 줄여 교류를 촉진하고 블록 밖에서는 수입품에 높은 관세를 부과하여 자국 산업을 보호한다.

✚ **파시즘**
1919년 이탈리아의 무솔리니가 주장한 국수주의적, 반공산주의적 운동이다. 이탈리아어로 '묶음', '결속'을 뜻하는 파쇼(fascio)에서 유래하였다.

✚ **나치즘**
인종주의 및 반유대주의와 결합한 전체주의의 한 분파이다. 반공산주의와 범게르만주의를 표방하며 히틀러의 국가 사회주의 정당(National sozialismus)의 이름에서 유래하였다.

✚ **군국주의**
국가의 가장 중요한 목적을 군사력에 의한 대외적 발전에 두고 전쟁을 위한 정책이나 제도를 최상위에 두는 사상이다.

✚ **추축**
정치나 권력의 중심을 뜻하는 말이다. 제2차 세계 대전 당시 독일, 이탈리아, 일본을 중심으로 형성된 동맹의 명칭이기도 하다.

놓치지 말자! 핵심 **자료**

자료 ① 파시즘과 나치즘

> 어떤 단체도 국가를 떠나서는 존재하지 않으며, 국가가 국민을 창조한다. …… 오직 전쟁만이 인간의 힘을 최고조에 이르게 하고 이에 직면할 용기를 가진 국민에게 고귀함을 부여한다.
>
> — 무솔리니, 「파시즘 독트린」 —
>
> 민족주의 국가는 인종을 모든 생활의 중심에 두어야 한다. 국가는 인종의 순수한 유지를 추구해야 한다. …… 독일 민족에 상응하는 영토를 이 지상에서 확보해야 할 것이다.
>
> — 히틀러, 『나의 투쟁』 —

이탈리아의 파시즘과 독일의 나치즘은 전체주의의 대표적인 사례로 여겨진다. 전체주의는 국가 또는 민족이 개인보다 더 중요하다는 주장으로, 국민은 국가를 위해 생명을 포함한 모든 것을 희생할 수 있어야 한다고 주장한다. 이는 제2차 세계 대전 당시 극단적인 민족주의 또는 인종주의와 결합하면서 다른 민족과 인종에 대한 차별과 폭력을 정당화하였다.

자료 ② 제2차 세계 대전의 전개와 그 상처

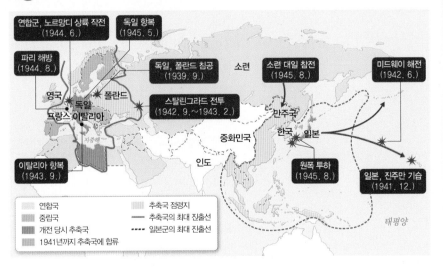

연합군, 노르망디 상륙 작전 (1944. 6.)
독일 항복 (1945. 5.)
파리 해방 (1944. 8.)
독일, 폴란드 침공 (1939. 9.)
소련
소련 대일 참전 (1945. 8.)
미드웨이 해전 (1942. 6.)
영국
폴란드
스탈린그라드 전투 (1942. 9.~1943. 2.)
독일
만주국
프랑스 이탈리아
지중해
중화민국
한국 일본
인도
원폭 투하 (1945. 8.)
일본, 진주만 기습 (1941. 12.)
이탈리아 항복 (1943. 9.)
태평양

연합국 / 중립국 / 개전 당시 추축국 / 1941년까지 추축국에 합류 / 추축국 점령지 / ── 추축국의 최대 진출선 / ┈┈ 일본군의 최대 진출선

제2차 세계 대전은 식민지로서 참가했던 국가까지 합하면 약 200여개국이 연루된 그야말로 '세계 대전'이었다. 사망자만 약 5,000만 명에 달하며, 20세기 역사상 가장 피해가 큰 전쟁이기도 했다. 폭격기에 의한 무차별 공습, 전체주의와 결합하여 벌어진 인종 학살은 피해를 더 키웠고, 이로 인한 대량 살상과 인권 침해는 제1차 세계 대전과는 또 다른 상처를 남겼다. 이 외에도 전쟁의 주요 무대가 된 지역에서는 산업 시설과 주거 시설이 대부분 파괴되었다.

점검하자! **시험 유형**

나치즘과 파시즘에 관한 자료를 제시하고 그 개념과 특징을 묻는 문제가 자주 출제되니 이를 잘 기억해 두자.

연습 문제 다음 내용과 관련된 사상에 관한 설명으로 옳지 않은 것은?

> 어떤 단체도 국가를 떠나서는 존재하지 않으며, 국가가 국민을 창조한다.

① 독일에서는 히틀러의 나치즘이 부상하였다.
② 일본은 군부가 정권을 장악하고 군국주의로 나아갔다.
③ 국가의 이익보다는 개인의 자유를 중시하는 정치사상이다.
④ 무솔리니는 파시즘을 통해 이탈리아 민족을 결속하고자 했다.
⑤ 식민지가 적고 국내 시장이 작은 국가들에서 공통적으로 나타났다.

ⓒ 답 ③

함께 보자! **심화 자료**

원자 폭탄이 투하된 나가사키의 모습

1945년 8월 9일에 나가사키에서 원자 폭탄이 폭발한 모습이 담긴 사진이야. 미국이 일본의 히로시마와 나가사키에 원자 폭탄을 투하하자, 일본은 무조건 항복을 선언하였지. 하지만 원자 폭탄은 순식간에 약 13만 명의 목숨을 앗아갔어.

맥 잡는 **연표 문제**

1882년 3국 동맹 결성

1900

1905년 러시아, ❶ _____

1907년 3국 협상 형성

1914년 제1차 세계 대전 발발

1917년 러시아 혁명

1919년 ❷ _____ 강화 회의

1920년 국제 연맹 창설

1922년 소련 성립

1929년 미국, ❸ _____ 발생

1931년 만주 사변

1937년 중·일 전쟁

1939년 제2차 세계 대전 발발

1941년 ❹ _____ 전쟁 발발

1945년 국제 연합(UN)창설

1950

핵심 짚는 **확인 문제**

1 빈칸에 알맞은 말을 넣어 보자.

(1) 제1차 세계 대전이 끝난 후 전후 처리를 의논하기 위해 ( )이/가 열렸다.

(2) 레닌은 ( )을/를 시행하여 시장 경제를 부분적으로 도입하였다.

(3) 미국 루스벨트 대통령은 ( )을/를 시행하여 대공황에 대응하였다.

(4) 제2차 세계 대전 이후 국제 사회는 평화 유지를 위해 ( )을/를 창설하였다.

2 내용이 맞으면 O표, 틀리면 X표를 해 보자.

(1) 위안스카이 사후 중국 청년층을 중심으로 신문화 운동이 전개되었다. ( )

(2) 북부 아프리카의 이집트는 와프드당을 중심으로 민족 운동을 전개하였다. ( )

(3) 영국은 뉴딜 정책을 추진하여 일자리를 창출하였다. ( )

(4) 독일과 이탈리아는 넓은 식민지를 이용하여 블록 경제를 구축하였다. ( )

3 물음에 알맞은 답을 써 보자.

(1) 파리 강화 회의 결과 연합국과 독일 사이에 체결된 조약의 이름은? ( )

(2) 레닌이 이끌었으며 10월 혁명을 주도한 세력은? ( )

(3) 일본이 하와이 진주만에 주둔한 미군을 공격하면서 발발한 전쟁은? ( )

4 다음 국가와 관련 사상을 옳게 연결해 보자.

(1) 독일 •   • ㉠ 군국주의

(2) 이탈리아 •   • ㉡ 파시즘

(3) 일본 •   • ㉢ 나치즘

1 제1차 세계 대전의 발발 배경으로 옳은 것은?

① 독·소 불가침 조약의 체결
② 독일의 막대한 배상금 지불 부담
③ 범게르만주의와 범슬라브주의의 대립
④ 독일의 무제한 잠수함 작전에 따른 피해
⑤ 민족 자결주의에 따른 신생 독립 국가의 탄생

 시험 단골

2 밑줄 친 ㉠에 해당하는 국가를 〈보기〉에서 모두 고른 것은?

> 19세기 후반에서 20세기 초반 제국주의 열강들은 각국의 이해관계에 따라 동맹을 맺었다. 이에 3국 협상과 ㉠3국 동맹이 결성되었다. 이후 동맹 관계로 얽혀있던 나라들이 잇달아 전쟁에 뛰어들면서 제1차 세계 대전이 확대되었다.

> 보기
> ㄱ. 영국   ㄴ. 독일
> ㄷ. 이탈리아   ㄹ. 오스트리아·헝가리

① ㄱ, ㄴ   ② ㄴ, ㄹ   ③ ㄷ, ㄹ
④ ㄱ, ㄴ, ㄷ   ⑤ ㄴ, ㄷ, ㄹ

3 다음 사건의 영향으로 옳은 것은?

독일의 무제한 잠수함 작전으로 영국 상선이 침몰하면서 미국인을 포함한 사상자가 다수 발생하였습니다.

① 사라예보 사건   ② 3국 동맹 결성
③ 3국 협상 결성   ④ 러시아 혁명 발발
⑤ 미국 참전 여론 고조

시험 단골

4 제1차 세계 대전 중에 볼 수 있는 장면으로 옳지 않은 것은?

① 군복을 만드는 독일 여성들
② 참호 속에서 대치하고 있는 병사
③ 국제 연합에서 파견된 평화 유지군
④ 철조망을 부수고 지나가는 영국 탱크
⑤ 화학 무기에 대비하여 방독면을 쓴 병사

5 밑줄 친 ㉠에 관한 설명으로 옳은 것은?

> 2월 혁명으로 수립된 공화국은 우리의 공화국이 아닙니다. ㉠이 정부가 수행하고 있는 전쟁은 우리의 전쟁이 아닙니다. 우리에게는 …… 노동자, 농민, 소비에트 이외에 그 어떤 정부도 필요 없습니다.
> – 레닌의 상트페테부르크 연설 –

① 차르의 퇴위를 반대하였다.
② 10월 혁명으로 수립되었다.
③ 독일과 강화 조약을 맺었다.
④ 볼셰비키의 혁명으로 붕괴되었다.
⑤ 소비에트 중심의 사회주의 정책을 펼쳤다.

시험 단골

6 러시아 혁명 과정에서 일어난 사건을 발생 순서대로 옳게 나열한 것은?

> ㄱ. 피의 일요일 사건
> ㄴ. 소비에트 정부 수립
> ㄷ. 전제 정치 붕괴 및 임시 정부 수립
> ㄹ. 소비에트 사회주의 공화국 연방 공식 선포

① ㄱ-ㄴ-ㄷ-ㄹ   ② ㄱ-ㄷ-ㄴ-ㄹ
③ ㄴ-ㄷ-ㄹ-ㄱ   ④ ㄷ-ㄱ-ㄹ-ㄴ
⑤ ㄹ-ㄷ-ㄱ-ㄴ

7 ㈎에 들어갈 내용으로 옳지 <u>않은</u> 것은?

> 역사 보고서 주제
> 1. 제1차 세계 대전의 특징: 참호전, 총력전, 신무기의 등장
> 2. 러시아 혁명의 영향: [㈎]
> 3. 전후 세계의 민족 운동: 중국·인도의 민족 운동

① 러·일 전쟁의 발발
② 프랑스 공산당 결성
③ 몽골 인민 공화국 성립
④ 모로코의 반프랑스 운동
⑤ 호찌민의 인도차이나 공산당 결성

고난도

8 ㈎에 들어갈 중국의 민족 운동에 관한 설명으로 옳지 <u>않은</u> 것은?

> 일본의 21개조 요구 → ㈎ → 제1차 국·공 합작

① 베이징 대학생들이 중심이 되었다.
② 중국 민족주의가 확대되는 결과를 낳았다.
③ 산둥반도에 대한 일본의 이권을 인정하였다.
④ 국민당과 공산당이 손을 잡는 계기가 되었다.
⑤ 민중의 적극적 참여에 힘입은 민족 운동이었다.

9 밑줄 친 '나'에 해당하는 인물로 옳은 것은?

> 나는 오스만 제국이 제1차 세계 대전에서 패하자 터키 공화국을 수립하였습니다. 또한 정치와 종교의 분리, 문자 개혁 등 근대화를 추진하였습니다.

① 간디 ② 장제스 ③ 리자 샤
④ 마오쩌둥 ⑤ 무스타파 케말

New 신유형

10 ㈎, ㈏에 들어갈 내용을 옳게 짝지은 것은?

> 제목: [㈎]
>
> 소금 행진
> 영국이 자치를 허용한다는 약속을 어기고 민족 운동을 탄압하자, [㈏] 을/를 중심으로 이와 같은 운동이 전개되었다.

	㈎	㈏
①	5·4 운동	간디
②	5·4 운동	네루
③	신문화 운동	네루
④	비폭력·불복종 운동	간디
⑤	비폭력·불복종 운동	장제스

11 다음은 1920~1930년대 주요 국가의 실업률을 나타낸 도표이다. 당시 상황에 대한 각국의 대응에 관한 설명으로 옳은 것은?

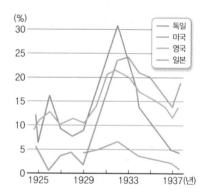

① 독일 – 블록 경제를 형성하였다.
② 영국 – 군부가 정권을 장악하였다.
③ 미국 – 사회 보장 제도를 폐지하였다.
④ 일본 – 군국주의를 추구하고 만주 사변을 일으켰다.
⑤ 프랑스 – 오스트리아를 병합하고 무력으로 침략하였다.

12 밑줄 친 '전쟁' 당시 있었던 사실로 옳지 <u>않은</u> 것은?

> 독일이 폴란드를 침공하자, 영국과 프랑스가 독일에 선전 포고를 하면서 <u>전쟁</u>이 발발하였다.

① 독일이 독·소 불가침 조약을 파기하였다.
② 탱크, 독가스 등 신무기가 처음 등장하였다.
③ 독일, 이탈리아, 일본이 추축국으로 참전하였다.
④ 미국은 일본의 두 지역에 원자 폭탄을 투하하였다.
⑤ 일본이 진주만을 공격하면서 태평양 전쟁이 발발하였다.

13 ㈎ 시기에 들어갈 내용으로 옳지 <u>않은</u> 것은?

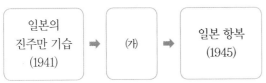

일본의 진주만 기습 (1941) ➡ ㈎ ➡ 일본 항복 (1945)

① 카이로 회담
② 이탈리아 항복
③ 노르망디 상륙 작전
④ 히로시마 원폭 투하
⑤ 독·소 불가침 조약 체결

세계사능력검정시험 응용 문제

14 다음 사건을 발생 순서대로 옳게 나열한 것은?

ㄱ. 노르망디 상륙 작전
ㄴ. 독일의 폴란드 침공

ㄷ. 스탈린그라드 전투
ㄹ. 얄타 회담

① ㄱ - ㄴ - ㄷ - ㄹ
② ㄴ - ㄱ - ㄷ - ㄹ
③ ㄴ - ㄷ - ㄱ - ㄹ
④ ㄷ - ㄱ - ㄹ - ㄴ
⑤ ㄹ - ㄷ - ㄱ - ㄴ

주관식·서술형 문제

15 다음 자료를 읽고 물음에 답하시오.

> ㈎ 국가를 떠나서는 인간과 영혼의 가치도 존재하지 않는다. …… 오직 전쟁만이 인간의 힘을 최고조에 이르게 하고 이에 직면할 용기를 가진 국민에게 고귀함을 부여한다.
> ㈏ 민족주의 국가는 인종을 모든 생활의 중심에 두어야 한다. …… 독일 민족에 상응하는 영토를 이 지상에서 확보해야 할 것이다.

(1) ㈎, ㈏에 드러난 전체주의 체제의 명칭과 이를 주창한 사람의 이름을 각각 쓰시오.

_____

_____

(2) ㈎, ㈏와 같은 사상이 등장하게 된 공통적인 배경에 대해 서술하시오.

_____

_____

16 다음은 제2차 세계 대전 중 천명된 헌장의 일부이다. 이것의 역사적 의의를 쓰고, 전후 평화를 위한 국제 사회의 다른 노력을 <u>두 가지 이상</u> 서술하시오.

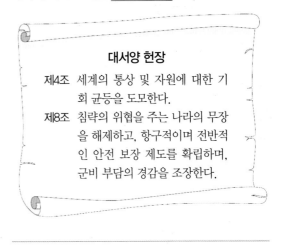

대서양 헌장
제4조 세계의 통상 및 자원에 대한 기회 균등을 도모한다.
제8조 침략의 위협을 주는 나라의 무장을 해제하고, 항구적이며 전반적인 안전 보장 제도를 확립하며, 군비 부담의 경감을 조장한다.

_____

_____

2 민주주의의 확산

① 확대되는 참정권

1 참정권의 확대
(1) 영국: 1832년에 선거법 개정으로 중간 계급에 투표권 부여 → 차티스트 운동 → 잇따른 선거법 개정으로 노동자 계급도 투표권 확보
(2) 프랑스: 1848년 2월 혁명 → 재산에 따른 투표권 제한 폐지, 남성 보통 선거 실시

2 여성 참정권 운동
(1) 배경: 여성들이 미국 혁명, 프랑스 혁명 등에 참여하며 영향력 행사
(2) 18세기 후반: 울스턴크래프트 등 여권 신장 주장
(3) 19세기 후반: 팽크허스트, 포셋 등 영국에서 여성 참정권 운동 전개

세계 각국의 성별 보통선거권 부여 시기		
국가	남성	여성
프랑스	1848년	1944년
영국	1918년	1928년
미국	1870년	1920년
일본	1925년	1945년
한국	1948년	1948년

3 보통 선거의 확대와 민주주의의 확산
(1) 보통 선거의 확대: 제1차 세계 대전 중 여성과 노동자, 농민의 사회 참여 확대 → 각국에서 보통 선거 시행, 여성 참정권 도입
(2) 민주주의의 확산
  ① 영국: 정당 정치가 안정적으로 유지
  ② 프랑스: 반파시즘 연대의 정치적 승리

② 발전하는 민주주의

1 노동자의 권리 확대
(1) 산업 혁명기: 낮은 임금, 열악한 작업 환경, 장시간 노동, 아동·여성의 노동 착취
(2) 노동 조건 개선을 위한 노력
  ① 영국의 공장법 제정: 아동과 여성의 노동 착취를 제한하는 등 노동자의 권리 보호
  ② 노동조합의 결성: 노동자들의 권리 수호 노력
  ③ 미국 노동자들의 총파업: 1886년 5월 1일 미국 노동자들의 8시간 노동제 요구 → 정부의 과잉 대응 → 헤이마켓 사건 발생
  ④ 국제 노동 기구(ILO)의 설립: 1919년 베르사유 조약을 바탕으로 1일 8시간, 1주 48시간 노동을 국제 표준으로 확립
  ⑤ 각국 정부의 노동 기본권 보장 노력: 노동자의 단결권, 단체 교섭권, 단체 행동권 등을 보장함으로써 노사 관계 안정 목적

2 사회권의 발전
(1) 배경: 참정권의 확대, 사회권에 대한 인식 성장
(2) 내용
  ① 독일: 비스마르크의 사회 보장 제도 도입(사회 보험, 연금 등)
  ② 영국: 「베버리지 보고서」에서 복지 국가의 이념 제시
  ③ 「세계 인권 선언」: 1948년 국제 연합(UN)이 채택, 인권에 사회권 포함

알아 두자! **시험 포인트**
• 참정권의 확대 과정
• 여성 참정권 운동의 내용
• 민주주의의 확산 과정
• 노동 조건 개선을 위한 노력
• 사회권의 확대 과정

+ 참정권
투표권을 비롯하여 정치에 참여할 수 있는 시민의 권리를 말한다. 오랫동안 재산의 소유 정도에 따라 그 범위가 제한되어 가난한 평민들은 정치에 참여할 권리를 누릴 수 없었다.

+ 정당 정치
정당을 바탕으로 이루어지는 정치 형태이다. 정당이 정권을 잡고 정치적 실권을 가진다.

+ 헤이마켓 사건
메이데이 총파업에 미국 정부가 노동자들을 과잉 진압하자, 이에 격분한 노동자들이 시카고 헤이마켓 광장에서 시위를 벌였다.

헤이마켓 광장에서 벌어진 집회

+ 사회권
현대 복지 국가에서 널리 인정받는 권리로 인간다운 생활을 할 권리를 말한다.

+ 복지 국가
일반적으로 국민의 생존권을 보장하고 복지의 증진과 행복의 추구를 국가의 중요한 임무로 하는 국가를 말한다.

놓치지 말자! 핵심 **자료**

자료 1 여성 참정권 운동

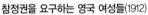

참정권을 요구하는 영국 여성들(1912)

경마장에 뛰어든 에밀리 데이비슨(1913)

여성들은 이미 오래전부터 사회적인 영향력을 행사하고 있었다. 하지만 19세기가 되어도 여성들은 정치에 참여할 권한이 없었고, 이에 여러 여성 운동가들이 참정권 운동을 벌였다. 1913년에는 영국에서 여성 사회 정치 연합(WSPU)의 에밀리 데이비슨(Emily Davison)이 경마 대회에서 달리는 국왕의 말 앞으로 뛰어들며 "여성에게 투표권을!"이라고 외쳤다. 그런데 언론은 왕의 말이 다쳤다는 기사를 주로 내보냈고 이에 분노한 전국의 여성 참정권 운동가들은 항의 운동을 펼쳤다.

자료 2 「베버리지 보고서」와 「세계 인권 선언」

> ### 「베버리지 보고서」(1942)의 내용
>
> 영국의 경제학자 윌리엄 베버리지는 전후 재건 과정 중에 반드시 처리해야 할 다섯 가지 사회악으로 궁핍, 질병, 무지, 나태, 불결을 지적하며, 국민 보험 체제를 통해 '요람에서 무덤까지' 사회 보장 서비스를 제공하는 계획을 권고하였다. 여기에는 가족 수당과 출산 보조금, 연금, 실업 수당, 무상 의료 등이 모든 국민에게 보편적으로 제공된다는 내용이 포함되었다.
>
> ### 「세계 인권 선언」(1948)의 사회권 조항
>
> 제25조 1항 모든 사람은 의식주, 의료, 사회 복지를 포함하여 자신과 가족의 건강과 안녕에 적합한 생활 수준을 누릴 권리가 있다. 실업, 질병, 장애, 배우자의 사망, 노령 또는 기타 어쩔 수 없는 상황으로 생계 곤란을 당한 경우에는 사회 보장을 요구할 권리가 있다.

1942년 영국의 경제학자 윌리엄 베버리지는 정부의 위촉을 받아 사회 복지와 관련된 보고서를 작성하였다. 여기에서 그는 전후 재건 과정에서 처리해야 할 다섯 가지 사회악을 지적하고, 국민 보험 체제 수립 계획을 권고하였다. 이 보고서는 복지 국가의 이념을 상징하며, 유럽과 미국의 사회 보장 제도에 영향을 큰 미쳤다. 1948년에는 국제 연합(UN)이 「세계 인권 선언」을 채택하였는데, 이 선언에는 인권의 개념에 사회권이 포함되어 있다. 두 사례를 통해 사회권이 크게 발전한 20세기의 상황을 파악할 수 있다.

함께 보자! **심화 자료**

군수 공장에서 일하는 여성 근로자들

여성 참정권은 1893년 뉴질랜드에서 처음으로 인정된 이래 서서히 확대되다가 특히 제1차 세계 대전 이후 더욱 확대되었어. 이는 총력전 당시 여성의 역할이 인정되었기 때문인데, 오래전부터 전개된 여성 참정권 운동이 누적된 결과이기도 하지.

점검하자! **시험 유형**

「베버리지 보고서」에 관한 자료를 제시하고 사회 보장 제도나 복지 국가에 대해 묻는 문제가 자주 출제되니 이를 잘 기억해 두자.

연습 문제 (가) 제도에 관한 설명으로 옳지 않은 것은?

> 영국의 경제학자 베버리지가 작성한 보고서는 유럽과 미국의 ⟨(가)⟩ 제도에 큰 영향을 끼쳤다. 보고서에서는 전후 재건 과정에서 반드시 처리해야 할 다섯 가지 사회악으로 궁핍, 질병, 무지, 나태, 불결을 지적하였다.

① 19세기 후반 독일에 도입되었다.
② 「베버리지 보고서」에서 강조되었다.
③ 20세기에 영국의 노동당이 옹호하였다.
④ 20세기에 스웨덴의 사회 민주당이 옹호하였다.
⑤ 산업 혁명 초기에 마련되어 노동자들의 권리를 보장해 주었다.

⑤ 정답

맥 잡는 연표 문제

○ 1802년 영국, 공장법 개정

○ 1832년 영국, 선거법 개정

○ 1848년 프랑스, ❶_____ 혁명

〔1850〕

○ 1886년 미국, 메이데이 총파업

○ 1898년 뉴질랜드, 여성 참정권 도입

〔1900〕

○ 1914년 제1차 세계 대전 발발

○ 1919년 국제 ❷_____ 설립
○ 1920년 미국, 여성 참정권 도입

○ 1928년 영국, ❸_____ 참정권 도입

○ 1939년 제2차 세계 대전 발발

○ 1942년 영국, 「❹_____ 보고서」 발표
○ 1944년 프랑스, 여성 투표권 인정

○ 1948년 국제 연합(UN), 「세계 인권 선언」 채택

〔1950〕

핵심 짚는 확인 문제

1 빈칸에 알맞은 말을 넣어 보자.

(1) (　　　　　)은/는 투표권을 비롯해 정치에 참여할 수 있는 시민의 권리를 말한다.

(2) 이탈리아 파시스트당과 독일 (　　　　　)은/는 집권 후에 일당 독재 체제를 구축하여 선거를 악용하거나 시행하지 않았다.

(3) 국제 노동 기구(ILO)는 1일 (　　　　　), 1주 48시간 노동을 국제 표준으로 확립하였다.

(4) 독일의 (　　　　　)은/는 연금, 사회 보험 등 사회 보장 제도를 도입하였다.

2 내용이 맞으면 O표, 틀리면 X표를 해 보자.

(1) 프랑스에서는 2월 혁명을 계기로 모든 사람의 투표권을 인정하게 되었다. (　　　)

(2) 영국에서 여성 참정권 운동은 제1차 세계 대전 이후 처음으로 시작되었다. (　　　)

(3) 1919년 베르사유 조약을 바탕으로 국제 노동 기구(ILO)가 설립되었다. (　　　)

(4) 「베버리지 보고서」는 연금은 개인에게 차별적으로 지급되어야 한다고 주장하였다. (　　　)

3 물음에 알맞은 답을 써 보자.

(1) 달리는 왕의 말에 달려들며 여성 참정권을 주장하였던 영국의 여성 운동가는?
(　　　　　　　)

(2) 현대 복지 국가에서 중요시되는 것으로 인간다운 삶을 누릴 권리를 말하는 용어는?
(　　　　　　　)

(3) '요람에서 무덤까지'로 요약되는 복지 국가 관련 보고서는? (　　　　　　　)

4 다음 국가와 관련 사건을 옳게 연결해 보자.

(1) 영국 ・　　　・ ㉠ 2월 혁명

(2) 프랑스 ・　　　・ ㉡ 헤이마켓 사건

(3) 미국 ・　　　・ ㉢ 차티스트 운동

1 ㈎에 들어갈 단어로 옳은 것은?

㈎ 에 대해 설명할 수 있나요?

㈎ 은/는 투표권을 비롯하여 정치에 참여할 수 있는 시민의 권리를 말해요.

① 참정권   ② 노동권   ③ 사회권
④ 단결권   ⑤ 단체 교섭권

2 다음 내용의 한계를 설명한 것으로 옳은 것은?

> 프랑스에서는 1848년 2월 혁명을 계기로 재산에 따른 투표권 제한이 폐지되었다.

① 아동들에도 참정권을 부여하였다.
② 여성의 참정권은 인정되지 않았다.
③ 중간 계급이 선거에서 배제되었다.
④ 노동자 계급은 여전히 선거에 참여할 수 없었다.
⑤ 얼마 지나지 않아 재산에 따른 선거권 제한이 부활하였다.

3 다음 인물들의 공통점으로 옳은 것은?

> • 울스턴크래프트   • 팽크허스트   • 포셋

① 파시스트당 가입
② 「인민 헌장」 발표
③ 헤이마켓 집회 참여
④ 차티스트 운동 전개
⑤ 여성 참정권 운동 전개

4 ㈎~㈐에 들어갈 내용으로 옳지 <u>않은</u> 것은?

주제: 여성 참정권의 확대	
학습 주제	학습 내용
1 여성 투표권의 인정	㈎
2 여성 운동가의 활동	㈏
3 여성 참정권 확대의 의미	㈐

① ㈎ - 제1차 세계 대전의 영향을 알아본다.
② ㈎ - 각국의 성별 투표권 부여 시기를 비교해 본다.
③ ㈏ - 비스마르크의 활동에 관해 알아본다.
④ ㈏ - 울스턴크래프트의 활동에 관해 알아본다.
⑤ ㈐ - 여성 참정권의 확대가 민주주의의 확산에 미친 영향에 대해 알아본다.

5 다음은 참정권의 확대에 관한 대화이다. 옳은 사실을 말한 학생은?

> **교사:** 지금부터 참정권의 확대 과정에 대해 이야기해 볼까요?
> **갑이:** 이탈리아는 2월 혁명으로 보통 선거를 도입하였어요.
> **을이:** 재산에 따른 참정권 제한은 시간이 지날수록 강화되었어요.
> **병이:** 팽크허스트와 포셋은 여성 참정권 운동에 반대하였어요.
> **정이:** 제1차 세계 대전은 노동자와 여성들이 참정권을 확대하는 데 영향을 미쳤어요.
> **무이:** 유럽 대부분의 국가들은 19세기 초반에 여성 참정권을 인정하였어요.

① 갑이   ② 을이   ③ 병이
④ 정이   ⑤ 무이

6 민주주의의 확산에 관한 설명으로 옳은 것을 〈보기〉에서 고른 것은?

> ㄱ. 독일 나치당은 전체주의 체제를 구축하였다.
> ㄴ. 이탈리아에서는 일당 독재 체제가 구축되었다.
> ㄷ. 영국에서는 정당 정치가 안정적으로 유지되었다.
> ㄹ. 프랑스에서는 파시스트에 반대하는 세력이 정권을 잡았다.

① ㄱ, ㄴ   ② ㄱ, ㄷ   ③ ㄴ, ㄷ
④ ㄴ, ㄹ   ⑤ ㄷ, ㄹ

7 시험 단골

다음은 영국 공장법의 변천 과정이다. 이를 통해 알 수 있는 사실로 옳은 것은?

> 1802년 도제들의 12시간 이상 노동 금지
>
> ⬇
>
> 1833년 18세 미만의 야간작업 금지
>
> ⬇
>
> 1844년 여성 노동자의 보호 조항 규정
>
> ⬇
>
> 1847년 여성과 아동의 10시간 노동 규정

① 나이에 따라 참정권을 제한하였다.
② 중간 계급에게 투표권을 부여하였다.
③ 아동과 여성의 노동 착취를 제한하였다.
④ 여성에게 군수 물자 생산을 담당하게 하였다.
⑤ 1주 48시간 노동을 국제 표준으로 확립하였다.

8 고난도

다음 조약의 명칭과 밑줄 친 '상설 기구'에 해당하는 것을 옳게 연결한 것은?

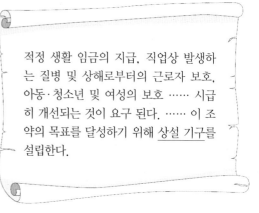

> 적정 생활 임금의 지급, 직업상 발생하는 질병 및 상해로부터의 근로자 보호, 아동·청소년 및 여성의 보호 …… 시급히 개선되는 것이 요구 된다. …… 이 조약의 목표를 달성하기 위해 상설 기구를 설립한다.

	조약	상설 기구
①	베르사유 조약	국제 연합(UN)
②	베르사유 조약	국제 노동 기구(ILO)
③	포츠머스 조약	유럽 연합(EU)
④	포츠머스 조약	국제 연합(UN)
⑤	포츠머스 조약	국제 노동 기구(ILO)

9 밑줄 친 ㉠에 해당하는 설명으로 옳지 <u>않은</u> 것은?

> 20세기 초반에 들어오면서 노동자의 권리에 대한 의식이 성장하였다. 이에 여러 나라들은 법으로 ㉠노동 기본권을 보장하고 있다.

① 노동자의 단결권을 보장하고 있다.
② 노동조합을 결성하는 것은 금지된다.
③ 노동자들이 단체로 행동할 수 있는 권리를 포함한다.
④ 노동자들이 단체로 사용자와 교섭할 수 있는 권리를 포함한다.
⑤ 각국 정부는 이를 보장함으로써 노사 관계를 안정시키고자 하였다.

10 다음 중 사회 보장 제도와 관련된 것으로 적절하지 않은 것은?

① 연금 제도　　② 가족 수당
③ 블록 경제　　④ 무상 의료
⑤ 출산 보조금

11 다음 중 사회권의 확대와 관련된 설명으로 옳지 않은 것은?

① 「베버리지 보고서」는 복지 국가 이념을 제시하였다.
② 제1차 세계 대전의 영향으로 여성 참정권이 크게 제한되었다.
③ 「세계 인권 선언」의 인권 개념에는 사회권이 포함되어 있다.
④ 사회권에 대한 인식이 생겨나면서 민주주의가 발전하였다.
⑤ 20세기에 영국의 노동당은 노동자 권리와 사회 보장 제도를 옹호하였다.

세계사능력검정시험 응용 문제

12 (가)에 들어갈 내용으로 옳은 것은?

```
역사 통합 검색  × +                    _ □ ×
←  → C  http://www.OOOO.co.kr       Q ⋮
백과사전 │비스마르크            ▼  검색
│ 검색결과
• 정치: 철혈 정책을 추진하였다.
• 경제: 군비를 확대하였다.
• 사회:        (가)
```

① 공장법을 제정하였다.
② 연금 제도를 폐지하였다.
③ 여성 참정권을 도입하였다.
④ 파시스트 세력과 연합하였다.
⑤ 사회 보장 제도를 도입하였다.

주관식·서술형 문제

13 다음 자료를 보고 물음에 답하시오.

성별 투표권 부여 시기		
국가	남성	여성
독일	1870년	1919년
미국	1870년	1920년
㉡ 영국	1918년	1928년 ㉠

(1) ㉠을 참고하여 이들 국가의 여성 투표권 인정에 영향을 준 사건을 쓰시오.

(2) ㉡에서 여성 참정권 운동을 벌였던 대표적인 인물과 주요 활동에 관해 서술하시오.

14 다음 빈칸에 공통적으로 들어갈 표현을 적고 이를 통해 알 수 있는 사회권의 의미에 관해 서술하시오.

영국의 경제학자가 작성한 베버리지 보고서는 유럽과 미국의 [   ] 제도에 큰 영향을 끼쳤다. 보고서에서는 전후 재건 과정에서 반드시 처리해야 할 다섯 가지 사회악으로 궁핍, 질병, 무지, 나태, 불결을 지적하며, 국민 보험 체제를 통해 '요람에서 무덤까지' [   ] 서비스를 제공하는 계획을 권고했다.

3 인권회복과 평화확산을위한노력

1 세계 대전으로 발생한 대량 학살과 인권 침해

1 대량 학살과 인권 침해
(1) 배경
  ① 전체주의의 등장: 파시즘, 나치즘, 군국주의 등의 체제가 민주주의 위협
  ② 극단적인 민족주의와 인종주의 등의 유행: 다른 민족과 인종에 대한 폭력 정당화
(2) 내용: 독일의 +홀로코스트, 일본의 난징 대학살, 일본군 '위안부', 소련 스탈린 체제하의 대량 학살 등

2 홀로코스트
(1) 개념: 20세기에 독일 나치즘이 벌인 유대인 학살
(2) 내용: 유대인 차별법 제정, 게토에 유대인 격리, +아우슈비츠 수용소로 이송 → 약 400만~600만 명의 유대인 학살

3 난징 대학살
(1) 개념: 1937년 중·일 전쟁 시기 일본군이 중화민국의 수도 난징에서 저지른 학살
(2) 내용: 수십만 명의 중국 민간인과 전쟁 포로 살해, 난징성 3분의 1 파괴 → 일본 정부의 모호한 입장, 일부 일본 학자들의 사실 부정 → 중국과 일본의 역사 분쟁

4 일본군 '위안부'
(1) 개념: 제2차 세계 대전 시기 일본군에 의해 성 노예로 강제 동원된 여성 피해자
(2) 내용: 중국, 조선, 타이완, 동남아시아 등 식민지 여성들을 각지의 '위안소'에 배치 → 피해자들, 일본 정부에 사법 소송 제기, 사과와 배상 요구 → 일본 정부의 정식 책임 인정 회피

2 세계 평화를 위한 노력

1 새로운 국제기구의 창설
(1) 배경: 국제 연맹의 한계(미국의 불참, 침략 행위를 제재할 군사력 미비) → +부전 조약 등 주요 국가들의 노력에도 불구하고 제2차 세계 대전 발발
(2) 국제 연합(UN)
  ① 미국, 소련을 포함한 강대국 대부분 참여
  ② 군사적 강제력과 무력 제재 수단 구비
  ③ 각종 보조 기구와 전문 기구에서 세계 여러 나라의 협력과 활동 지휘

2 국제 전범 재판

구분	뉘른베르크 전범 재판 (1945. 11. ~ 1946. 10.)	도쿄 전범 재판 (1946. 5. ~ 1948. 12.)
재판의 대상	고위급 전범 모두 수배 및 재판	고위급 전범 대부분 면책
생체 실험 처벌	「뉘른베르크 강령」을 통해 국제 실험 연구 윤리 제정	사법 거래로 생체 실험 자료를 미국에 건네고 감형 및 면제

3 다방면의 노력: +유럽 통합 운동, 공동 역사 교과서 제작 등

+ 홀로코스트
제물을 불에 태우는 제사라는 뜻의 그리스어에서 유래된 말로, 20세기 독일 나치즘이 벌인 유대인 학살을 말한다. 넓은 의미로는 인간이나 동물을 대량으로 학살하는 행위를 총칭한다.

+ 게토
소수 인종이나 소수 민족, 또는 소수 종교 집단이 거주하는 도시 안의 특정 구역을 말한다.

+ 아우슈비츠 수용소
제2차 세계 대전 당시 나치당이 폴란드 남부에 설치한 유대인 강제 수용소로, 이곳에서는 약 400만 명 이상의 유대인 및 폴란드인들이 학살되었다.

아우슈비츠 수용소 정문

+ 부전 조약
1928년 영국, 미국, 프랑스 등 15개 국가들이 분쟁 해결의 수단으로 무력을 사용하지 않겠다고 약속한 조약이다. 하지만 이 조약은 제2차 세계 대전을 막지 못하였다.

+ 유럽 통합 운동
유럽과 그 주변국들이 평화 유지와 경제 재건을 위해 블록을 형성해 가는 과정으로 유럽 연합(EU)이 그 중심 역할을 하고 있다.

놓치지 말자! 핵심 **자료**

자료 ① 일본군 '위안부'

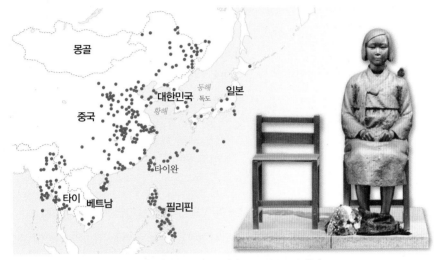

일본군 '위안소' 추정 위치(좌)와 평화의 소녀상(우)

일본군 '위안부'란 제2차 세계 대전 당시 강제 동원되어 일본군이 주둔하는 지역에 설치된 '위안소'에 배치되었던 여성 피해자들을 말한다. 당시 일본은 우리나라를 비롯하여 중국, 타이완, 필리핀, 인도네시아 등에서 수십만 명에 달하는 여성들을 강제로 동원하였다. 그러나 일본은 일본군 '위안부' 피해자들의 증언을 정식으로 인정하지 않고 있다. 여전히 일본 정부는 침묵과 무대응으로 일관하고 있으며, 그 사이 피해자들은 세상을 떠나고 있다.

자료 ② 국제 전범 재판

뉘른베르크 재판에 기소된 전범들

전쟁 책임자로 지목된 도조 히데키

제2차 세계 대전 이후 독일의 뉘른베르크에서는 주요 나치 전범을 처벌하기 위한 국제 군사 재판이 열렸다. 24명이 기소되고 괴링 등 주요 인물 12명이 사형을, 3명은 종신형을 선고 받았다. 한편 일본의 도쿄에서 열린 재판에서는 도조 히데키를 포함한 7명이 사형을 선고받았다. 그러나 이 재판은 전쟁의 핵심 책임자인 히로히토 천황을 제외한 채 진행되었고, 생체 실험을 자행한 '731부대' 역시 처벌받지 않았다는 한계가 있다.

점검하자! **시험 유형**

일본군 '위안부'에 관한 자료를 제시하고 문제 해결을 위한 우리의 노력과 일본 정부의 대응 방식 등을 묻는 문제가 자주 출제되니 이를 잘 기억해 두자.

연습 문제 다음 사진에 관한 설명으로 옳은 것은?

① 조선인 여성들의 피해만 강조한다.
② 일본 정부가 피해자들의 증언을 듣기 위해 설치하였다.
③ 일본군이 주둔한 지역에 설치된 모든 '위안소'에 세워졌다.
④ 일본 정부가 피해에 대해 공식 사과한 것을 기념한 것이다.
⑤ 일본군 '위안부' 문제에 대한 진상 규명과 책임 이행 등을 촉구하기 위해 세워졌다.

⑤ 답정

함께 보자! **심화 자료**

무릎을 꿇고 사죄하는 독일 총리

1970년 12월 폴란드를 방문한 서독의 총리 브란트는 유대인 위령탑을 찾아 무릎을 꿇고 사죄하였다. 하지만 일본 총리와 정치인들은 전쟁 범죄자들을 안치한 야스쿠니 신사에 참배를 하고 있지.

맥 잡는 연표 문제

1900

1914년 제1차 세계 대전 발발

1919년 파리 강화 회의 개최
1920년 국제 ❶ _____ 창설

1928년 부전 조약 체결

1931년 만주 사변

1937년 일본 ❷ _____ 대학살

1939년 제2차 세계 대전 발발

1941년 「대서양 헌장」 발표

1945년 독일, 일본 항복
　　　　국제 ❸ _____ 창설
　　　　뉘른베르크 전범 재판 개최
1946년 ❹ _____ 전범 재판 개최

1950

1970년 서독 총리, 폴란드 방문

핵심 짚는 확인 문제

1　빈칸에 알맞은 말을 넣어 보자.

(1) 독일 나치즘이 벌인 유대인 학살을 (　　　　)(이)라고 한다.

(2) 일본군 (　　　　) 피해자들은 일본 정부에 사과와 배상을 요구하고 있다.

(3) 1937년 일본은 (　　　　)을/를 점령하고 수십만 명의 중국인 민간인을 학살하였다.

(4) 제1차 세계 대전 이후 주요 국가들이 군비 축소 회의를 열고 (　　　　)을/를 체결하였다.

2　내용이 맞으면 O표, 틀리면 X표를 해 보자.

(1) 전체주의 국가들은 다른 민족과 인종에 대한 존중으로 게토를 설치하였다. (　　　)

(2) 미국은 제창국으로서 국제 연맹에 주도권을 가지고 참여하였다. (　　　)

(3) 유럽인들은 전후 평화를 위하여 공동의 역사 교과서를 제작하기도 하였다. (　　　)

(4) 잔악한 생체 실험을 진행한 일본의 '731부대'는 재판을 면제받았다. (　　　)

3　물음에 알맞은 답을 써 보자.

(1) 소수 인종, 민족, 종교 집단이 거주하는 특정 구역을 가리키는 단어는? (　　　　)

(2) 일본군 '위안부' 문제에 대한 진상 규명과 책임 이행 등을 촉구하며 세워진 상징물은?
(　　　　)

(3) 1945년 창설되었으며, 군사적 제재 수단을 갖춘 국제 기구는? (　　　　)

4　다음 국가와 관련 유적을 옳게 연결해 보자.

(1) 폴란드 •　　　• ㉠ 아우슈비츠 수용소

(2) 한국 •　　　• ㉡ 난징 대학살 희생자 기념관

(3) 중국 •　　　• ㉢ 전쟁과 여성 인권 박물관

1 밑줄 친 내용의 배경으로 옳은 것을 〈보기〉에서 고른 것은?

이 그림은 피카소가 1937년 에스파냐 내전 당시 독일 나치에 의해 바스크족의 수도인 게르니카가 폭격당한 사건을 담아 그린 것이다. 그림에는 상처입은 동물들과 절규하는 사람들이 묘사되어 있으며, 이때 나치의 폭격으로 1,500여 명의 민간인이 희생되었다.

〈보기〉
ㄱ. 전체주의를 표방한 나치즘이 등장하였다.
ㄴ. 소수 종교 집단을 존중하는 분위기가 형성되었다.
ㄷ. 참정권이 확대되고 사회권이 인정되면서 민주주의가 확산되었다.
ㄹ. 극단적인 민족주의와 인종주의 등이 유행하여 다른 민족과 인종에 대한 폭력을 정당화하였다.

① ㄱ, ㄴ   ② ㄱ, ㄷ   ③ ㄱ, ㄹ
④ ㄴ, ㄷ   ⑤ ㄴ, ㄹ

2 다음 사건들의 공통점으로 옳은 것은?

• 독일의 홀로코스트
• 일본의 난징 대학살

① 모두 중국에서 발생하였다.
② 극단적인 민족주의가 배경이 되었다.
③ 제1차 세계 대전 당시 발생한 사건이다.
④ 나치즘에 의해 대량 학살이 발생하였다.
⑤ 유대인들을 차별하는 제도가 적용되었다.

3 ㈎에 관한 설명으로 옳은 것을 〈보기〉에서 모두 고른 것은?

[㈎]은/는 1937년 일본군이 중화민국의 수도 난징을 점령하면서 저지른 대규모 전쟁 범죄이다. 이 사건으로 난징성의 3분의 1이 파괴되었다고 한다.

〈보기〉
ㄱ. 중·일 전쟁 중에 발생하였다.
ㄴ. 난징을 빼앗긴 것에 대한 일본의 보복 조치였다.
ㄷ. 중국인들이 게토에 수용되어 노동을 강요당하였다.
ㄹ. 일부 일본 역사 학자들은 해당 사실을 부정하고 있다.

① ㄱ, ㄴ   ② ㄱ, ㄹ   ③ ㄴ, ㄷ
④ ㄱ, ㄴ, ㄹ   ⑤ ㄴ, ㄷ, ㄹ

시험 단골

4 ㈎에 들어갈 내용으로 가장 적절한 것은?

UCC 만들기 수행평가
〈주제: 대량 학살과 인권 침해〉
장면 1: 대량 학살의 배경
장면 2: 독일 – 홀로코스트로 인한 민간인 학살
장면 3: 일본 – [㈎]
장면 4: 일본 – 일본군 '위안부' 피해자 할머니 인터뷰

① 게토에 격리된 유대인
② 난징 대학살로 인한 피해
③ 스탈린 체제하의 대량 학살
④ 아우슈비츠에 수용된 폴란드인
⑤ 유대인 위령탑에서 사죄하는 브란트 수상

5 밑줄 친 ㉠에 관한 설명으로 옳지 <u>않은</u> 것은?

> 2017년 필리핀에 ㉠<u>일본군 '위안부' 피해 여성</u>들을 기리기 위한 동상이 세워졌다. 하지만 최근 필리핀 정부는 일본의 경제적 도움을 받기 위해 일본 정부의 공식 사죄와 배상 없이 동상을 철거해 버렸다.

① 일본군에 의해 '위안소'에 강제 동원되었다.
② 일본이 전쟁을 통해 여성에 대한 폭력을 정당화한 사례이다.
③ 일본 군국주의에 의해 여성들의 인권이 침해당한 사례이다.
④ 조선, 중국, 동남아시아 등 식민지 여성들이 대상이 되었다.
⑤ 일본 정부는 피해자들에 대한 배상 책임을 정식으로 인정하고 사죄하였다.

6 밑줄 친 '이 기구'에 해당하는 설명으로 옳은 것은?

> 제2차 세계 대전 이후 국제 평화를 위해 설치된 이 기구의 상징입니다.

① 미국과 소련은 참가하지 않았다.
② 무력 제재 수단을 갖추지 않았다.
③ 군사적 강제력을 행사할 권한이 없다.
④ 전문 기구를 통해 국가들 간 협력을 지휘한다.
⑤ 베르사유 조약을 체결하여 독일을 응징하였다.

시험 단골

7 두 기구의 공통된 특징으로 옳은 것은?

> 국제
> 연맹

> 국제 연합
> (UN)

① 군사적 제재 수단을 갖추었다.
② 베르사유 조약에서 규정되었다.
③ 파리 강화 회의에서 결정되었다.
④ 세계 대전의 영향으로 창설되었다.
⑤ 전체주의 국가들의 주도로 창설되었다.

고난도

8 (가)에 들어갈 내용으로 옳은 것은?

	뉘른베르크 전범 재판	도쿄 전범 재판
특징	고위급 전범이 모두 재판을 받았다.	(가)

① 일본 천황이 사형을 선고받았다.
② 도조 히데키가 전쟁 책임자로 지목되었다.
③ 제2차 세계 대전이 끝난 후 중국에서 열렸다.
④ 731부대의 생체 실험은 강력한 처벌을 받았다.
⑤ 독일 나치당의 전쟁 범죄자를 처벌하기 위한 재판이었다.

시험 단골

9 제2차 세계 대전 이후 세계 평화를 위한 노력으로 옳지 <u>않은</u> 것은?

① 프랑스와 독일은 공동으로 역사 교과서를 제작하였다.
② 국제 연합을 설치하여 국가 간 협력을 도모하고자 하였다.
③ 국제 전범 재판을 통해 전쟁 책임자들을 처벌하고자 하였다.
④ 유럽과 그 주변국들이 평화 유지를 위해 유럽 통합을 추진하였다.
⑤ 국제 사회는 전쟁 책임자들을 모두 처벌하고 역사 분쟁을 평화적으로 해결하였다.

New
신유형

10 다음에서 설명하고 있는 국가는?

> • 총리가 유대인 위령탑에 찾아가 무릎을 꿇고 사죄하였다.
> • 아우슈비츠가 해방된 날을 기념하고 있다.

① 일본   ② 독일   ③ 미국
④ 영국   ⑤ 이탈리아

주관식·서술형 문제

12 다음 자료를 읽고 물음에 답하시오.

> 이것은 제물을 '불에 태우는 제사'라는 뜻의 그리스어에서 유래된 말로, 20세기에 독일 나치즘이 벌인 학살을 가리키는 용어이다. 대표적인 예로는 폴란드의 아우슈비츠에서 ____(가)____

(1) 밑줄 친 '이것'에 해당하는 용어를 쓰시오.

_____

(2) (가)를 서술하여 문장을 완성하시오.

_____
_____

세계사능력검정시험 응용 문제

11 밑줄 친 '이곳'에 관한 설명으로 옳은 것을 〈보기〉에서 고른 것은?

> • 이곳은 제2차 세계 대전 당시 나치당이 폴란드 남부에 설치한 강제 수용소이다.
> • 이곳에서는 약 400만 명 이상의 민간인들이 학살되었다.

보기
> ㄱ. 가스실에서 유대인들이 대량으로 학살되었다.
> ㄴ. 독일 나치당에 의해 홀로코스트가 벌어진 장소이다.
> ㄷ. 중국, 조선, 타이완, 동남아시아 등지에 설치되었다.
> ㄹ. 일본군에 의해 세계 각지의 여성들이 강제로 동원되었던 장소이다.

① ㄱ, ㄴ   ② ㄱ, ㄷ   ③ ㄴ, ㄷ
④ ㄴ, ㄹ   ⑤ ㄷ, ㄹ

13 밑줄 친 ㉠이 국제적인 쟁점이 되는 이유에 대해 서술하시오.

> 최근 대한민국 정부는 아베 신조 일본 총리가 야스쿠니 신사에 다시 공물을 보내고 일본의 정치인들이 야스쿠니 신사를 찾아 집단으로 참배한 것에 대한 우려를 표명하였다. 매년 일본 총리와 정치인들은 제2차 세계 대전 종전 기념일에 ㉠야스쿠니 신사에 참배를 하여 국제적인 이슈가 되고 있다.

_____
_____
_____

1 다음 대립을 배경으로 일어난 사건에 관한 설명으로 옳은 것은?

① 미국이 연합국 측으로 참전하였다.
② 원자 폭탄이 처음으로 사용되었다.
③ 러시아는 전쟁 막바지에 참전하였다.
④ 독일이 소련과 불가침 조약을 파기하였다.
⑤ 스탈린그라드 전투를 계기로 연합군이 승기를 잡았다.

2 (가) 전쟁의 특징으로 옳은 것을 〈보기〉에서 모두 고른 것은?

> 1914년 6월 28일, 사라예보 사건이 발생하였다. 이에 오스트리아·헝가리 제국이 세르비아에 선전 포고를 하면서 ＿＿＿(가)＿＿＿ 이/가 일어났다.

보기
ㄱ. 남성들만 군수 물자를 생산하였다.
ㄴ. 탱크, 비행기 등 신무기가 등장하였다.
ㄷ. 식민지를 가혹하게 수탈하여 전쟁에 이용하였다.
ㄹ. 참호를 깊게 파고 대치하는 참호전이 전개되었다.

① ㄱ, ㄷ   ② ㄴ, ㄷ   ③ ㄷ, ㄹ
④ ㄱ, ㄷ, ㄹ   ⑤ ㄴ, ㄷ, ㄹ

3 다음 자료에서 설명된 회의로 옳은 것은?

> • 제1차 세계 대전이 끝난 후 승전국들이 전후 처리를 의논하기 위해 개최한 회의
> • 국제 연맹의 창설, 베르사유 조약의 내용 등 논의

① 얄타 회의
② 카이로 회의
③ 포츠담 회의
④ 파리 강화 회의
⑤ 샌프란시스코 강화 회의

4 다음은 러시아 혁명 과정을 나타낸 자료이다. (가), (나)에 들어갈 내용을 옳게 연결한 것은?

| 피의 일요일 사건 | → | (가)의 장기화 | → | 10월 혁명 | → | (나) 수립 |

	(가)	(나)
①	러·일 전쟁	임시 정부
②	러·일 전쟁	소비에트 정부
③	제1차 세계 대전	임시 정부
④	제1차 세계 대전	러시아 제국
⑤	제1차 세계 대전	소비에트 정부

5 다음 활동을 전개한 인물로 옳은 것은?

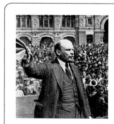

> • 4월 테제 발표
> • 10월 혁명 주도
> • 볼셰비키 일당 독재 체제 확립
> • 소비에트 사회주의 공화국 연방 수립

① 간디   ② 레닌   ③ 쑨원
④ 네루   ⑤ 마오쩌둥

6 밑줄 친 ㉠에 관한 설명으로 옳은 것은?

> 중국의 국민당과 공산당은 1924년 ㉠ 제1차 국·공 합작을 통해 손을 잡았다.

① 일본의 21개조 요구를 수용하였다.
② 5·4 운동이 일어나는 계기가 되었다.
③ 쑨원이 공산당을 공격하면서 해체되었다.
④ 위안스카이와 마오쩌둥이 협력한 결과이다.
⑤ 군벌과 제국주의를 타도할 목적으로 이루어졌다.

7 다음 사건과 관련된 국가로 옳은 것은?

> • 리자 샤의 왕정 폐지
> • 1925년 팔레비 왕조 수립

① 이란   ② 인도   ③ 중국
④ 이집트   ⑤ 오스만 제국

8 다음 민족 운동이 전개된 지역으로 옳은 것은?

> 와프드당을 중심으로 민족 운동을 전개한 끝에 영국에서 벗어나 독립을 이루었다(1922).

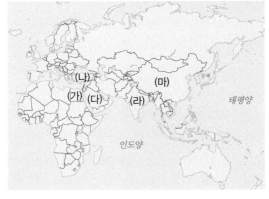

① (가)   ② (나)   ③ (다)   ④ (라)   ⑤ (마)

9 1929년 미국에서 다음과 같은 상황이 발생하였다. 이에 관한 설명으로 옳지 않은 것은?

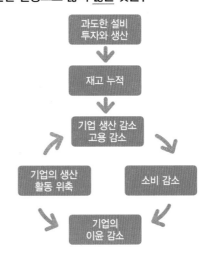

① 이와 같은 상황을 대공황이라고 한다.
② 당시 미국에서만 대공황이 발생하였다.
③ 미국에서는 실업자가 폭발적으로 증가하였다.
④ '실업률 증가, 소비 감소'의 악순환이 발생하였다.
⑤ 주가가 폭락하며 많은 기업과 은행이 도산하였다.

10 (가) 전쟁에 관한 설명으로 옳지 않은 것은?

> 독일의 나치즘과 이탈리아의 파시즘, 일본의 군국주의가 부상하자, 전체주의 국가들은 노골적인 대외 팽창의 야심을 드러냈다. 이에 [(가)] 이/가 발발하였다.

① 독일, 이탈리아, 일본이 추축국을 이루었다.
② 소련이 독·소 불가침 조약을 먼저 파기하였다.
③ 홀로코스트와 같은 민간인 대량 학살이 자행되었다.
④ 전후 독일은 영국, 프랑스, 소련에 의해 분할 점령되었다.
⑤ 전후 도쿄 전범 재판에 히로히토 천황은 참가하지 않았다.

11 다음 (가), (나) 국가의 민주주의 확산 과정에 관한 내용으로 옳지 <u>않은</u> 것은?

① (가) – 1832년에 선거법 개정으로 중간 계급이 투표권을 부여 받았다.
② (가) – 노동자들이 참정권을 획득하기 위해 차티스트 운동을 전개하였다.
③ (나) – 파시즘에 저항하는 세력이 정권을 잡았다.
④ (나) – 자국의 식민지를 이용하여 블록 경제를 형성하였다.
⑤ (가), (나) – 20세기에 여성 참정권을 도입하였다.

12 다음과 같은 상황을 해결하기 위해 당시 영국 정부가 취한 정책으로 옳은 것은?

갱도를 따라 석탄 수레를 끄는 아동들의 모습을 묘사한 작품이다. 산업 혁명 초기에 노동자들은 낮은 임금을 받고 열악한 작업 환경에서 장시간 노동하였다.

① 공장법을 제정하였다.
② 여성 참정권을 도입하였다.
③ 여성 노동 시간을 연장하였다.
④ 아동의 야간 작업을 허용하였다.
⑤ 노동자들의 단결권을 폐지하였다.

13 다음 자료와 관련된 사건에 관한 설명으로 옳은 것은?

폴란드 남부의 오시비엥침에는 아우슈비츠 수용소가 있다. 이 수용소에서는 400만 명 이상의 사람들이 학살되었다. 소용소에 남아 있는 물건들은 당시의 처참한 상황을 보여 준다.

① 일본군에 의해 자행되었다.
② 희생자들은 대부분 독일인이었다.
③ 1937년 중·일 전쟁에서 일어난 학살이다.
④ 극단적인 인종주의로 인한 홀로코스트이다.
⑤ 이에 대한 책임을 묻는 재판이 영국에서 열렸다.

14 다음 사건이 발생한 시기를 연표에서 옳게 고른 것은?

주요 국가들은 군비 축소 회의를 열고 부전 조약에 참여하였다. 부전 조약을 통해 영국, 미국, 프랑스 등 15개 국가들이 분쟁 해결의 수단으로 무력을 사용하지 않겠다고 약속하였다.

	(가)	(나)	(다)	(라)	(마)
사라예보 사건		파리 강화 회의	국제 연맹 창설	난징 대학살	태평양 전쟁	국제 연합 창설

① (가)　② (나)　③ (다)　④ (라)　⑤ (마)

15 다음 자료를 보고 물음에 답하시오.

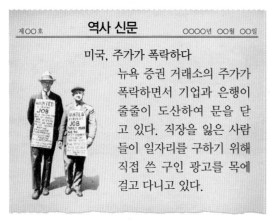

제○○호 **역사 신문** ○○○○년 ○○월 ○○일

미국, 주가가 폭락하다

뉴욕 증권 거래소의 주가가 폭락하면서 기업과 은행이 줄줄이 도산하여 문을 닫고 있다. 직장을 잃은 사람들이 일자리를 구하기 위해 직접 쓴 구인 광고를 목에 걸고 다니고 있다.

(1) 위와 같은 상황을 극복하기 위해 미국이 시행한 정책의 명칭과 구체적인 내용을 서술하시오.

(2) 위와 같은 상황에 영국과 독일은 어떻게 대응하였는지 비교하여 서술하시오.

16 다음은 영국의 선거법 개정 과정을 나타낸 자료이다. 밑줄 친 ㉠과 ㉡을 참고하여 1차와 4차에 개정된 선거법 내용의 한계에 대해 각각 서술하시오.

구분	연도	대상
1차	1832년	㉠중간 계급
2차	1867년	도시 노동자, 소시민
3차	1884년	소작농 및 농업·광산 노동자
4차	1918년	남자 21세 이상, ㉡여자 30세 이상

17 ㈎와 ㈏에서 공통으로 추구하는 권리를 쓰고, 그 뜻을 서술하시오.

㈎ 모든 사람은 의식주, 의료, 사회 복지를 포함하여 자신과 가족의 건강과 안녕에 적합한 생활 수준을 누릴 권리가 있다.
－「세계 인권 선언」－

㈏ 영국의 경제학자 베버리지는 국민 보험 체제를 통해 '요람에서 무덤까지' 사회 보장 서비스를 제공하는 계획을 권고하였다.

18 다음 자료를 보고 물음에 답하시오.

구분		제1차 세계대전	제2차 세계대전
배경		㈎	독·이·일 추축 형성
㉠	관련사건	무제한 잠수함 작전	노르망디 상륙 작전
㉡	피해상황	난징 대학살, 일본군 '위안부'	홀로코스트, 강제 수용소 설치
㉢	관련기구	국제 연맹	국제 연합(UN)

주제: 세계 대전과 대량 학살

(1) ㈎에 들어갈 내용을 서술하시오.

(2) ㉠~㉢ 중 틀린 내용을 고르고 그 까닭을 서술하시오.

VI 현대 세계의 전개와 과제

이 대주제를 배우면

냉전 체제, 세계화가 가져온 변화, 탈권위주의 운동과 대중문화의 발달, 현대 세계가 당면한 문제의 해결 노력을 살펴볼 수 있어요.

📓 나의 학습 계획표

중주제	학습 코너	쪽수	학습 예정일	학습 완료일	달성도
1 냉전 체제와 제3 세계의 형성	기억하자! 핵심 내용	164쪽	◯월 ◯일	◯월 ◯일	☆☆☆☆☆
	놓치지 말자! 핵심 자료	165쪽	◯월 ◯일	◯월 ◯일	☆☆☆☆☆
	되짚어 보자! 기본 개념	166쪽	◯월 ◯일	◯월 ◯일	☆☆☆☆☆
	키워 보자! 실력 쑥쑥	167~169쪽	◯월 ◯일	◯월 ◯일	☆☆☆☆☆
2 세계화와 경제 통합	기억하자! 핵심 내용	170쪽	◯월 ◯일	◯월 ◯일	☆☆☆☆☆
	놓치지 말자! 핵심 자료	171쪽	◯월 ◯일	◯월 ◯일	☆☆☆☆☆
	되짚어 보자! 기본 개념	172쪽	◯월 ◯일	◯월 ◯일	☆☆☆☆☆
	키워 보자! 실력 쑥쑥	173~175쪽	◯월 ◯일	◯월 ◯일	☆☆☆☆☆
3 탈권위주의 운동과 대중문화의 발달	기억하자! 핵심 내용	176쪽	◯월 ◯일	◯월 ◯일	☆☆☆☆☆
	놓치지 말자! 핵심 자료	177쪽	◯월 ◯일	◯월 ◯일	☆☆☆☆☆
	되짚어 보자! 기본 개념	178쪽	◯월 ◯일	◯월 ◯일	☆☆☆☆☆
	키워 보자! 실력 쑥쑥	179~181쪽	◯월 ◯일	◯월 ◯일	☆☆☆☆☆
4 현대 세계의 문제 해결을 위한 노력	기억하자! 핵심 내용	182쪽	◯월 ◯일	◯월 ◯일	☆☆☆☆☆
	놓치지 말자! 핵심 자료	183쪽	◯월 ◯일	◯월 ◯일	☆☆☆☆☆
	되짚어 보자! 기본 개념	184쪽	◯월 ◯일	◯월 ◯일	☆☆☆☆☆
	키워 보자! 실력 쑥쑥	185~187쪽	◯월 ◯일	◯월 ◯일	☆☆☆☆☆
정리해 보자! 대주제 탄탄		188~191쪽	◯월 ◯일	◯월 ◯일	☆☆☆☆☆

1 냉전 체제와 제3 세계의 형성

1 냉전 체제의 성립

1 냉전 체제의 형성
(1) **냉전**: 직접적인 무력을 사용하지 않고 경제, 외교, 정보 등을 수단으로 하는 국제적인 대립과 긴장 상태
(2) 제2차 세계 대전 이후의 세계 정세
  ① 미국과 소련의 대립 격화
  ② 공산주의 세력의 확산(동유럽에 공산주의 정권 수립, 그리스·터키 등지에서 공산주의 세력 부상)
(3) 미국 중심의 자본주의 진영
  ① **트루먼 독트린**: 미국의 트루먼 대통령이 공산주의 세력 확산을 막고자 발표
  ② **마셜 계획**: 전쟁으로 파괴된 유럽 경제 재건을 위한 미국의 원조 계획
  ③ 북대서양 조약 기구(NATO): 상호 군사 원조와 집단 방위 강화
(4) 소련 중심의 공산주의 진영
  ① 공산당 정보국(코민포름), 경제 상호 원조 회의(코메콘): 공산주의 국가 단결
  ② 바르샤바 조약 기구(WTO): 북대서양 조약 기구에 대응
(5) 미·소 대립의 격화: 미국 중심의 자본주의 진영과 소련 중심의 공산주의 진영이 대립 → 소련의 베를린 봉쇄(1948) → 베를린 장벽 설치(1961)

2 냉전의 확산과 열전의 전개
(1) 냉전의 확산: 서구 지역에서는 정면충돌 미발 → 비서구 지역에서 열전으로 확산
(2) **열전의 전개**: 6·25 전쟁, 쿠바 미사일 위기, 베트남 전쟁 등

2 아시아·아프리카의 독립과 제3 세계의 형성

1 제2차 세계 대전 이후 아시아·아프리카 각국의 독립
(1) 배경: 아시아·아프리카 각국의 민족 운동 → 제2차 세계 대전 이후 독립
(2) 전개

> **Why?** 인도는 힌두교, 파키스탄은 이슬람교가 주요 종교여서 종교적 차이가 있었기 때문이지.

  ① 인도: 1947년 영국으로부터 독립 → 인도와 파키스탄으로 분리
  ② 동남아시아: 필리핀, 미얀마, 인도네시아 등 독립 쟁취
  ③ 아프리카: 1957년 가나 독립, 1960년 17개국 독립(아프리카의 해)
  ④ 알제리: 1954년 민족 해방 전선 결성 → 독립 전쟁 → 프랑스로부터 독립

2 비동맹 노선을 채택한 제3 세계의 등장
(1) 배경: 제2차 세계 대전 이후 반제국주의 내세운 아시아·아프리카 신생 독립국 대거 출현
(2) 등장: 아시아·아프리카의 신생 독립국들이 비동맹 노선 채택하며 성립
(3) 「평화 5원칙」: 1954년, 중국의 저우언라이와 인도의 네루가 발표, 이념을 초월한 인류 평화 호소, 상호 존중, 평화 공존
(4) 「평화 10원칙」: 1955년, 인도네시아 반둥에서 열린 아시아·아프리카 회의에서 채택, 29개의 참여국이 국제 분쟁의 평화적 해결, 상호 존중 등의 원칙 제시
(5) 결과: 미·소 중심의 냉전에 기초한 세계 질서가 흔들리는 데 큰 영향

✚ **열전(Hot War)**
냉전(Cold War)의 반의어이다. 즉 직접적인 무력을 사용한 맹렬한 전쟁을 말한다.

✚ **쿠바 미사일 위기(1962)**
냉전 시기 소련이 미국과 가까운 쿠바에 미사일 기지를 설치하여 양국이 핵전쟁 발발 직전 상황까지 치달았던 사건이다.

쿠바 미사일 위기 풍자화

✚ **베트남 전쟁**
공산당이 지배하는 북베트남과 미국의 지원을 받은 남베트남 사이에서 일어난 전쟁이다. 남베트남이 항복하며 종결되었다.

베트남 전쟁의 모습

✚ **비동맹 노선**
미국 중심 자본주의와 소련 중심 공산주의 진영 어느 쪽과도 동맹하지 않는 또 다른 노선을 뜻한다. 주로 아시아·아프리카의 신생국들이 이 노선을 선택하였다.

놓치지 말자! 핵심 **자료**

자료 ① 공산주의 세력의 확산을 막아라, 트루먼 독트린

오늘날 전 세계의 거의 모든 나라는 두 가지 생활 방식 중 하나를 선택해야 합니다. …… 나는 모든 민족이 자유로운 상황에서 운명을 스스로 결정할 수 있도록 우리가 도와야 한다고 믿습니다. 그래서 무엇보다 재정적인 지원을 염두에 두고 있습니다.

– 트루먼 대통령의 의회 연설, 1947 –

독일 나치즘을 공통의 적으로 삼고 제2차 세계 대전에서 손을 잡았던 미국과 소련은, 전쟁 종료 후 대립하게 되었다. 자본주의에 대한 반발로 발생한 공산주의는 소련을 중심으로 빠르게 퍼져 나갔다. 이를 우려한 미국은 공산주의의 확산을 막고 여러 나라들을 자본주의 진영으로 끌어들이기 위해 군사·경제적으로 지원한다는 원칙을 세우게 되었다. 이것이 트루먼 독트린이다. 트루먼 독트린에 따라 미국은 마셜 계획을 발표하고 그리스 등 공산주의에 반대하는 세력에게 지원을 아끼지 않았다.

자료 ② 냉전 시기 두 진영의 대립, 그리고 베를린

위 지도처럼 미국 중심의 자본주의 진영과 소련 중심의 공산주의 진영이 이념·정치·외교적으로 대립하는 국제 정세를 냉전 체제라고 부른다. 이러한 냉전의 대결 구도가 표면적으로 드러난 곳이 바로 독일 베를린이었다. 제2차 세계 대전 이후 독일은 미국·영국·프랑스가 점령한 서독과 소련이 점령한 동독으로 갈라졌다. 문제는 미국, 프랑스, 영국의 점령지였던 서베를린이 동독 안에 홀로 떠있는 섬처럼 남게 되었다는 것이다. 이후 화폐 문제로 갈등이 일어나자 소련은 베를린을 봉쇄해 버렸고 미국, 영국 등 서방 국가들은 서베를린에 비행기로 물자를 공급하였다. 이것이 '베를린 봉쇄'이다. 이후 미·소 갈등으로 인해 동·서 베를린 사이에는 장벽까지 설치되었다.

점검하자! **시험 유형**

트루먼 대통령의 사진이나 의회 연설 내용을 제시하고 트루먼 독트린의 발표 목적이나 내용에 대해 묻는 문제가 자주 출제되니 잘 기억해 두자.

연습 문제 다음 연설 내용이 발표된 목적으로 가장 적절한 것은?

나는 모든 민족이 자유로운 상황에서 운명을 스스로 결정할 수 있도록 우리가 도와야 한다고 믿습니다. 그래서 무엇보다 재정적인 지원을 염두에 두고 있습니다.

① 공산주의 세력 확산 방지
② 자본주의 세력 확산 방지
③ 제국주의 세력 확산 방지
④ 절대주의 세력 확산 방지
⑤ 민주주의 세력 확산 방지

① 답정

함께 보자! **심화 자료**

아시아 · 아프리카 회의 장면(1955)

위 사진은 1955년 인도네시아 반둥에서 열린 아시아·아프리카 회의 장면이야. 반둥 회의라고도 불리는 이 회의는 1954년 발표된 「평화 5원칙」을 발전시킨 「평화 10원칙」을 채택하였다. 이것은 냉전에 기초한 세계 질서를 흔드는 데 큰 역할을 하였어.

되짚어 보자! 기본 **개념**

정답과 해설 ● 33쪽

맥 잡는 **연표 문제**

- **1940**
- 1945년 제2차 세계 대전 종료
- 1947년 미국, ❶＿＿＿＿＿＿ 독트린 발표
  마셜 계획 발표
  인도 독립
- 1948년 소련, ❷＿＿＿＿＿＿ 봉쇄
- 1949년 중국의 공산화
  인도네시아 독립
- **1950** 1950년 대한민국, ❸＿＿＿＿＿＿ 전쟁 발발
- 1954년 「평화 5원칙」 발표
- 1955년 「평화 10원칙」 발표
- 1957년 가나 독립
- **1960** 1960년 아프리카의 해
- 1961년 베를린 장벽 설치
- 1962년 쿠바 미사일 위기
  알제리 독립
- 1964년 ❹＿＿＿＿＿＿ 전쟁 발발

핵심 짚는 **확인 문제**

1 빈칸에 알맞은 말을 넣어 보자.

(1) 미국은 전후 유럽 경제 재건을 위한 원조 내용이 담긴 (＿＿＿＿＿)을/를 발표하였다.

(2) 북아프리카 (＿＿＿＿)은/는 프랑스의 1954년 민족 해방 전선을 결성하여 투쟁하였다.

(3) 비동맹 노선을 채택한 아시아·아프리카 국가들을 (＿＿＿＿)(이)라고 부른다.

(4) 1955년 (＿＿＿＿)에서 열린 아시아·아프리카 회의에서는 「평화 10원칙」을 채택하였다.

2 내용이 맞으면 O표, 틀리면 X표를 해 보자.

(1) 1961년에 냉전 체제의 상징인 베를린 장벽이 무너졌다. (＿＿＿)

(2) 열전은 본격적으로 무력을 사용하여 충돌하는 맹렬한 전쟁을 가리킨다. (＿＿＿)

(3) 유엔군과 중국군은 6·25 전쟁에 참전하였다. (＿＿＿)

(4) 인도는 독립 후 종교 차이를 극복하지 못해 인도와 파키스탄으로 분리되었다. (＿＿＿)

3 물음에 알맞은 답을 써 보자.

(1) 경제, 외교, 정보 등을 수단으로 하는 국제적인 대립과 긴장 상태를 이르는 명칭은? (＿＿＿＿)

(2) 아프리카의 17개국이 독립한 1960년을 이르는 명칭은? (＿＿＿＿)

(3) 1954년에 저우언라이와 네루가 상호 존중과 평화 공존을 주요 내용으로 하여 발표한 것은? (＿＿＿＿)

4 다음 기구와 그 약자를 옳게 연결해 보자.

(1) 공산당 정보국 ·   · ㉠ NATO

(2) 경제 상호 원조 회의 ·   · ㉡ 코민포름

(3) 북대서양 조약 기구 ·   · ㉢ WTO

(4) 바르샤바 조약 기구 ·   · ㉣ 코메콘

키워 보자! 실력 쑥쑥

시험 단골

1 (가)에 들어갈 단어로 옳은 것은?

> 갑: 위 그림은 제2차 세계 대전 이후에 미국과 소련 사이의 긴장 상태를 나타낸 거야.
> 을: 직접적인 무력은 쓰지 않고 외교·정치적으로 대립하던 당시의 상태를 [(가)] 체제라고 하지.

① 냉전　　② 열전　　③ 제국주의
④ 자본주의　　⑤ 공산주의

2 다음 연설문과 직접적으로 관련된 미국의 정책으로 옳은 것은?

> 오늘날 전 세계의 거의 모든 나라는 두 가지 생활 방식 중 하나를 선택해야 합니다. …… 모든 민족이 자유로운 상황에서 운명을 스스로 결정할 수 있도록 우리가 도와야 한다고 믿습니다. 그리고 무엇보다 재정적인 지원을 염두에 두고 있습니다.

① WTO 조직　　② 코메콘 조직
③ NATO 창설　　④ 코민포름 조직
⑤ 마셜 계획 발표

3 북대서양 조약 기구(NATO)에 대응하여 소련이 조직한 방위 기구로 옳은 것은?

① 제3 세계　　② 반둥 회의
③ 공산당 정보국　　④ 바르샤바 조약 기구
⑤ 경제 상호 원조 회의

시험 단골

4 밑줄 친 '이 조치'로 옳은 것은?

> 왼쪽 그림은 1948년 소련이 이 조치를 취하자, 미국 등 연합국이 서베를린에 물자를 비행기로 나르는 모습을 보여 준다.

① 베를린 봉쇄　　② 베를린 통합
③ 베를린 선언　　④ 베를린 장벽 붕괴
⑤ 베를린 동·서 분할

5 빈칸에 공통으로 들어갈 국가로 옳은 것은?

> • [　　　]의 공산화: 국민당과 공산당의 내전에서 마오쩌둥이 이끈 공산당이 승리하면서 중화 인민 공화국을 수립하였다.
> • 6·25 전쟁 발발: 대한민국에서는 북한의 남침으로 전쟁이 발발하였다. 6·25 전쟁은 유엔군과 [　　]군이 참전하면서 국제전의 양상을 띠었다.

① 대만　　② 중국　　③ 일본
④ 쿠바　　⑤ 베트남

6 다음 연설문과 관련된 사건의 직접적인 원인으로 가장 적절한 것은?

> 쿠바에서 발사된 핵미사일이 서반구의 특정 국가를 타격하게 되면, 이를 소련이 미국을 공격하는 행위로 간주한다고 공언합니다. 이러한 위협적 행동은 소련에 전면적인 보복 공격을 초래할 것이라고 경고하는 바입니다.
> – 케네디 대통령의 대국민 연설, 1962. –

① 미국의 일본 점령
② 소련의 베를린 봉쇄
③ 미국의 마셜 계획 발표
④ 소련의 쿠바 미사일 기지 설치
⑤ 미국과 중국의 핵무기 경쟁 심화

7 다음 전쟁에 관한 사실로 옳은 것을 〈보기〉에서 고른 것은?

> 속보입니다. 제네바 협정 이후 북부와 남부로 분단되었던 베트남 지역에서 전쟁이 발생하였습니다.

〈보기〉
ㄱ. 남베트남이 북베트남에 항복하며 종료되었다.
ㄴ. 유엔군과 중국군이 참여하면서 국제전의 양상을 띠었다.
ㄷ. 미국과 소련의 핵무기와 미사일 경쟁을 배경으로 발생하였다.
ㄹ. 북베트남은 공산당이 지배하였고, 남베트남은 미국의 지원을 받았다.

① ㄱ, ㄴ　　② ㄱ, ㄷ　　③ ㄱ, ㄹ
④ ㄴ, ㄷ　　⑤ ㄴ, ㄹ

8 (가)에 들어갈 단어로 옳은 것은?

> **역사 신문**
> 제○○호　　　　　　　　○○○○년 ○○월 ○○일
>
> 1957년 3월 6일, 영국령 골드코스트와 독일령 토골란트의 서쪽 지역이 통합하여 영국으로부터 독립하고 나라 이름을 가나로 하였다. 이는 오랜 식민 통치에 사망을 고하는 사건이었다. 가나의 독립을 시작으로 1960년 한 해에 17개국이 독립하였다. 이를 기념하여 1960년을 '　(가)　'의 해로 부르기도 한다.

① 유럽　　② 아시아　　③ 아메리카
④ 아프리카　　⑤ 오세아니아

9 빈칸에 들어갈 내용으로 옳은 것은?

> 제2차 세계 대전이 끝난 이후 아시아와 아프리카에서는 반제국주의를 내세운 신생 독립국이 대거 출현하였다. 이들 국가는 미국 중심의 자본주의 진영과 소련 중심의 공산주의 진영 사이에서 어느 쪽과도 동맹하지 않는다는 비동맹 노선을 채택하였고, 이로써 [   ]이/가 등장하였다.

① 제1 세계　　② 제2 세계　　③ 제3 세계
④ 제4 세계　　⑤ 제5 세계

10 「평화 5원칙」을 발표한 인물로 옳은 것을 〈보기〉에서 고른 것은?

〈보기〉
ㄱ. 네루　　　　ㄴ. 티토
ㄷ. 나세르　　　ㄹ. 저우언라이

① ㄱ, ㄴ　　② ㄱ, ㄷ　　③ ㄱ, ㄹ
④ ㄴ, ㄷ　　⑤ ㄴ, ㄹ

시험 단골

11 다음 회의에서 채택된 원칙이 세계 질서에 미친 영향으로 옳은 것은?

아시아 · 아프리카 회의 장면(1955)

① 중국의 공산화
② 냉전 체제의 완화
③ 베트남 전쟁의 발발
④ 인도와 파키스탄의 분리
⑤ 냉전이 무력으로 충돌하는 열전으로 확산

12 다음은 어떤 선언문의 내용을 발췌한 것이다. 이를 보고 옳지 않은 내용을 말한 학생은?

> 1. 기본적 인권 및 유엔 헌장의 목적과 원칙을 존중한다.
> 2. 모든 국가의 주권과 영토 보존을 존중한다.
> 3. 모든 인종과 구가의 평등을 인정한다.
> 4. 다른 나라의 내정에 간섭하지 않는다.
> 8. 국제 분쟁은 유엔 헌장에 따른 화해, 중재, 조정 등의 □□□적 수단에 의해 해결한다.
> 9. 상호 이익과 협력을 촉진한다.

① 갑: 빈칸에 들어갈 단어는 '평화'야.
② 을: 반둥에서 열린 회의에서 채택하였지.
③ 병: 저우언라이와 네루가 발표한 내용이야.
④ 정: 「평화 10원칙」의 일부를 발췌한 것이군.
⑤ 무: 이전에 발표한 「평화 5원칙」을 발전시켰군.

13 (가)에 들어갈 내용으로 옳은 것은?

> [역사 다큐멘터리 제작 계획서]
> 제목: 제3 세계의 등장!
> 1. 기획 의도: 제2차 대전 이후 신생 독립 국가 탄생 과정에서 제3 세계의 등장을 이해하고 한다.
> 2. 프로그램 편성 : 사건을 시간 순서대로 3부작으로 편성한다.
> – 1부: 트루먼 독트린
> – 2부: 저우언라이와 네루, 「평화 5원칙」
> – 3부: □(가)□, 「평화 10원칙」

① 6·25 전쟁의 발발
② 인도, 영국으로부터 독립
③ 아시아·아프리카 회의 개최
④ 알제리, 민족 해방 전선 결성
⑤ 소련, 바르샤바 조약 기구 창설

주관식·서술형 문제

14 다음 자료를 보고 물음에 답하시오.

(1) 위 지도가 나타내는 정치 체제의 명칭을 쓰시오.

_____

(2) (1)의 정의를 서술하시오.

_____

_____

15 다음 자료를 보고 물음에 답하시오.

1954년에 두 인물이 이 원칙을 채택하면서 찍은 사진이다.

(1) 밑줄 친 '이 원칙'의 명칭을 쓰시오.

_____

(2) (1)의 주요 내용을 서술하시오.

_____

_____

2 세계화와 경제 통합

❶ 냉전의 완화와 해체

1 냉전 체제의 변화

(1) 냉전의 완화
- ① 배경: 1960년대 후반 냉전의 긴장감 완화
- ② 미국: 아시아 각국의 협력 강조한 †닉슨 독트린 선언(1969) → 베트남에서 군대 철수, 중국과 관계 개선
- ③ 서독: 동독 승인

(2) 다극 체제의 형성: 제3 세계 등장, 사회주의 진영 분열(소련·중국 노선 분쟁, 유고슬라비아의 독자 노선), 프랑스 북대서양 조약 기구 탈퇴, 서독·일본의 성장

2 냉전 체제의 붕괴

(1) 소련의 해체
- ① 배경: 1970년대 이후 공산당 일당 독재 체제와 통제 경제 체제 강화 → 소수 관료에게 권력 집중, 경제 정체
- ② 고르바초프: 개혁(페레스트로이카, 일당 독재 완화)·개방(글라스노스트, 시장 경제 도입) 정책 시행
- ③ 결과: 소련의 각 공화국 독립 선포 → 소련 해체, 독립 국가 연합(CIS) 출범

(2) 동유럽 사회주의 정권의 붕괴
- ① 배경: 냉전의 완화, 개혁 요구 분출
- ② 내용: 헝가리, 폴란드, 체코슬로바키아 등지의 정치적 민주화, 시장 경제 도입
- ③ 결과: 냉전 체제 붕괴 → 베를린 장벽 붕괴, 독일 통일(1990)

3 중국의 개혁·개방 정책
- ① 배경: 급진적 사회주의 경제 정책의 실패 → 마오쩌둥의†문화 대혁명으로 혼란
- ② 덩샤오핑: 개혁·개방 정책 → 부정부패 문제 발생 → 부정부패 근절과 민주화를 요구하는 대규모 시위 발생 → 정부의 무력 진압(톈안먼 사건, 1989)

❷ 세계화가 불러온 경제·문화의 변화

1 †세계화의 전개
(1) 전개: 냉전 체제 붕괴 → 자본주의의 확산,†신자유주의 경제 체제 대두
(2) 가속화: 1995년 발족한 세계 무역 기구(WTO)의 자유 무역 촉진
(3) 지역 단위의 국가 협력 강화: 유럽연합(EU), 동남아시아 국가 연합(ASEAN), 아시아·태평양 경제 협력체(APEC), 라틴 아메리카 통합 기구(ALADI) 등

2 세계화로 인한 경제·문화
(1) 경제적 변화
- ① 양상: 자본과 노동의 국제적 이동 → 세계 시장 통합 가속화
- ② 부정적 영향: 국내 일자리 부족 사태, 외국인 노동자 이주에 따른 사회 문제

(2) 문화적 변화
- ① 양상: 각국 문화 융합 → 새로운 문화 형성, 다양한 문화 접촉
- ② 부정적 영향: 문화 획일화 현상, 문화 소멸 현상, 문화 갈등 발생

알아 두자! **시험 포인트**
- 닉슨 독트린의 내용
- 냉전 체제의 변화
- 고르바초프의 개혁·개방 정책
- 중국의 문화 대혁명
- 세계화의 전개와 변화

✚ 닉슨 독트린
미국 대통령 닉슨이 발표한 선언한 외교 원칙이다. 아시아에 대한 군사 개입을 피할 것, 아시아 각국의 협력을 강조할 것 등의 내용이 포함되어 있다.

✚ 문화 대혁명(1966~1976)
급진적인 사회주의 경제 정책이 실패로 돌아가자, 정치적 위기에 빠진 마오쩌둥이 주도했던 사회주의 운동이다. 중국의 전통문화와 자본주의를 부정했던 이 운동은 마오쩌둥의 반대 세력을 몰아내는 데 이용되었다. 당시 수많은 중국의 양심적 운동가, 지식인이 처형되었고, 이로 인해 문화 대혁명은 이후 중국 내부에서도 공식적으로 비판받게 되었다.

✚ 세계화
전 세계적으로 상품과 서비스, 자본, 노동 등이 국경을 넘어서 자유롭게 이동하는 것을 의미한다. 우리나라에서는 김영삼 대통령이 1994년 연설문에 사용하면서 대중적으로 알려지게 되었다.

✚ 신자유주의 경제 체제
1970년대에 등장한 경제 체제이다. 자본주의를 바탕으로 하면서 시장에서 정부의 역할 축소, 규제 완화, 복지 축소, 공공 기관의 민영화 등을 내세웠다. 한 마디로 시장의 무한 경쟁을 주장하였으며, 미국의 레이건 대통령과 영국의 대처 수상이 펼친 경제 정책으로도 유명하다.

놓치지 말자! 핵심 자료

함께 보자! **심화 자료**

자료 ① 소련의 해체와 동유럽의 변화

소련은 1922년 이래 러시아를 중심으로 소비에트 사회주의 공화국 연방을 만들어 냉전 체제를 이끌어 왔다. 1980년대에 고르바초프가 페레스트로이카(개혁)·글라스노스트(개방) 정책을 펴게 되었는데, 의도치 않게 이것은 소련 내부 국가들의 독립에 대한 열망을 자극하였다. 결국 발트 삼국(에스토니아, 라트비아, 리투아니아)이 완전히 독립하게 되면서 1991년 소련은 독립 국가 연합(CIS)의 형태로 해체되었다. 현재는 조지아(그루지야)와 우크라이나도 독립 국가 연합에서 탈퇴하여 완전하게 독립을 한 상태이다.

텐안먼 광장에서 민주화를 요구하는 시민

닉슨 독트린 이후 냉전 체제가 붕괴하며, 중국에도 민주화의 바람이 불어왔지. 덩샤오핑이 개혁·개방 정책을 추진하는 과정에서 정치 개혁에 대한 요구가 잇달았어. 이는 1898년에 민주화를 요구하는 대규모 시위로 이어졌단다.

자료 ② 지역별 경제 협력체

*영국: 2016년 유럽 연합 탈퇴 결정

아시아·태평양 경제 협력체(APEC)   라틴 아메리카 통합 기구(ALADI)
동남아시아 국가 연합(ASEAN)   유럽 연합(EU)

소련의 해체로 공산주의 진영이 붕괴되면서 자본주의가 전세계에 확산하였다. 1980년대에는 미국의 레이건, 영국의 대처로 대표되는 신자유주의 경제 체제가 유행하였다. 또한 세계화의 바람이 불자, 각 지역에서 경제 협력체가 결성되었다. 특히 유럽 연합(EU) 가입국들은 유로화라는 공통 화폐를 사용하여 경제 통합을 도모하였다.

점검하자! **시험 유형**

EU, ASEAN, APEC, ALADI 등에 관한 자료를 제시하고 지역별 경제 협력체에 대해 묻는 문제가 자주 출제되니 이를 잘 기억해 두자.

연습 문제 다음 자료와 관련된 경제 협력체로 옳은 것은?

① 유럽 연합
② 유럽 공동체
③ 유럽 경제 공동체
④ 동남아시아 국가 연합
⑤ 아시아·태평양 경제 협력체

① 目啓

맥 잡는 **연표 문제**

○ 1966년 중국, 문화 대혁명 시작

○ 1967년 동남아시아 국가 연합(ASEAN) 발족

○ 1969년 미국, ❶_____ 발표
　　　 서독, 동방 정책 추진

1970

○ 1972년 미국 닉슨 대통령, 중국 방문

○ 1974년 미국, ❷_____에서 군대 철수

1980

○ 1985년 소련, 고르바초프 개혁·개방 추진

○ 1989년 중국, ❸_____ 사건
　　　 독일, 베를린 장벽 붕괴
　　　 아시아·태평양 경제 협력체(APEC) 출범

1990 ○ 1990년 ❹_____ 통일

○ 1991년 소련 해체
　　　 독립 국가 연합(CIS) 성립

○ 1993년 유럽 연합(EU) 출범

○ 1995년 세계 무역 기구(WTO) 발족

핵심 짚는 **확인 문제**

1 빈칸에 알맞은 말을 넣어 보자.

(1) 서유럽에서는 (　　　　)이/가 북대서양 조약 기구를 탈퇴하였다.

(2) 소련을 이루던 공화국이 독립하면서 소련은 해체되고 (　　　　)이/가 출범하였다.

(3) 1989년 베를린 장벽이 무너지며 이듬해 (　　　) 이/가 통일되었다.

(4) 세계화로 특정 문화가 확산되며 문화 (　　　) 와/과 문화 소멸 현상이 발생하였다.

2 내용이 맞으면 O표, 틀리면 X표를 해 보자.

(1) 닉슨 독트린은 미국이 베트남 전쟁에 참여할 것을 선언하였다. (　　　)

(2) 소련 해체 후 바르샤바 조약 기구(WTO)가 출범하였다. (　　　)

(3) 급진적 사회주의 경제 정책이 실패한 후 마오쩌둥은 문화 대혁명을 일으켰다. (　　　)

(4) 신자유주의 경제 체제는 시장에 대한 국가의 개입을 강조한다. (　　　)

3 물음에 알맞은 답을 써 보자.

(1) 소련의 고르바초프가 추진한 개혁 정책의 또다른 명칭은? (　　　　　　)

(2) 중국 학생 및 지식인이 부정부패 근절과 민주화를 요구하며 일으킨 시위를 정부가 무력으로 진압한 사건은? (　　　　　　)

(3) 국제 무역 분쟁 조정, 관세 인하 요구 등 자유 무역을 촉진하는 기구는? (　　　　　　)

4 다음 기구와 그 약자를 옳게 연결해 보자.

(1) 유럽 연합　　　　　　　　 • 　• ㉠ ASEAN

(2) 동남아시아 국가 연합　　 • 　• ㉡ ALADI

(3) 라틴 아메리카 통합 기구　 • 　• ㉢ EU

(4) 아시아·태평양 경제 협력체 • 　• ㉣ APEC

실력 쑥쑥

정답과 해설 ● 34쪽

1 (가)에 들어갈 내용으로 옳은 것은?

1972년 미국 대통령 닉슨과 중국 주석 마오쩌둥은 탁구를 매개로 만남을 가졌다. 이는 냉전 체제에 새로운 바람을 불러일으킨 뜻깊은 사례이며, 당시 양국의 외교를 ___(가)___ (이)라 부릅니다.

① 핑퐁 외교 ② 다극 체제 ③ 독일 통일
④ 문화 대혁명 ⑤ 톈안먼 사건

New
신유형

2 닉슨 독트린 이후 미국이 취한 조치로 옳은 것을 〈보기〉에서 고른 것은?

보기
ㄱ. 중국과의 관계 개선
ㄴ. 베트남에서 군대 철수
ㄷ. 유럽 공동체(EC) 가입
ㄹ. 개혁·개방 정책의 추진

① ㄱ, ㄴ ② ㄱ, ㄷ ③ ㄱ, ㄹ
④ ㄴ, ㄷ ⑤ ㄴ, ㄹ

3 (가)에 들어갈 단어로 옳은 것은?

제3 세계가 등장하면서 국제 질서는 ___(가)___ 체제로 바뀌어 갔다. 사회주의 진영에서는 소련과 중국이 노선을 둘러싸고 분쟁을 벌였으며, 유고슬라비아는 독자 노선을 천명하였다. 또한 프랑스가 북대서양 조약 기구를 탈퇴하였고, 서독과 일본이 경제 대국으로 성장하였다.

① 일극 ② 다극 ③ 양극
④ 냉전 ⑤ 열전

4 밑줄 친 '이 사람'으로 옳은 것은?

1970년대 이후 소련에서는 권력이 소수 관료에게 집중되고 경제가 정체되었다. 이러한 상황에서 이 사람은 개혁(페레스트로이카)과 개방(글라스노스트)을 내세우며 일당 독재를 완화하고 시장 경제를 도입하였다.

① 옐친 ② 레닌 ③ 스탈린
④ 트로츠키 ⑤ 고르바초프

시험 단골

5 밑줄 친 '이 사건'으로 옳은 것은?

동유럽 사회주의 정권이 붕괴함에 따라 동독에서 서독으로 탈출하는 주민들이 늘어나고 민주화와 통일 요구가 거세졌다. 그러한 가운데 이 사건이 발생하였다.

① 톈안먼 사건 ② 닉슨 독트린
③ 문화 대혁명 ④ 프라하의 봄
⑤ 베를린 장벽 붕괴

6 (가)에 들어갈 인물로 옳은 것은?

중국에서는 급진적인 사회주의 정책의 실패 후 문화 대혁명이 일어났다. 그 후 정권을 잡은 ___(가)___ 은/는 실리주의에 입각하여 개혁·개방 정책을 추진하였다.

① 장제스 ② 장쩌민 ③ 덩샤오핑
④ 마오쩌둥 ⑤ 펑더화이

7 밑줄 친 '이 기구'의 약자로 옳은 것은?

> 유럽 석탄·철강 공동체를 시작으로 유럽 경제 공동체, 유럽 공동체를 거쳐 이 기구를 탄생시켰다. 현재 단일한 화폐를 사용하고 있으며, 유럽 의회를 중심으로 정치·경제 통합을 이루고 있다.

① EC   ② EU   ③ EEC
④ ECSC   ⑤ ALADI

8 (가) 경제 체제에 관한 내용으로 옳지 <u>않은</u> 것은?

> 냉전 체제가 무너지면서 자본주의가 세계에 확산하였고, 자유 시장과 규제 완화를 강조하는 (가) 경제 체제가 대두하였다.

① 정부의 역할을 줄이고자 한다.
② 여러 가지 규제를 없애고자 한다.
③ 사회 복지 예산을 줄이고자 한다.
④ 사유 재산 제도를 없애고자 한다.
⑤ 공공 기관들을 민영화하고자 한다.

9 세계 무역 기구에 관한 설명으로 옳지 <u>않은</u> 것은?

① 관세 인하를 요구하기도 하였다.
② 국제 무역 분쟁을 조정하는 역할을 한다.
③ 세계 무역 기구의 영어 약자는 WTO이다.
④ 1995년에 발족하여 지금까지 이어지고 있다.
⑤ 자유 무역을 제한하여 경제가 약한 국가에 도움을 주었다.

10 ^{고난도} 다음 자료의 제목으로 가장 적절한 것은?

*영국: 2016년 유럽 연합 탈퇴 결정

아시아·태평양 경제 협력체(APEC)   라틴 아메리카 통합 기구(ALADI)
동남아시아 국가 연합(ASEAN)   유럽 연합(EU)

① 떠오르는 아프리카의 경제
② 미·소를 중심으로 한 양극 체제
③ 석유를 중심으로 한 아랍의 경제
④ 세계화의 흐름 속 지역별 경제 협력체
⑤ 세계 경제 좌우하는 아시아·태평양 경제 협력체

11 ^{New 신유형} 세계화로 인한 경제적 변화에 관한 대화 내용이다. 옳지 <u>않은</u> 내용을 말한 학생은?

> 교사: 여러분은 지난 시간에 세계화에 대해 배웠지요. 세계화는 경제적 측면에서도 세계에 큰 변화를 가져왔어요. 오늘은 세계화로 일어난 경제적 변화에 대해 이야기해 볼까요?
> 갑이: 세계화가 본격화하면서 기업은 국외에 공장을 건설하였어요.
> 을이: 맞아요. 그래서 노동자들도 일자리를 찾아 다른 나라로 이주하였죠.
> 병이: 자본이 빠져나간 나라에서는 일자리 부족 사태가 발생하였어요.
> 정이: 그 반대로 노동자들이 유입된 나라에서는 외국인 노동자 이주에 따른 사회 문제가 나타나기도 하였죠.
> 무이: 이러한 자본과 노동의 국제적 이동으로 세계 시장의 통합은 정체되었어요.

① 갑이   ② 을이   ③ 병이
④ 정이   ⑤ 무이

12 세계화로 인한 문화의 변화에 관한 내용이다. 밑줄 친 ㉠~㉣ 중 옳지 <u>않은</u> 것은?

> 세계화는 경제적 측면 뿐 아니라 문화적인 측면에서도 큰 변화를 가져왔다. 세계적인 교류의 증가로 각국의 문화가 융합되면서 ㉠새로운 문화가 형성되었고, ㉡다양한 문화를 누릴 수 있게 되었다. 그러나 각 문화의 여러 부분이 서로 비슷해지는 ㉢문화 다양화와 ㉣문화 소멸 현상이 발생하고, 각국의 문화 차이로 인한 ㉤문화 갈등이 증대되는 문제점도 나타나고 있다.

① ㉠   ② ㉡   ③ ㉢
④ ㉣   ⑤ ㉤

13 ㈎~㈓에 들어갈 기구의 명칭으로 옳지 <u>않은</u> 것은?

> 냉전 체제가 무너지면서 자본주의가 세계에 확산하였고, 자유 시장과 규제 완화를 강조하는 신자유주의 경제 체제가 대두하였다. 특히 1995년에 발족한 ☐㈎☐은/는 국제 무역 분쟁을 조정하고 관세의 인하를 요구하면서 자유 무역을 촉진하였다. 한편 세계 각국은 국제 교역의 치열한 경쟁에서 유리한 위치를 점하기 위해 지역 간 블록 경제를 형성하고 있다. 그 결과 1989년 아시아 · 태평양 지역의 경제 협력 증대를 위해 ☐㈏☐이/가 결성되었고, 유럽은 1967년에 출범한 ☐㈐☐을/를 거쳐 1994년부터 ☐㈑☐을/를 형성하였다. 또 라틴 아메리카는 ☐㈓☐을/를 결성하였다.

① ㈎ – WTO   ② ㈏ – APEC
③ ㈐ – EC   ④ ㈑ – EU
⑤ ㈓ – ASEAN

주관식·서술형 문제

14 다음 자료를 읽고 물음에 답하시오.

> • 미국은 앞으로 베트남 전쟁과 같은 군사적 개입을 피한다.
> • 미국은 강대국의 핵 위협을 제외하고는 내란이나 침략에 대하여 아시아 각국이 스스로 협력하여 그에 대처하기를 바란다.

(1) 위 자료와 관련된 미국의 외교 전략을 쓰시오.

_____

(2) (1)의 발표 이후 미국의 대외 관계에 어떤 변화가 나타났는지 서술하시오.

_____

_____

15 다음 자료를 읽고, 빈칸에 들어갈 수 있는 내용을 세 가지 서술하시오.

> 세계화가 본격화하면서 자본과 노동의 국제적 이동이 가속화하였다. 세계화는 문화적인 측면에서도 큰 변화를 가져왔다. 세계적인 교류의 증가로 각국의 문화가 융합되면서 새로운 문화가 형성되었고, 사람들은 다양한 문화를 누릴 수 있게 되었다. 그러나 특정한 문화의 확산으로 ☐☐☐☐☐☐☐☐☐☐☐☐

_____

_____

_____

3 탈권위주의 운동과 대중문화의 발달

1 청년 문화의 형성과 탈권위주의 운동

1 청년 문화의 형성
(1) 배경: 제2차 세계 대전 이후 서양 세계의 경제 비약적으로 성장, 급격한 인구 증가(베이비 붐) → 전쟁을 겪은 부모 세대가 자식들의 풍요로운 삶 희망하여 자식 교육에 투자 → 대학 교육 확대
(2) 형성: 대중 매체의 발전, 대중 문화 소비 → 청년 문화 형성(장발, 청바지, 팝송, 로큰롤 등 유행)
(3) 특징: 규율·통제에서 벗어난 자유분방한 문화(→ 히피 문화 등장)

2 탈권위주의 운동의 전개
(1) 배경: 보수적인 기성세대와 새로운 세대의 자유로운 청년들의 갈등 → 권위주의적 정치 문화에 저항
(2) 전개: 1968년 5월 프랑스 대학생들이 대학 개혁과 민주화를 주장하며 대규모 시위 전개(68 운동) → 노동자들이 임금 인상 및 노동 조건 개선 등을 요구하며 대규모 파업 돌입
(3) 확산: 유럽 전역, 미국, 멕시코, 일본 등
  ① 에스파냐: 독재 정권을 무너뜨리기 위한 전국적 시위 전개
  ② 미국: 학생 중심, 베트남 전쟁, 인종 차별 및 성별에 따른 불평등 반대 운동 전개

3 사회 운동의 확산
(1) 배경: 탈권위주의 운동의 결과로 대학 개혁, 노동 조건 개선, 직장의 수직적인 위계질서 및 권위적 문화 완화, 일상생활에서 양성평등 진전
(2) 내용: 민권, 여성, 반전, 환경 분야 운동의 확산
(3) 결과: 시대에 뒤처진 좌우 이념 대립의 정치 문화 쇠퇴, 노동 운동 중심이었던 사회 운동이 다양한 분야로 확산

2 대중문화의 발전

1 대중 사회와 대중문화의 발전
(1) 배경: 20세기 후반 신문, 라디오, 텔레비전 등 각종 대중 매체 확산 → 지식과 정보에 대한 접근성 향상
(2) 대중 사회의 발전: 대중의 요구와 발언권 확대
(3) 대중문화의 발달: 다수 대중이 일상적으로 향유
(4) 특징: 저항 운동을 상징하는 인물과 노래가 상품화
(5) 영향: 전통문화와 정신적 가치 급속한 파괴, 물질적 가치를 중시하는 경향 확산, 미국 문화의 전 세계 확산으로 문화 획일화 현상 대두

2 대중 소비 사회의 등장
(1) 배경: 탈권위주의, 대중문화 → 새로운 계층(청년·여성·노동자 등)이 소비 주체로 등장
(2) 변화: 기업들이 소비자의 욕구를 자극하는 상품 개발 및 각종 광고 제작
(3) 대중 소비 사회의 형성: 자본주의적 소비 영역이 크게 확대된 사회 등장

알아 두자! **시험 포인트**
• 청년 문화
• 탈권위주의 운동(68 운동)
• 1960년대 이후의 사회 운동
• 대중 사회와 대중문화
• 대중 소비 사회

➕ 로큰롤('Rock'n'Roll)
정식 명칭은 '락 앤 롤'이며, 이것이 발전된 것이 록 음악이다. 재즈에서 비롯된 팝의 한 장르로 누가 시작했는지 정확히 알 수는 없으나, 보통 엘비스 프레슬리를 그 시작으로 이야기한다. 로큰롤은 록으로 발전한 이후, 영국 그룹 비틀스의 등장으로 전성기를 맞게 된다.

➕ 히피 문화
1960~1970년대 미국 청년층 사이에서 유행한 문화이다. 전쟁과 물질주의를 비판하고 탈사회적 행동을 하는 특징을 보인다. 장발로 대표되는 히피 문화는 1970년대 우리나라 청년 문화에도 영향을 미쳤다. 당시 한국에서는 청바지를 입은 학생들이 통기타 반주에 민중가요를 부르며 기성세대의 주류 문화에 저항하였다.

➕ 대중 사회
대중에 의한 요구와 그들의 발언권이 어느 시기보다 발전된 사회를 말한다.

➕ 대중문화
다수 대중이 일상적으로 누리는 문화이다. 영화, 노래, 드라마, 팝 아트 등이 이에 속한다.

놓치지 말자! 핵심 **자료**

자료 ① 미국의 반전 운동

반전 운동을 하는 미국 시민들

위 사진 속 팻말에는 '내 아들이 베트남에서 죽었습니다! 도대체 무엇을 위해?(My son was killed! in Vietnam. What for?)'라고 적혀 있다. 1960년대 미국은 베트남 전쟁에 참전하고 있었다. 당시 미국에서는 수많은 젊은이들이 죽어간 이 전쟁에 대한 개입을 반대하고 비판하는 시위가 청년들을 중심으로 일어났다. 특히 1967년에는 워싱턴 반전 행렬이 길게 이어져 미국 사회에 큰 영향을 미쳤다.

점검하자! **시험 유형**

1960년대 이후의 사회 운동에 관한 자료를 제시하고 탈권위주의와 각종 사회 운동에 대해 묻는 문제가 자주 출제되니 이를 잘 기억해 두자.

연습문제 다음 사진의 제목으로 가장 옳은 것은?

① 민권 운동, 일어나다
② 환경 정당 녹색당, 출범하다
③ 1968년, 여성 운동 일어나다
④ 흑인 차별 폐지 운동, 일어나다
⑤ 베트남 전쟁 반대 운동, 확산되다

⑤ **답**

자료 ② 마틴 루서 킹, 나에게는 꿈이 있습니다 (I Have a Dream)

> 저에게는 꿈이 있습니다. 저의 네 자식들이 피부색이 아니라 인격에 따라 평가받는 나라에서 살게 되는 날이 언젠가 오리라는 꿈입니다. 지금 저에게는 꿈이 있습니다!
>
> – 마틴 루서 킹의 연설 –

마틴 루서 킹은 1929년 1월 15일, 미국 조지아주 애틀랜타에서 태어났다. 대학을 다니면서 인종 차별 문제가 심각하다고 생각하게 된 그는 목사가 된 후 민권 운동에 총력을 기울였다. 당시 미국 앨라배마에서 한 흑인 여성이 버스에서 백인 남성에게 자리를 비켜주지 않았다는 이유로 체포되는 사건이 일어나자, 마틴 루서 킹은 이를 규탄하는 대규모 시위와 운동을 주도하였다. 1년간의 운동 끝에 흑인 여성은 풀려났고 미국 연방 대법원은 그를 가둔 죄목이 위헌이라는 판결을 내렸다. 1963년에 20만 명 이상이 모인 워싱턴 행진을 주도한 마틴 루서 킹은 '나에게는 꿈이 있습니다'라는 연설을 하였다. 이후 그는 노벨 평화상을 수상하고 급진파 민권 운동가 말콤 엑스와 연대를 꾀하기도 하였으나, 과격파 백인 단체 인물에게 암살당하며 세상을 떠났다.

함께 보자! **심화 자료**

1968년 파업에 참여한 여성 노동자들

68 운동을 계기로 여성들도 더 이상 침묵하지 않고 자기 목소리를 내기 시작했어. 특히 1968년 다겐햄 포드 자동차 공장에서는 여성들이 동일 노동을 하는 남성들과 동일한 임금 지급을 요구하여 동일 임금을 받는 성과를 이루기도 하였지.

맥 잡는 **연표 문제**

○ 1955년 할리우드 영화 「이유 없는 반항」 개봉

1960

○ 1963년 록 그룹 비틀스, 1집 발표
마틴 루서 킹 주도 워싱턴 행진

○ 1964년 리히텐슈타인, 「행복한 눈물」 발표

○ 1967년 미국 워싱턴, ❶_____ 반대 시위

○ 1968년 프랑스, ❷_____ 운동 전개
다겐핵 포드 공장 여성 노동자 파업

○ 1969년 ❸_____ 축제 시작

1970 ○ 1970년 개인용 컴퓨터 등장

○ 1973년 휴대 전화 등장

1980

○ 1982년 콤팩트디스크(CD) 등장

1990

○ 1992년 ❹_____ 등장

핵심 짚는 **확인 문제**

1 빈칸에 알맞은 말을 넣어 보자.

(1) 1968년 5월 프랑스에서 대학생들은 대학 개혁과 (　　　　)을/를 주장하며 시위에 나섰다.

(2) 탈권위주의 운동이 확산되면서 (　　　　)에서는 독재 정권 타파를 위한 시위가 전개되었다.

(3) 환경 운동이 확산되면서 유럽 각국에 환경 정당인 (　　　　)이 만들어졌다.

(4) 20세기 후반 각종 대중 매체가 확산되면서 다수 대중이 누리는 (　　　　)이/가 발전하였다.

2 내용이 맞으면 O표, 틀리면 X표를 해 보자.

(1) 청년 문화의 형성은 대중 매체의 발전에 힘입은 것이다. (　　　)

(2) 탈권위주의 운동은 유럽 전역과 미국, 멕시코, 일본 등지로 확산되었다. (　　　)

(3) 1960년대 이후 민권 운동, 여성 운동, 반전 운동, 환경 운동 등이 전개되었다. (　　　)

(4) 대중 소비 사회는 공산주의적 소비 영역이 크게 확대된 것이다. (　　　)

3 물음에 알맞은 답을 써 보자.

(1) 기성 세대의 억압과 관습에 맞서 극단적 자유를 추구하며 반사회적 행동을 하는 문화의 명칭은? (　　　　　　)

(2) 대중의 요구와 발언권이 그 어느 때보다 커진 사회를 이르는 명칭은? (　　　　　)

4 다음 국가와 관련 사건 및 인물을 옳게 연결해 보자.

(1) 미국 •　　　　• ㉠ 비틀스

(2) 프랑스 •　　　　• ㉡ 68 운동

(3) 영국 •　　　　• ㉢ 마틴 루서 킹

(4) 에스파냐 •　　　• ㉣ 독재 반대 시위

1 제2차 세계 대전 이후 서양 세계의 모습에 관한 대화 내용이다. 옳지 <u>않은</u> 내용을 말한 학생은?

> 교사: 제2차 세계 대전은 사망자가 5,000만 명에 달하는 등 인류 역사상 가장 피해가 큰 전쟁 이었어요. 전쟁이 끝난 후 서양 세계에 일어난 변화에 대해 이야기해 볼까요?
>
> 갑이: 서양 세계는 전쟁이 끝난 후 놀라운 경제 성장을 이루었어요.
>
> 을이: 베이비 붐으로 인구도 급격히 증가하였어요.
>
> 병이: 전쟁을 겪은 부모 세대는 자식들의 풍요로운 삶을 희망하여 교육에 많은 투자를 하였어요.
>
> 정이: 맞아요. 그로 인해 대학 교육도 크게 확대되었죠.
>
> 무이: 부모 세대에게 많은 투자를 받으며 자란 청년들은 기성세대의 권위에 복종하는 모습을 보였어요.

① 갑이　　　② 을이　　　③ 병이
④ 정이　　　⑤ 무이

2 다음 설명에 해당하는 문화의 특징으로 옳은 것을 〈보기〉에서 고른 것은?

> • 청년들이 대중문화를 소비하면서 형성하였다.
> • 장발과 청바지, 팝송(로큰롤) 등이 유행하였다.

> 보기
> ㄱ. 관습적 도덕을 거부하였다.
> ㄴ. 기성 세대의 억압에 맞섰다.
> ㄷ. 규율과 통제를 추구하였다.
> ㄹ. 친사회적 행동을 추구하였다.

① ㄱ, ㄴ　　　② ㄱ, ㄷ　　　③ ㄴ, ㄷ
④ ㄴ, ㄹ　　　⑤ ㄷ, ㄹ

3 밑줄 친 '이 문화'에 관한 설명으로 옳지 <u>않은</u> 것은?

> <u>이 문화</u>의 영향으로 1970년대에 우리나라에도 청년 문화가 나타났다. 청바지를 입은 학생들은 통기타 반주에 민중가요를 부르며 기성세대의 주류 문화에 저항했다.

① 극단적 자유를 추구하였다.
② 반사회적 행동을 비판하였다.
③ 전쟁과 물질주의를 비판하였다.
④ 1960~1970년대 미국 청년 사이에서 유행하였다.
⑤ 젊은이들은 군대를 거부하는 표현으로 장발을 하였다.

4 시험 단골

68운동에 관한 설명으로 옳지 <u>않은</u> 것은?

① 민주화를 주장하였다.
② 대학 개혁을 주장하였다.
③ 탈권위주의 운동에 영향을 주었다.
④ 노동자들에게 영향을 주지 않았다.
⑤ 1968년 프랑스에서 시작된 운동이다.

5 밑줄 친 '이 나라'에 해당하는 국가로 옳은 것은?

> 1960년대 시작된 탈권위주의 운동은 유럽 전역과 아메리카, 아시아 등지로 확산되었다. 이에 <u>이 나라</u>에서는 독재 정권을 무너뜨리기 위한 전국적인 시위가 전개되기도 하였다.

① 미국　　　② 일본　　　③ 독일
④ 멕시코　　　⑤ 에스파냐

6 탈권위주의 운동의 결과로 옳지 <u>않은</u> 것은?

① 대학이 개혁되었다.
② 노동 조건이 개선되었다.
③ 권위적인 문화가 완화되었다.
④ 일상생활에서 양성평등이 진전되었다.
⑤ 직장의 수직적인 위계질서가 강화되었다.

7 1960년대 이후 세계 각 지역에서 전개된 사회 운동에 관한 설명으로 옳지 <u>않은</u> 것은?

① 유럽 각국에 환경 정당인 녹색당이 만들어졌다.
② 1967년에는 워싱턴 반전 행렬이 길게 이어졌다.
③ 원자력 발전소 건설을 반대하는 반핵 운동이 전개되었다.
④ 68 운동을 기점으로 여성들이 처음으로 자기 목소리를 내기 시작하였다.
⑤ 미국에서 1950년대부터 흑인 차별을 반대하는 민권 운동이 전개되었다.

New 신유형

8 다음 교사의 질문에 대한 학생의 답으로 옳은 것은?

> 탈권위주의 운동의 영향으로 1960년대 이후에는 다양한 사회 운동이 전개되었어요. 이러한 운동들은 어떠한 결과를 가져왔을까요?

① 여성 운동이 약화되었어요.
② 기성세대의 문화가 형성되었어요.
③ 권위주의 운동이 전 세계에 확산되었어요.
④ 좌우 이념 대립의 정치 문화가 융성하였어요.
⑤ 노동 운동 중심에서 다양한 분야로 확산되었어요.

9 다음 연설문을 발표한 인물이 주도했던 사회 운동으로 옳은 것은?

> 저에게는 꿈이 있습니다. 저의 네 자식들이 피부색이 아니라 인격에 따라 평가받는 나라에서 살게 되는 날이 언젠가 오리라는 꿈입니다. 지금 저에게는 꿈이 있습니다!

① 흑인 차별에 반대하는 민권 운동
② 여성 차별에 반대하는 여성 운동
③ 노동자 홀대에 반대하는 노동 운동
④ 원자력 발전소에 반대하는 환경 운동
⑤ 베트남 전쟁 개입에 반대하는 반전 운동

New 신유형

10 다음 자료와 관련된 문화로 옳은 것은?

① 대중문화   ② 히피 문화   ③ 소비 문화
④ 귀족 문화   ⑤ 엘리트 문화

11 대중문화의 상징으로 옳지 <u>않은</u> 것은?

① 팝 가수 '밥 딜런'
② 프랑스 로코코 시기 '살롱'
③ 록(Rock) 그룹 '롤링 스톤스'
④ 할리우드 영화 '이유 없는 반항'
⑤ 할리우드 영화 '우리에게 내일은 없다'

12 ㈎ 사회가 등장한 배경으로 옳은 것은?

> 탈권위주의와 대중문화의 흐름 속에서 자본주의적 소비 영역이 크게 확대된 [㈎] 사회가 형성되었다.

① 엘리트 문화의 흐름이 나타났다.
② 권위주의적 사회 모습이 나타났다.
③ 공산주의적 소비 영역이 크게 확대되었다.
④ 여성, 노동자 등 새로운 소비 주체가 등장하였다.
⑤ 기업이 광고 제작보다 상품 개발에 초점을 맞췄다.

세계사능력검정시험 응용 문제

13 밑줄 친 내용에 해당하는 사진 자료로 옳은 것은?

> 탈권위주의 운동과 대중문화의 발달 수행 평가
> • 주제: 1960년대에 전개된 반전 운동
> • 방법: 여러 가지 사진 자료를 조사하여 분석
> • 형식: 소논문 형식으로 제작

①

②

③

④

⑤

주관식·서술형 문제

14 다음 자료를 보고 물음에 답하시오.

> 이 운동은 1968년 5월 프랑스 파리에서 일어났다. 대학생들은 "금지하는 것을 금지한다."라는 구호를 외치며 이 운동을 전파하였다.

(1) 밑줄 친 '이 운동'의 명칭을 쓰시오.

_____

(2) (1)에서 주장된 내용을 두 가지 서술하시오.

_____
_____

15 밑줄 친 '이 문화'가 발전하면서 나타난 부작용을 세 가지 서술하시오.

> 새로운 사회 운동의 확산으로 일상생활의 가치와 태도가 탈권위주의적인 방향으로 바뀌면서 이 문화에서는 기성 사회에 대한 저항 운동을 상징하는 인물과 노래 등이 상품화되었다. 또한 팝송(로큰롤)과 영화, 드라마, 팝 아트 등 새로운 장르들이 나타났다.

_____
_____
_____

4 현대 세계의 문제 해결을 위한 노력

❶ 현대 세계의 당면 문제

1 제2차 세계 대전 이후 발생하는 분쟁들
(1) 원인: 인종, 종교, 자원, 영토, 군비 경쟁, 전쟁, 테러 등
(2) 인종 분쟁: 유고슬라비아의 '인종 청소'(대량 학살), 르완다 후투족과 투치족의 갈등
(3) 종교 분쟁: 인도의 북서부 카슈미르(이슬람교도 다수) 강제 편입 → 파키스탄의 이슬람교도와 인도의 힌두교도 사이의 분쟁 발생
(4) 영토 분쟁: 중국과 일본 사이의 센카쿠 열도(댜오위다오) 문제

2 +난민 문제로 인한 갈등
(1) 난민의 이동: 주로 아프리카, 서아시아 지역 난민 발생 → 유럽, 미국 등지로 이동
(2) 난민 문제: 난민 수용 문제를 둘러싸고 국가 간, 국가 내 주민들 간의 갈등 발생

3 빈곤과 질병 문제
(1) 배경: 국가 간 빈부 격차 심화 → +남북문제 발생
(2) 내용
① 기아·빈곤 현상 발생 → 이로 인한 영양 부족, 면역력 약화 → 질병 문제(에볼라 바이러스, 면역 결핍 바이러스 등)
② 현대 밀집 도시 환경, 대규모 가축 사육장 → 조류 인플루엔자, 중동 호흡기 증후군(MERS) 등 신종 전염병 창궐

4 환경 문제와 지구 온난화
(1) 배경: 급속한 산업화와 도시화 → 화석 연료의 사용 급증, 삼림 파괴 증가
(2) 환경 문제의 발생: 지구 온난화, 가뭄, 홍수, 한파, 폭염, 미세 먼지 등
(3) 지구 온난화의 영향: 극지방과 고산 지대의 빙하가 녹아 해수면 높이 상승, 동식물의 서식 환경 변화로 생태계 파괴

❷ 문제 해결을 위한 국제 사회의 노력

1 분쟁 해결을 위한 다양한 노력
(1) 세계 각국의 노력: 현대 세계의 문제 해결 위해 국제기구 구성, 국제 조약 체결
① 국제 연합(UN): 평화 유지군(PKO) 파견하여 평화·질서 유지, 사회 안정에 기여
② 핵 확산 금지 조약(NPT): 핵보유국의 증가와 핵 개발 통제
(2) 민간의 노력: +비정부 기구(NGO) 통해 반전 평화 운동 전개하며 세계 평화 추구

2 빈곤과 질병 퇴치 및 지속 가능한 발전 추구 노력
(1) 빈곤 퇴치를 위한 노력
① 각국 정부, 국제기구, 민간단체 등이 국제 개발 협력에 참여
② 각국 정부의 공적 개발 원조(ODA) 제공
③ 국제기구와 민간단체 차원의 긴급 구호 활동 전개
(2) 환경 문제 해결과 지속 가능한 발전의 모색을 위한 노력
① 국제 사회의 「교토 의정서」, 「파리 협정」 등 채택 → 지구 온난화 해결 노력
② 다양한 비정부 기구들의 환경 보호, 생물 다양성 보존을 위한 활동 전개

✚ 난민
인종, 종교 등의 차이로 발생하는 박해나 분쟁 등을 피해 다른 지역으로 탈출하는 사람들을 말한다.

✚ 남북문제
국가 간 빈부 격차가 심화되면서 선진국이 집중된 북반구와 개방 도상국이 집중된 남반구 사이에 경제 격차가 벌어져 가는 문제를 일컫는다.

✚ 비정부 기구(NGO)
권력이나 이윤을 추구하지 않고 인간의 가치를 옹호하며 시민 사회의 공공성을 지향하는 시민 사회 단체를 말한다. 그린피스, 국경 없는 의사회, 굿네이버스 등이 유명하다.

✚ 「교토 의정서」
기후 변화 협약에 따른 온실가스 감축 목표에 관한 의정서이다. 1997년에 채택되었으며, 2005년부터 공식 발효되어 적용되기 시작하였다. 그러나 전 세계 이산화탄소 배출량의 약 30%를 차지하는 미국은 자국 산업 보호를 목적으로 2001년 탈퇴하였다.

자료 ① 사막이 된 아랄해, 빙하 앞에서 연주하는 피아니스트

사막이 된 아랄해

빙하 앞에서 연주하는 피아니스트

중앙아시아에서는 사막화로 하천 유량과 지하수가 감소하고 있다. 1960년대 소련 정부는 목화 농업을 위해 아랄해 주변에 많은 관개 시설을 설치하였다. 이로 인해 하천의 수량이 감소하여 호수의 크기가 과거의 10% 정도만 남았다. 왼쪽 사진이 바로 아랄해 주변의 사막화 현상을 보여 주고 있다. 오른쪽 사진은 2016년 그린피스를 통해 공개된 한 피아니스트가 연주하는 영상의 한 장면이다. 피아니스트가 피아노를 치는 동안 얼음벽 일부가 무너지는 모습이 카메라에 잡혔으며, 영상 마지막에는 "북극을 지켜 주세요."라는 자막이 나타난다. 이 영상은 <u>지구 온난화</u>로 북극의 빙하 면적이 줄어드는 것을 경고하기 위해 제작되었다.

자료 ② 전 세계에서 벌어지고 있는 다양한 분쟁과 난민 문제

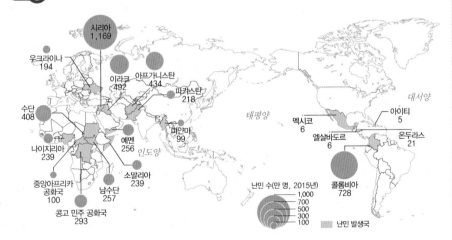

위 지도는 전세계에서 발생하고 있는 난민의 수를 보여 준다. 동아시아 지역은 난민 문제를 크게 체감하지 못하고 있다. 그러나 <u>현대 세계의 인류는 다양한 원인을 둘러싸고 대립하고 있으며, 이러한 갈등으로 많은 사람들이 삶의 터전을 떠나고 있다.</u> 이러한 분쟁의 <u>가장 큰 원인은 인종과 종교이다.</u> 현재 가장 많은 난민을 발생시키고 있는 시리아 내전이 대표적인 사례이다. 2011년 시작된 민주화 시위가 이슬람교 내부 수니파와 시아파 간 갈등으로 번져 내전이 일어났고, 여기에 주변 국가와 미국이 참여하면서 엄청난 수의 난민이 발생하게 되었다.

점검하자! **시험 유형**

자료 1과 같은 사진을 제시하고 관련된 분쟁, 빈곤, 질병, 환경 문제에 대해 묻는 문제가 자주 출제되니 이를 잘 기억해 두자.

연습 문제 다음 사진과 관련된 현대 사회의 문제로 가장 적절한 것은?

① 난민 문제   ② 종교 문제
③ 인종 문제   ④ 환경 문제
⑤ 정치 문제

④ 답정

함께 보자! **심화 자료**

미얀마 로힝야족 난민

위 사진은 미얀마에서 소수 민족인 로힝야족이 박해와 폭력 사태를 피해 방글라데시로 탈출하는 모습을 담은 것이야. 미얀마 정부는 오래전부터 로힝야족을 미얀마인으로 인정하지 않아 차별 정책을 실시해 왔고, 로힝야족도 이에 대해 무력 저항을 이어오고 있는 상태란다.

맥잡는 연표 문제

1940

1947년 인도·파키스탄, ❶_____ 분쟁 시작

1948년 미얀마, 내전 시작

1970

1973년 국제 연합(UN), 팔레스타인 해방 기구 공식 인정

1980년 이란·이라크 전쟁 발발

1990년 르완다 내전 발발

1991년 ❷_____ 내전 발발(→ '인종 청소')

1997년 교토 회의, ❸_____ 채택

2000

2003년 다르푸르 분쟁

2010년 중국·일본, ❹_____ 충돌

2012년 시리아 내전 발발

핵심 짚는 확인 문제

1 빈칸에 알맞은 말을 넣어 보자.

(1) (_____) 현상으로 극지방과 고산 지대의 빙하가 녹아 해수면 높이가 상승하고 있다.

(2) 국제 사회는 (_____)을/를 맺어 핵보유국의 증가와 핵 개발을 통제하고 있다.

(3) 환경 문제를 해결하고 (_____) 을/를 모색하기 위해 국제 사회는 교토 의정서 등을 채택하여 지구 온난화 해결을 위해 노력하고 있다.

2 내용이 맞으면 O표, 틀리면 X표를 해 보자.

(1) 일본과 중국은 쿠릴 열도를 두고 영토 분쟁을 벌이고 있다. ( )

(2) 미얀마의 로힝야족은 박해와 폭력 사태를 피해 방글라데시 등지로 탈출하고 있다. ( )

(3) 대규모 가축 사육장은 조류 인플루엔자 유행의 주요 원인이다. ( )

(4) 국제 연합은 분쟁 지역의 평화와 질서를 유지하고 사회 안정에 이바지하고 있다. ( )

3 물음에 알맞은 답을 써 보자.

(1) 북반구와 남반구 사이에 경제 격차가 벌어지는 문제를 가리키는 명칭은?

( )

(2) 국제 연합(UN)에서 분쟁 지역의 평화와 질서를 유지하기 위해 파견한 군대의 명칭은?

( )

4 다음 용어와 그 약자를 옳게 연결해 보자.

(1) 평화 유지군 • • ㉠ NPT

(2) 공적 개발 원조 • • ㉡ NGO

(3) 비정부 기구 • • ㉢ ODA

(4) 핵 확산 금지 조약 • • ㉣ PKO

1 ㈎에 들어갈 단어로 가장 적절하지 <u>않은</u> 것은?

> 제2차 세계 대전 이후에도 세계 곳곳에서는 여전히 크고 작은 분쟁이 끊이지 않고 있다. 분쟁은 ㈎ 등의 다양한 원인으로 발생한다.

① 인종 　② 종교 　③ 자원
④ 영토 　⑤ 예술

2 다음 분쟁에 공통적으로 해당하는 원인으로 가장 적절한 것은?

> • 공산주의 정권이 붕괴된 동유럽의 유고슬라비아 지역에서는 역사적·정치적 갈등을 토대로 대규모 학살이 전개되었다.
> • 제국주의의 식민 지배를 받았던 아프리카 지역에서는 르완다의 후투족과 투치족 간의 갈등으로 수백만 명이 학살되었다.

① 인종 　② 질병 　③ 자원
④ 환경 　⑤ 군비 경쟁

3 ㈎, ㈏에 들어갈 국가들을 옳게 짝지은 것은?

> 2019년 2월, 카슈미르 무장 단체의 자살 폭탄 테러가 발생하였다. 이 지역에서는 이슬람교도가 다수를 차지하는 북서부 지역이 ㈎ 에 강제로 편입되는 과정에서 ㈏ 의 이슬람교도와 ㈎ 의 힌두교도 간에 분쟁이 나타났으며, 최근에도 무력 충돌이 발생하고 있다.

	㈎	㈏		㈎	㈏
①	인도	네팔	②	인도	파키스탄
③	인도	방글라데시	④	파키스탄	네팔
⑤	파키스탄	방글라데시			

4 밑줄 친 '이 지역'으로 옳은 것은?

> 제○○호 　**세계 신문** 　○○○○년 ○○월 ○○일
>
> **중국과 일본의 영토 분쟁**
> 이 지역을 둘러싸고 중국과 일본의 충돌이 점차 잦아지고 있다. 청·일 전쟁 중 일본이 이 지역을 자국 영토로 강제 편입한 이후 중국과 일본 간에 영토와 바다를 둘러싼 갈등이 발생하였기 때문이다. 일본 오키나와의 서남쪽 약 410km, 중국 대륙의 동쪽 약 330km 떨어진 곳에 위치한 이 지역은 현재 일본이 실효 지배하고 있다. 그러나 중국은 일본이 이 지역을 불법으로 점거하고 있다고 주장한다.

① 독도 　　② 이어도
③ 난사 군도 　　④ 쿠릴 열도(북방 영토)
⑤ 센카쿠 열도(댜오위다오)

5 빈칸에 공통적으로 들어갈 단어로 옳은 것은?

> • 인종, 종교상의 차이로 발생하는 박해나 분쟁 등을 피해 다른 지역으로 탈출하는 사람들을 ☐ (이)라고 한다. 최근 세계 여러 지역에서 억압과 학살이 자행되면서 ☐ 의 수가 증가하고 있다.
> • 미얀마의 이슬람교도 소수 민족인 로힝야족이 박해와 폭력 사태를 피해 방글라데시로 탈출하면서 많은 ☐ 이/가 발생하고 있다.

① 선민 　② 난민 　③ 시민
④ 재해민 　⑤ 수해민

6 (가), (나)에 들어갈 국가를 옳게 연결한 것은?

> [(가)] 동부 소도시의 길목에서 난민 수용을 둘러싸고 찬반 시위가 동시에 진행되었다. 2015년 9월 세 살배기 [(나)] 난민 아일란 쿠르디가 유럽으로 탈출하려다 숨진 채 발견되어 전 세계에 충격을 주었다. 그러자 [(가)] 정부는 [(나)] 출신 난민은 제한 없이 수용하겠다는 방침을 내놓았다. 이를 두고 찬반 논란이 심화되었다.

	(가)	(나)
①	독일	시리아
②	독일	이라크
③	독일	팔레스타인
④	프랑스	시리아
⑤	프랑스	팔레스타인

7 (가)에 들어갈 단어로 옳은 것은?

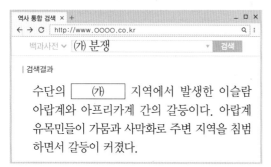

> 역사 통합 검색 × +
> ← → C http://www.OOOO.co.kr
> 백과사전 ∨ (가) 분쟁   [검색]
>
> | 검색결과
> 수단의 [(가)] 지역에서 발생한 이슬람 아랍계와 아프리카계 간의 갈등이다. 아랍계 유목민들이 가뭄과 사막화로 주변 지역을 침범하면서 갈등이 커졌다.

① 예멘   ② 미얀마
③ 다르푸르   ④ 가자 지구
⑤ 엘살바도르

8 다음 중 현대 세계의 환경 문제로 옳지 않은 것은?

① 남북문제   ② 이상 기온
③ 미세 먼지   ④ 생태계 파괴
⑤ 지구 온난화

9 국제 문제를 해결하기 위한 노력에 관한 대화 내용이다. 옳지 않은 내용을 말한 학생은?

> **교사:** 지금까지 현대 사회의 인류가 당면한 문제에 관해 공부했어요. 인류는 이러한 문제들을 해결하기 위해 다양한 노력을 기울이고 있습니다. 지금부터 현대 세계의 당면 문제를 해결하기 위한 노력들에 대해 이야기해 봅시다.
> **갑이:** 국제 사회는 핵 확산 금지 조약(NPT)을 맺어 핵 개발을 통제하고 있어요.
> **을이:** 세계 각국은 현대 세계의 여러 문제를 해결하기 위해 국제기구를 구성하였어요.
> **병이:** 개인과 민간단체는 반전 평화 운동을 전개하는 등 세계 평화를 추구하고 있어요.
> **정이:** 국제 연맹은 평화 유지군(PKO)을 파견하여 평화와 질서 유지에 이바지하고 있어요.
> **무이:** 헝가리 부다페스트에서는 미국의 이라크 침공에 반대하는 반전 평화 운동이 전개되기도 했어요.

① 갑이   ② 을이   ③ 병이
④ 정이   ⑤ 무이

10 (가)에 들어갈 말로 가장 적절한 것은?

> 미래 세대가 사용할 경제·사회·환경 등의 자원을 낭비하지 않으면서 현재의 필요를 충족시키는 발전을 [(가)] (이)라 한다.

① 변화 가능한 발전
② 확산 가능한 발전
③ 정지 가능한 발전
④ 유지 가능한 발전
⑤ 지속 가능한 발전

고난도

11 다음 의정서 채택의 목적으로 옳은 것은?

> 제3조
> 1. 부속서 Ⅰ의 당사국들은, 2008~2012년의 공약 기간 중의 부속서 A에 명시된 온실가스들의 CO_2 환산 총 배출량을 1990년 수준에서 적어도 5% 감축하기 위하여, 본 조항에 의거하고 부속서B에 명기된 감축목표를 추구하여 계산된 할당량을 개별적 혹은 공동으로 초과하지 않도록 하여야 한다.
> 2. 부속서 Ⅰ의 각 당사국은 2005년까지 본 의정서 하의 공약 달성에 있어서 가시적인 진전을 이루어야 한다.
> – 「교토 의정서」 –

① 분쟁 지역의 평화와 질서 유지
② 개발 도상국의 빈곤 퇴치와 경제 발전
③ 전 세계 어린이들의 생명과 건강 보호
④ 온실가스 감축과 지구 온난화 현상 해결
⑤ 대량 살상 무기의 위협 해소와 핵 개발 통제

세계사능력검정시험 응용 문제

12 (가)~(마)에 관한 설명으로 옳지 <u>않은</u> 것은?

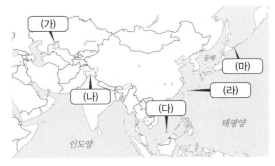

① (가) – 동쪽에 있는 아랄해 주변은 사막화되고 있다.
② (나) – 인도와 파키스탄의 분쟁 지역인 카슈미르이다.
③ (다) – 난사 군도로 자원으로 인한 주변국 간 분쟁이 있다.
④ (라) – 쿠릴 열도로 일본과 중국이 분쟁 중에 있다.
⑤ (마) – 러시아와 일본이 분쟁 중에 있는 지역이다.

주관식·서술형 문제

13 다음 자료를 보고 물음에 답하시오.

북극해에서 피아니스트가 연주하는 동안 빙하가 무너져 내리는 모습은 지구의 기온이 높아지는 [(가)]에 대한 경각심을 가져다준다.

(1) (가)에 들어갈 단어를 쓰시오.

_____

(2) (1)이 발생하게 된 배경을 서술하시오.

_____

_____

14 밑줄 친 '남북문제'의 정의를 서술하시오.

> 세계화가 가속화하고 신자유주의 경제 체제가 대두되면서 국가 간 빈부 격차도 커졌다. 특히 '남북문제'라는 말이 생겨날 정도로 세계의 빈부 격차 문제는 심각한 상황이다.

_____

_____

정리해 보자! 대주제 탄탄

문제 난이도　상 ●●● 　중 ●●○ 　하 ●○○

1 다음 연설을 발표한 인물과 연설에 따른 정책을 옳게 연결한 것은?

오늘날 세계의 거의 모든 나라는 두 가지 생활 방식 중 하나를 선택해야 합니다. …… 나는 모든 민족이 자유로운 상황에서 운명을 스스로 결정할 수 있도록 우리가 도와야 한다고 믿습니다. 그리고 무엇보다 재정적인 지원을 염두에 두고 있습니다.

① 닉슨, 핑퐁 외교
② 닉슨, 마셜 계획
③ 트루먼, 핑퐁 외교
④ 트루먼, 마셜 계획
⑤ 트루먼, 개혁·개방 정책

2 다음 내용에 해당하는 국제 정치 체제의 명칭으로 옳은 것은?

제2차 세계 대전 이후 미국 중심의 자본주의 진영과 소련 중심의 공산주의 진영이 대립하였다. 이로 인해 직접적으로 무력을 사용하지 않고 경제, 외교, 정보 등을 수단으로 하는 국제적인 대립과 긴장 상태가 유지되었다.

① 다극 체제
② 냉전 체제
③ 절대왕정 체제
④ 제국주의 체제
⑤ 신자유주의 체제

3 미국에 의해 창설된 기구로 옳은 것은?

① 독립 국가 연합(CIS)
② 공산당 정보국(코민포름)
③ 바르샤바 조약 기구(WTO)
④ 북대서양 조약 기구(NATO)
⑤ 경제 상호 원조 회의(코메콘)

4 다음 역사적 사건을 발생 순서대로 옳게 나열한 것은?

ㄱ. 쿠바 미사일 위기　ㄴ. 6·25 전쟁 발발
ㄷ. 중국의 공산화　ㄹ. 베트남 전쟁 발발

① ㄴ－ㄹ－ㄱ－ㄷ
② ㄴ－ㄷ－ㄹ－ㄱ
③ ㄷ－ㄱ－ㄴ－ㄹ
④ ㄷ－ㄴ－ㄱ－ㄹ
⑤ ㄷ－ㄴ－ㄹ－ㄱ

5 다음은 제2차 대전 이후의 아시아·아프리카에 관한 대화 내용이다. 옳지 <u>않은</u> 내용을 말한 학생은?

교사: 제2차 대전 이후 아시아·아프리카 상황을 말해 볼까요?
갑이: 인도는 1947년에 영국으로부터 독립했어요.
을이: 하지만 종교 차이를 극복하지 못해 인도와 파키스탄으로 분리되었죠.
병이: 동남아시아에서는 필리핀, 미얀마, 인도네시아도 독립했어요.
정이: 이란은 리자 샤의 지도로 팔레비 왕조를 세웠어요.
무이: 알제리는 프랑스 식민지였는데 결국 독립했어요.

① 갑이　②을이　③ 병이
④ 정이　⑤ 무이

6 (가)에 들어갈 내용으로 옳은 것은?

> • 미국은 앞으로 [(가)]와/과 같은 군사적 개입을 피한다.
> • 미국은 강대국의 핵 위협을 제외하고는 내란이나 침략에 대하여 아시아 각국이 스스로 협력하여 그에 대처하기를 바란다.

① 6·25 전쟁   ② 남북 전쟁
③ 러·일 전쟁   ④ 베트남 전쟁
⑤ 이라크 전쟁

7 다극 체제에 관한 설명으로 옳지 <u>않은</u> 것은?

① 유고슬라비아는 독자 노선을 천명하였다.
② 서독과 일본이 경제 대국으로 발돋움하였다.
③ 소련과 중국이 노선을 둘러싸고 분쟁을 벌였다.
④ 중국 공산당이 국민당과의 내전에서 승리하였다.
⑤ 프랑스가 북대서양 조약 기구(NATO)를 탈퇴하였다.

8 다음 지도의 제목으로 가장 적절한 것은?

① 제2차 세계 대전의 전개
② 오스만 제국의 영토 축소
③ 베르사유 체제하의 유럽 정세
④ 소련의 해체와 동유럽의 변화
⑤ 아시아·아프리카 여러 나라의 독립

9 다음 자료에서 설명하고 있는 사건으로 옳은 것은?

> 마오쩌둥의 사상을 강조하고 중국의 전통문화와 자본주의를 부정하는 운동으로, 1966년부터 10년 동안 전개되었다. 이때 수많은 정치인과 지식인이 탄압받았다.

① 5·4 운동   ② 비폭력 운동
③ 대약진 운동   ④ 톈안먼 사건
⑤ 문화 대혁명

10 중국에서 실리주의에 입각하여 개혁·개방 정책을 처음으로 시행한 인물로 옳은 것은?

① 장제스   ② 마오쩌둥
③ 덩샤오핑   ④ 저우언라이
⑤ 위안스카이

11 (가), (나)에 들어갈 단어를 옳게 짝지은 것은?

> 전 세계적으로 상품과 서비스, 자본, 노동 등이 국경을 넘어서 자유롭게 이동하는 [(가)] 현상도 가속화하였다. 특히 1995년에 발족한 [(나)]은/는 국제 무역 분쟁을 조정하고 관세의 인하를 요구하면서 자유 무역을 촉진하였다.

	(가)	(나)		(가)	(나)
①	세계화	EU	②	세계화	WTO
③	세계화	EU	④	지역화	WTO
⑤	지역화	ASEAN			

12 세계화에 관한 대화 내용이다. 옳지 <u>않은</u> 내용을 말한 학생은?

> 갑이: 세계적인 교류의 증가로 각국의 문화가 융합되었어.
> 을이: 각국의 문화가 융합되면서 새로운 문화가 형성되었지.
> 병이: 세계화로 인해 사람들은 다양한 문화를 누릴 수 있게 되었어.
> 정이: 소수의 전통문화가 이전보다 잘 지켜질 수 있게 되었어.
> 무이: 특정 문화 확산으로 문화 획일화 현상이 발생하였어.

① 갑이   ② 을이   ③ 병이
④ 정이   ⑤ 무이

13 히피 문화에 관한 설명으로 옳지 <u>않은</u> 것은?

① 극단적 자유를 추구하였다.
② 탈사회적 행동을 추구하였다.
③ 전쟁과 물질주의를 비판하였다.
④ 1960~1970년대 미국 청년 사이에서 유행하였다.
⑤ 자식의 교육에 많은 투자를 하고 대학 교육을 중시하였다.

14 (가)에 들어갈 정당의 명칭으로 옳은 것은?

> 탈권위주의 운동이 기존의 산업 문명에 대한 반성으로 연결되어 환경 운동이 확산되었다. 운동가들은 원자력 발전소 건설을 반대하는 반핵 운동을 전개하였다. 이후 유럽 각국에 환경 정당인 (가) 이/가 만들어졌고 의회에도 진출해서 활동하고 있다.

① 적색당   ② 황색당   ③ 녹색당
④ 백색당   ⑤ 흑색당

15 다음 작품으로 대표되는 문화의 영향에 관한 설명으로 옳은 것은?

① 엘리트 소비 사회가 형성되었다.
② 소수 민족 문화가 전 세계에 확산되었다.
③ 전통문화가 급속히 전파되는 경향이 있다.
④ 정신적 가치를 중시하는 경향이 확산되었다.
⑤ 여성, 노동자 등 새로운 소비 주체가 등장하였다.

16 다음 분쟁이 일어난 지역으로 옳은 것은?

> 외모 및 문화적으로 뚜렷한 차이를 갖고 있던 투치족과 후투족은 정권 쟁탈을 둘러싸고 내전을 전개하였다. 이 과정에서 수백만 명이 학살되는 참사가 벌어졌다.

① 르완다   ② 시리아
③ 파키스탄   ④ 유고슬라비아
⑤ 체코슬로바키아

17 남북문제의 정의로 옳은 것은?

① 산업화와 도시화
② 화석 연료 사용의 급증
③ 영양 부족과 면역력 약화
④ 남반구와 북반구 경제 격차의 확대
⑤ 밀집된 도시 환경과 대규모 가축 사육장

주관식·서술형 문제

18 다음 자료를 읽고 물음에 답하시오.

> 1. 기본적 인권 및 유엔 헌장의 목적과 원칙을 존중한다.
> 2. 모든 국가의 주권과 영토 보존을 존중한다.
> 3. 모든 인종과 구가의 평등을 인정한다.
> 4. 다른 나라의 내정에 간섭하지 않는다.
> 8. 국제 분쟁은 유엔 헌장에 따른 화해, 중재, 조정 등의 평화적 수단에 의해 해결한다.
> 9. 상호 이익과 협력을 촉진한다.

(1) 위 자료의 제목을 쓰고, 이것이 발표된 회의의 명칭을 쓰시오.

_____

(2) (1)의 주요 내용을 두 가지로 요약하여 서술하시오.

_____

_____

19 다음 자료를 읽고 물음에 답하시오.

> 〈냉전 체제 붕괴에 대한 수행 평가 보고서〉
> 주제: 소련의 해체
> 내용: ㉠ 197년대 이후 소련의 정치적·경제적 정체, ㉡ 고르바초프의 등장
> 결과: 소련의 각 공화국이 독립 선포, 독립 국가 연합(CIS)의 출범

(1) 밑줄 친 ㉠의 원인을 구체적으로 서술하시오.

_____

_____

(2) 밑줄 친 ㉡이 시행한 정책의 명칭을 쓰시오.

_____

20 다음을 보고 물음에 답하시오.

> 〈수업 일기 작성〉
> 제목: 세계화가 전개되다
> 내용: 냉전 체제가 무너지면서 자본주의 세계가 확산하였고, ㉮ 경제 체제가 대두하였다. ㉮ 경제 체제에서는 여러 가지 규제를 없애려고 하였다.

(1) ㉮에 공통적으로 들어갈 단어를 쓰시오.

_____

(2) 시장, 정부, 사회 복지 예산에 관한 (1)의 입장을 서술하시오.

_____

_____

21 교사의 질문에 대한 답을 서술하시오.

교사: 위 사진에 대해 아는 사람이 있나요?
학생: 인도의 카슈미르 통치에 반대하는 사람들의 시위에요.
교사: 그렇다면 위와 같은 분쟁이 일어난 까닭을 이야기해 볼까요?

_____

_____

MEMO

이 책의 정답은 QR 코드로 확인할 수 있어요~!

2015 개정 교육과정

금성 평가문제집

ㄱ 펑아 ㅁ 놀자!

학교시험대비 평가 시리즈

중학 역사 ①
평가문제집

정답과 해설

금성출판사

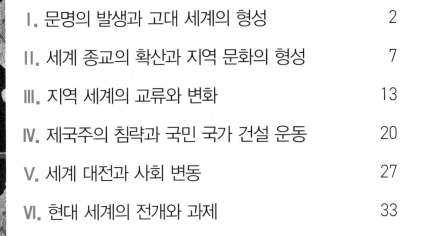

정확한 답과
친절하게 짚어 주는 해설

정답과 해설

정답과 해설

I 문명의 발생과 고대 세계의 형성

1 세계의 선사 문화와 고대 문명

되짚어 보자! 기본 개념 ───────── 12쪽

맥 잡는 연표 문제

1 ❶ 오스트랄로피테쿠스 ❷ 메소포타미아 ❸ 인도 ❹ 인더스강

핵심 짚는 확인 문제

1 (1) 사료 (2) 움집 (3)『함무라비 법전』(4) 갑골문

2 (1) × (2) ○ (3) × (4) ×

3 (1) 쐐기 문자 (2) 피라미드 (3) 봉건제

4 (1) ㉑ (2) ㉠ (3) ㉣ (4) ㉢

키워 보자! 실력 쑥쑥 ───────── 13~15쪽

1 ④ 2 ③ 3 ⑤ 4 ② 5 ③ 6 ⑤ 7 ③ 8 ④ 9 ① 10 ⑤
11 ① 12 ① 13 ③ 14 ⑤ 15 해설 참조 16 해설 참조

---

1 역사는 (가) 과거에 일어난 일 그 자체, 그리고 (나) 과거에 일어난 일에 대한 이야기(기록)라는 두 가지 의미를 지닌다. 전자는 이미 지나간 일이므로 주관적 해석이 개입되어 있지 않지만, 후자는 누군가가 과거의 사실 중에서 중요하다고 생각하는 것을 선택하여 기록한 것이기 때문에 기록자의 가치관이나 선택에 따라 다르게 기록될 수 있다.
오답 확인 ① 누군가가 지어낸 이야기는 역사가 아니다.
② 역사가의 입장이 반영된 것은 (나)이다.
③ 오늘날에도 직접 눈으로 확인할 수 있다.
⑤ 기록자의 주관적 해석이 개입될 수 있다.

2 역사가는 역사 연구를 위해 사료를 수집한 후, 그것을 분석·비판한다. 그리고 검증한 사료를 바탕으로 과거를 추론하여 서술한다.

3 역사 학습을 통해 현재를 이해하고 교훈을 얻을 수 있으며, 정체성을 형성하고 미래에 대한 올바른 전망을 세울 수 있다.
⑤ 한국사와 세계사의 학습을 통해 다양한 문화를 존중하고 사회 문제를 평화롭게 해결하는 능력을 기를 수 있다.

4 호모 사피엔스는 뇌의 용량을 비롯한 여러 신체 특징으로 보아 현재 인류의 조상으로 여겨진다. 약 20만 년 전에 등장한 이들이 세계 여러 지역으로 이동하여 새로운 환경에 적응하면서 다양한 생김새와 생활 양식이 나타나게 되었다.

5 제시된 자료는 왼쪽부터 차례대로 주먹 도끼, 찍개, 슴베찌르개이다. 세 도구는 모두 돌을 떼어서 만든 뗀석기로 구석기 시대 사람들이 주로 사용하던 도구이다. 구석기 시대 사람들은 동굴이나 바위 그늘에서 살거나 나뭇가지 또는 짐승의 뼈로 간단한 막집을 지어 생활하였다.
오답 확인 ①, ②, ④, ⑤는 신석기 시대의 생활 모습이다. 신석기 시대 사람들은 주로 간석기를 사용하였다.

6 신석기 시대 사람들은 움집을 지어 살았으며, 토기·갈판·갈돌 등을 사용하여 간단한 조리를 하였다. 또한 물고기와 조개 등을 잡기도 하였으며, 돌낫 등으로 농사를 지었다.
⑤ 청동 검은 인류가 처음 사용한 금속인 청동으로 제작된 무기이다. 신석기 시대에는 주로 돌을 갈아서 만든 간석기를 사용하였다.

7 제시된 자료는 구석기 시대와 신석기 시대 사람들의 생활 모습을 비교한 표이다.
③ 구석기 시대 사람들은 식량이 있는 곳을 찾아 이동하며 동굴이나 막집에 거주하였고, 신석기 시대에 농경을 주로 하게 된 사람들은 움집을 지어 정착 생활을 하였다.

8 인류가 문자를 사용하기 이전을 '선사 시대', 그 이후를 '역사 시대'라고 한다.

9 제시된 자료는 메소포타미아 문명의 바빌로니아 왕국에서 제작된『함무라비 법전』의 내용이다. 함무라비왕이 만든 이 법전은 쐐기 문자로 기록되어 있다. 이 법전을 통해 바빌로니아에서는 신분에 따라 법을 적용하는 데 차이가 있었고, 복수주의 경향이 있었음을 알 수 있다.
① 파라오는 이집트의 왕을 가리킨다.

10 제시된 자료는 이집트 문명이 남긴 피라미드와 스핑크스이다. 이집트 문명의 사람들은 상형 문자를 사용하였다. 그들의 왕인 파라오는 살아 있는 신으로 여겨져 다방면에 걸쳐 강력한 권력을 행사하였다. 또한 이집트 문명에서는 측량법과 천문학이 발전하였으며, 육체가 죽어도 영혼은 죽지 않는다는 내세적인 세계관이 발달하였다.
⑤ 지구라트와 현세 중심의 세계관은 메소포타미아 문명의 특징으로 이집트 문명과는 관계가 없다.

11 메소포타미아 문명은 개방적인 지역에 위치하였으며, 이집트 문명은 사막, 바다로 둘러싸인 폐쇄적인 지역에 위치하였다.

② 메소포타미아 지역에서는 잦은 외침으로 지배 세력이 자주 교체되었으며, 이집트 지역에서는 오랜 기간 통일 왕조가 유지되었다.
③ 메소포타미아 문명에서는 태음력이, 이집트 문명에서는 태양력이 발달하였다.
④ 메소포타미아 문명 사람들은 쐐기 문자를, 이집트 문명의 사람들은 상형 문자를 사용하였다.
⑤ 메소포타미아 문명에서는 현세적인 세계관이, 이집트 문명에서는 내세적인 세계관이 발달하였다.

12 제시된 자료는 중국 상 왕조의 갑골문이다. 상의 왕은 점을 쳐서 국가의 중요한 일을 결정하였다. 그 결과는 거북의 배나 짐승의 뼈에 새겨졌는데, 이를 갑골문이라 한다.
②는 주 왕조, ③은 이집트 문명, ④는 메소포타미아 문명, ⑤는 인더스 문명의 특징이다.

13 제시된 자료는 인도 문명의 카스트제를 보여 준다. 인도인은 자신들의 신분 제도를 '바르나(색깔)'라고 부른다. 인종(피부색)에 따라 신분을 구분하였기 때문일 것이다. 카스트제는 인더스 문명의 원주민보다 피부가 흰 아리아인이 그들을 지배하기 위해 만든 신분 제도이기 때문이다.
ㄴ은 중국 문명에 관한 설명이며, ㄷ은 혈통으로 신분을 구분하였던 카스트제와 관련 없는 설명이다.

14 ㈎는 이집트 문명, ㈏는 메소포타미아 문명, ㈐는 인도 문명, ㈑는 중국 문명이다. 모두 큰 강 유역에서 발생하였다.
①, ②는 황허강 유역에서 발달한 중국 문명, ③은 티그리스강·유프라테스강 사이의 메소포타미아 문명, ④는 인더스강 유역에서 발달한 인도 문명에 관한 설명이다.

15 (1) 아리아인
(2) 예시 답안 철기를 사용하던 아리아인들은 인도 문명의 원주민을 지배하기 위해 브라만, 크샤트리아, 바이샤, 수드라로 계급을 엄격하게 구분하는 카스트제를 만들었다. 또한 그들은 자연을 숭배하였는데, 이러한 믿음이 발전하여 브라만교가 형성되었다. 제사장인 브라만은 『베다』라는 경전을 바탕으로 복잡한 종교 의식을 만들어 자신들의 권위를 높였다.

채점 기준	
상	아리아인의 명칭, 아리아인의 이동 이후 인도 신분 제도와 종교의 변화를 명확히 서술한 경우
중	아리아인의 명칭을 썼으나 아리아인의 이동 이후 인도 사회의 변화를 한 가지 측면에서만 서술한 경우
하	아리아인의 명칭, 아리아인의 이동 이후 인도 사회의 변화 중 한 가지만 서술한 경우

16 (1) 봉건제
(2) 예시 답안 주는 넓어진 영토를 효과적으로 다스리기 위해 왕의 직할지를 뺀 나머지 영토를 제후들에게 나누어 주었다. 제후는 왕의 형제나 공신 등 혈연관계를 바탕으로 이루어졌다.

채점 기준	
상	봉건제의 명칭, 시행 목적 및 특징을 명확히 서술한 경우
중	봉건제의 명칭을 썼으나 시행 목적 및 특징을 미흡하게 서술한 경우
하	봉건제의 명칭, 시행 목적 및 특징 중 한 가지만 서술한 경우

 2 고대 제국들의 특성과 주변 세계의 성장

 되짚어 보자! 기본 **개념** ────────── 22쪽

맥 잡는 연표 문제
1 ❶ 알렉산드로스 ❷ 진(시황제) ❸ 장건 ❹ 크리스트교

핵심 짚는 확인 문제
1 (1) 페르시아 (2) 철기 (3) 비단길 (4) 제정
2 (1) ○ (2) ○ (3) × (4) ×
3 (1) 왕의 길 (2) 도가 (3) 민주 정치
4 (1) ㉡ (2) ㉢ (3) ㉠ (4) ㉣

키워 보자! 실력 **쑥쑥** ────────── 23~25쪽

1 ④　2 ①　3 ①　4 ④　5 ④　6 ②　7 ③　8 ②　9 ⑤
10 ④　11 ①　12 ①　13 ⑤　14 해설 참조　15 해설 참조

1 ㈎는 페르시아이다. 페르시아의 다리우스 1세는 넓어진 영토를 다스리기 위해 강력한 중앙 집권 정책을 실시하였다. 그는 세금 제도를 정비하고 화폐를 통일하였으며 '왕의 길'과 역참을 설치하였다. 또한 '왕의 눈', '왕의 귀'라고 불리는 관리를 각지에 보내 지방 총독을 감시하였다.
④ 피정복민 강제 이주는 페르시아와 관련이 없다.

2 페르시아는 정복한 지역의 주민들이 페르시아의 지배를 받아들이고 세금을 내면, 그들의 전통과 종교를 존중하고 자치를

실시하는 것도 인정하는 관용 정책을 시행하였다.

3 기원전 7세기 무렵에 성립된 조로아스터교는 이 세상을 선과 빛의 신인 아후라 마즈다와 악과 어둠의 신인 아흐리만이 대립하는 장소로 보았다. 페르시아인들은 아후라 마즈다를 섬기며 최후의 심판으로 천국에 갈 수 있게 해 달라고 빌었다. 페르시아의 왕들은 조로아스터교의 최고신이 자신에게 권력을 주었다고 주장하였으며, 사산 왕조 페르시아는 조로아스터교를 국교로 삼기도 하였다.
① 기원전 7세기 무렵에 조로아스터가 창시하였다.

4 지도는 춘추 전국 시대의 상황을 보여 준다. 춘추 전국 시대에는 중국 사회에 철기가 보급되며 농업 생산력이 증대되었다.
오답 확인 ① 춘추 전국 시대에는 봉건제를 기초로 한 주 왕실의 권위가 무너졌다.
② 춘추 전국 시대에는 강력한 제후들이 등장하여 서로 치열하게 경쟁하였다.
③ 춘추 전국 시대의 각 제후국은 서로 다른 화폐를 사용하였다.
⑤ 주가 수도를 옮기기 이전의 상황에 관한 설명이다.

5 유가는 공자 등이 도덕 정치를, 묵가는 묵자가 차별 없는 사랑을, 법가는 한비자 등이 엄격한 법에 의한 통치를, 도가는 노자 등이 자연의 순리를 주장하였다.

6 (가)는 장건이다. 그는 한 무제 때 흉노를 견제하기 위한 목적으로 서역(중앙아시아)에 파견되었다. 그는 대월지와 동맹을 맺고자 하였으나, 흉노에게 잡혀 10년동안 그들의 땅에 억류되었다. 이후 탈출한 장건은 대월지에서 동맹 제안을 거절당하고 한으로 돌아왔다. 그 후 장건에 의해 서역의 사정이 중국에 알려지면서 한에서 서역까지 연결되는 교역로가 연결되었는데, 이 길을 비단길이라고 한다. 비단길은 이후 사람과 물자, 종교 등이 교류되는 중요한 교역로가 되었다.
오답 확인 ①은 진시황제에 관한 내용이다.
③ 장건은 대월지와의 동맹을 체결하는 데 실패하였다.
④, ⑤ 한 무제에 관한 내용이다. 장건을 서역에 파견한 인물은 한 무제이다.

7 한의 문화는 이후 중국 사회에 큰 영향을 끼쳤다. 사마천은 『사기』를 편찬하여 중국 역사 서술의 모범을 확립하였으며, 채륜은 종이 만드는 법을 개량하였다. 또한 유교 경전을 정리하고 해석하는 훈고학이 발달하였으며, 과학 기술의 발달로 지진계, 해시계 등이 발명되었다.
③ 불교는 기원전 1세기 무렵 중국으로 전래되었다.

8 그리스는 폴리스라는 도시 국가로 나뉘어져 있었으나 같은 언어를 사용하고 같은 신을 믿었다. 또한 올림피아 제전 등을 통해 결속을 다졌다. 폴리스의 중심부에는 신전이 있는 아크로폴리스가 위치하였으며, 그 밑에 광장과 시장으로 기능한 아고라가 있었다. 이러한 폴리스는 방어를 위해 쌓은 성과 요새가 발전하며 형성된 것으로 짐작되고 있다.
② 민주 정치의 발전은 아테네의 특징으로 그리스 폴리스에 관한 보편적인 설명으로 볼 수 없다.

9 기원전 5세기 무렵 서아시아 세계를 통일한 페르시아가 세력을 서쪽으로 확장하고자 그리스를 공격하였다. 아테네와 스파르타 등을 중심으로 한 그리스 동맹군이 마라톤 전투, 살라미스 해전 등에서 승리하며 페르시아의 공격을 막아 냈다.
오답 확인 ㄱ. 페르시아는 그리스·페르시아 전쟁에서 패배하였다.
ㄴ. 전쟁 이후, 아테네 등의 그리스 폴리스는 해상 무역으로 경제적 번영을 이루었다.

10 기원전 4세기 무렵 알렉산드로스가 정복 전쟁에 나선 이후부터 기원전 1세기 후반까지 약 300년간을 헬레니즘 시대라고 한다. 이 시기에는 그리스 문화를 기반으로 페르시아 등 다른 문화 요소를 융합한 헬레니즘 문화가 등장하였다. 이러한 헬레니즘 문화는 세계 시민주의적인 성격을 보였다.
④ 헬레니즘 문화는 공동체보다 개인의 행복을 중요시하는 경향을 띠었다.

11 (가)는 원로원, (나)는 호민관이다. 원로원은 귀족 중심의 국정 자문 기관이다. 한편 로마의 영토가 확장되는 과정에서 평민이 중심이 되는 보병의 역할이 커지자, 평민들의 정치 참여 요구가 높아졌다. 평민들은 귀족 세력을 견제할 수 있는 평민들의 대표인 호민관을 선출하였다.

12 수도교와 아피우스 가도는 로마의 실용적인 건축 문화를 보여 주는 유적이다. 로마에서는 광대한 제국을 다스리기 위한 실용적인 문화가 발달하였다.

13 스파르타의 특징을 설명하는 자료이다. 스파르타는 소수의 도리아인이 남하하여 원주민들을 노예로 삼아 통치하였다. 이를 위해 스파르타는 군사 훈련을 바탕으로 군국주의 정책을 시행하였다. 스파르타는 아테네를 중심으로 하는 델로스 동맹에 대항하여 주변 폴리스들과 펠로폰네소스 동맹을 맺었고, 이로 인해 펠로폰네소스 전쟁이 발발하였다.
오답 확인 ㄱ, ㄴ은 아테네와 관련된 내용이다.

14 (1) 진시황제
(2) 예시 답안 중국을 최초로 통일한 진시황제는 모든 권력을 중앙으로 집중시키기 위해 문자, 화폐, 도량형 등을 통일하고

법가 이외의 사상을 탄압하였으며, 군현제를 전국에 시행하였다.

채점 기준	
상	진시황제, 그가 시행한 정책의 목적을 모두 명확히 서술한 경우
중	진시황제의 명칭을 썼으나 그가 시행한 정책의 목적을 미흡하게 서술한 경우
하	진시황제, 그가 시행한 정책의 목적 중 한 가지만 서술한 경우

15 **예시 답안** 아테네의 민주 정치는 시민이 민회에 참석하여 직접 의사 결정에 참여하는 직접 민주 정치이나, 시민권을 가진 20세 이상의 남성만 참여할 수 있었다. 반면 오늘날 우리나라의 민주 정치는 시민이 대표를 선출하고 그 대표를 통해 간접적으로 의사 결정에 참여하는 간접 민주 정치이며, 일정 연령 이상의 모든 사람이 참여할 수 있다.

채점 기준	
상	아테네의 민주 정치, 오늘날 우리나라의 민주 정치의 특징과 그 차이를 명확히 서술한 경우
중	아테네의 민주 정치, 오늘날 우리나라의 민주 정치의 특징을 썼으나, 그 차이를 미흡하게 서술한 경우
하	아테네의 민주 정치, 오늘날 우리나라의 민주 정치의 특징 중 한 가지만 서술한 경우

정리해 보자! **탄탄**
대주제 ●━━━━━━━━ 26~29쪽

1 ④ **2** ⑤ **3** ③ **4** ④ **5** ③ **6** ② **7** ⑤ **8** ② **9** ②
10 ① **11** ① **12** ⑤ **13** ② **14** ④ **15** ① **16** ⑤
17 해설참조 **18** 해설 참조 **19** 해설 참조 **20** 해설 참조

1 사료를 연구하여 과거의 사실을 밝히는 직업은 역사가이다. 역사가는 어디까지나 사료를 바탕에 두고 객관적으로 역사를 탐구한다.

2 약 390만 년 전 등장한 최초의 인류는 오스트랄로피테쿠스이다. 주변의 식물을 채집하거나 육식동물이 먹다 남긴 찌꺼기를 먹으면서 작은 무리를 이루어 생활하였다는 설이 정설이다. 이들은 두 발로 서서 걷고 간단한 도구를 사용하였다.
오답 확인 ① 네안데르탈인은 약 40만 년 전 등장하였다.
② 호모 하빌리스는 약 240만 년 전 등장한 인류이다.
③ 호모 에렉투스는 약 180만 년 전 등장하였다.
④ 호모 사피엔스는 약 20만 년 전 등장하였다.

3 구석기 시대 사람들은 다산과 풍요, 사냥의 성공을 기원하며 동굴 벽에 벽화를 그리거나, 예술품을 제작하였다. 주먹 도끼는 사냥이나 땅파기, 자르기, 구멍 내기 등 다양한 용도로 사용되었던 구석기 시대의 유물이다.
오답 확인 ㄴ. 갈판과 갈돌은 신석기 시대 사람들이 음식을 만드는 데 사용했던 도구이다.
ㄷ. 돌낫은 신석기 시대 사람들이 곡식을 수확하는 등 농사에 이용하던 도구이다.

4 제시된 자료는 미라를 만드는 모습을 그린 센네젬의 무덤 벽화이다. 이는 이집트 문명이 남긴 것이다. 이집트인들은 나일강이 범람할 때면 동쪽 하늘에 시리우스(큰개자리 α)가 나타난다는 사실을 알아냄으로써 태양력을 만들었다.
오답 확인 ①은 메소포타미아 문명, ②는 인도 문명, ③, ⑤는 중국 문명에 관한 내용이다.

5 ㈎는 메소포타미아 문명의 쐐기 문자, ㈏는 인도 문명의 하라파 문자, ㈐는 이집트 문명의 상형 문자, ㈑는 중국 문명의 갑골문이다.

6 주는 넓은 영역을 제대로 통치하기 위해 수도와 그 주변 지역은 왕이 다스리고 그 외의 지역은 왕의 친족이나 공신을 제후로 삼아 다스리게 하는 봉건제를 실시하였다. 봉건제는 혈연 관계를 기반으로 하여 왕의 형제나 가족들이 왕에게 토지와 백성을 하사받았다. 제후는 왕에게 세금이나 특산물을 바치고 왕이 적과 싸울 때는 군대를 보내 도울 의무가 있었다.
오답 확인 ①은 진과 한 등이 시행한 군현제, ⑤는 중세 서유럽의 봉건제에 관한 내용이다.
③ 왕이 도읍을 다스리고 제후는 지방을 다스리는 제도이다.
④ 주의 봉건제는 지방 분권적인 통치 제도이다.

7 제시된 자료는 카스트제에 관한 것이다. 중앙아시아에서 유목 생활을 하던 아리아인이 인도 지역으로 이동하면서 원주민을 지배하기 위해 엄격한 신분 제도인 카스트제를 만들었다.
오답 확인 ㈎는 제사를 담당하는 브라만, ㈏는 정치와 군사를 담당하는 크샤트리아, ㈐는 생산에 종사하는 바이샤, ㈑는 주로 하층민인 수드라이다.

8 자료는 페르시아의 문화의 국제성을 설명하고 있다. 서아시아, 북아프리카에서 인더스강 유역에 이르는 넓은 지역을 통치한 페르시아는 제국 내 다양한 민족의 문화를 인정하였다. 이외에도 도로의 정비로 제국내 교류가 활발해지자 다양한 문화가 융합된 국제적인 문화가 발달하였다. 특히 페르세폴리스 유적에는 아시리아, 이집트, 그리스 등 여러 나라 문화의 영향을 받은 조각이나 건축물들이 남아 있다.

9 페르시아는 '왕의 길'을 정비하고 역참을 설치하여 중앙 집권을 도모하였다. 또한 전국을 20개 주로 나누고 총독을 파견하였다.
오답 확인 ㄴ. 페르시아는 피정복민에게 관용 정책을 펼쳤다.
ㄹ. 불교의 전파는 아케메네스 왕조 페르시아와 관련이 없다.

10 춘추 전국 시대에 사회·경제적인 면에서 많은 발전이 있었는데, 특히 철기의 보급은 큰 변화를 가져왔다. 철제 농기구와 소를 이용한 농사법이 확산되면서 농업 생산량이 크게 증가하였다. 또한 철제 무기가 사용되면서 전쟁이 확대되었다.
오답 확인 ㄷ은 진시황제, ㄹ은 한 무제 이후의 사회·경제에 관한 내용이다.

11 춘추 전국 시대에는 제자백가가 등장하여 인간의 본성과 사회 문제를 분석하고 정치 개혁안을 제시하였다. 유가는 '인'과 '예'를 바탕으로 하는 도덕 정치를, 묵자 등의 묵가는 차별 없는 사랑을, 한비자 등의 법가는 엄격한 법을 통한 정치를, 노자, 장자 등의 도가는 자연의 순리에 따를 것을 주장하였다.
① 유가의 대표적인 사상가는 공자와 맹자 등이 있다.

12 진시황제는 스스로를 황제라 칭하여 높였으며, 문자·화폐·도량형 및 사상의 통일을 도모하여 제국을 하나의 정치적, 경제적 제체로 묶고자 노력하였다. 또한 흉노를 몰아내고 만리장성을 축조하기도 하였다.

13 한의 유방(고조)이 진 멸망 이후 중국을 다시 통일하였다. 이후 무제가 영토 확장, 중앙 집권 체제 강화, 장건의 서역 파견 등 활발한 활동을 전개하였으나, 그가 죽은 후 한은 쇠퇴의 길을 걸었다. 이 과정에서 왕망이 한을 무너뜨리고 신을 건국하였으나, 곧 광무제가 한을 부활시켰다. 후한 말기가 되자, 지방에서 넓은 토지를 소유한 호족들이 독자적인 세력을 형성하였고, 생활이 어려워진 농민들이 곳곳에서 봉기하였다. 특히 황건적의 난으로 후한의 국력이 크게 약화되었다.

14 아테네를 중심으로 하는 델로스 동맹과 스파르타를 중심으로 한 펠로폰네소스 동맹 사이에 벌어진 전쟁은 펠로폰네소스 전쟁이다. 이 전쟁에서 펠로폰네소스 동맹이 승리하였으나 그 후에도 이어진 폴리스들 사이의 잦은 다툼으로 그리스는 크게 쇠퇴하였다. 이후 그리스는 마케도니아의 알렉산드로스 원정으로 멸망하였다.
오답 확인 ① 알렉산드로스와 페르시아의 다리우스 3세의 전투이다.
② 이탈리아반도를 통일한 로마가 지중해 무역을 주도하던 카르타고와 벌인 전쟁이다.
③ 그리스·페르시아 전쟁 때 그리스 연합군이 페르시아 군을 크게 이긴 전투이다.
⑤ 페르시아 다리우스 1세가 지중해 패권을 놓고 그리스를 공

격한 전투이다.

15 제시된 자료는 그리스 문화의 특징을 설명하고 있다. 그리스 문화를 대표하는 건축물인 파르테논 신전은 아테네의 수호 여신인 아테나에게 바친 신전으로, 아크로폴리스에서 가장 아름답고 웅장한 건축물이다.
오답 확인 ② 라오콘 군상으로 헬레니즘 문화의 사실적이고 역동적인 성격을 보여 주는 대표적인 예술품이다.
③ 간다라 불상으로 인도 북부 간다라 지방에서 만들어진 조각이다.
④ 검투사들의 대결과 호화로운 구경거리가 펼쳐지던 거대한 로마의 원형 경기장, 콜로세움이다.
⑤ 고대 로마의 광장인 포룸 로마눔으로 공공 기관과 일상생활에 필요한 시설을 갖추고 있었다.

16 제시된 자료는 로마 문화의 실용적인 특징을 설명하고 있다. 로마는 다양한 민족과 종교가 뒤섞인 대제국을 다스리기 위해 제국 전역에 실용적인 시설물들을 세웠다.
⑤ 카타콤은 초창기 크리스트교도들의 피난처이자, 예배처 역할을 하였던 지하 묘지이다. 크리스트교도들은 로마 제국의 탄압을 피해 이곳에서 예배를 하였다. 카타콤은 로마 문화의 실용적인 특징을 보여 주는 문화유산과는 거리가 멀다.
자료 해설 ①은 아피우스 가도, ②는 수도교, ③은 콜로세움, ④는 공중목욕탕이다. 모두 로마 문화의 실용적인 건축 문화를 잘 보여 주는 문화유산이다.

17 (1) (가): 이집트 문명, (나): 메소포타미아 문명
(2) **예시 답안** 이집트 문명은 사막과 바다로 둘러싸인 폐쇄적인 지역에 위치하여 다른 민족의 침입이 적었다. 이에 오랜 기간 통일 왕국이 유지될 수 있었다. 반면 메소포타미아 문명은 사방이 트인 개방적인 지역에 위치하여 외적의 침입이 잦아 그 지배 세력이 자주 바뀌었다.

채점 기준	
상	메소포타미아·이집트 문명의 명칭. 지리적인 특징 및 그 영향을 모두 명확히 서술한 경우
중	메소포타미아·이집트 문명의 명칭을 썼으나 지리적인 특징 및 그 영향을 미흡하게 서술한 경우
하	메소포타미아·이집트 문명의 명칭. 지리적인 특징 및 그 영향 중 한 가지만 서술한 경우

18 **예시 답안** 춘추 전국 시대에 철기가 보급되며, 중국 사회가 크게 변화하였다. 먼저 철제 농기구와 소를 이용한 농사법이 확산되면서 농업 생산량이 크게 증가하였다. 이를 계기로 상업과 수공업도 발달하고 도시가 발달하였다. 한편 철제 무기가 사용되면서 전쟁의 규모는 커지고 그 빈도가 잦아졌으며 전쟁에서 평민의 역할이 확대되었다.

채점 기준	
상	철제 농기구, 철제 무기의 사용으로 인한 사회 변화를 두 가지 이상 명확히 서술한 경우
하	철제 농기구, 철제 무기의 사용으로 인한 사회 변화를 한 가지만 서술한 경우

19 (1) 비단길

(2) **예시 답안** 장건이 가지고 돌아온 서역의 정보가 중국에 알려지면서 한에서 서역으로 연결되는 교역로인 비단길이 개척되었다. 이로 인해 동서 교류가 활발해졌다.

채점 기준	
상	비단길의 명칭, 장건의 활동이 동서 교류에 미친 영향을 모두 명확히 서술한 경우
중	비단길의 명칭을 썼으나 장건의 활동이 동서 교류에 미친 영향을 미흡하게 서술한 경우
하	비단길의 명칭, 장건의 활동이 동서 교류에 미친 영향 중 한 가지만 서술한 경우

20 (1) ㈎: 옥타비아누스, ㈏: 제정

(2) **예시 답안** 아우구스투스의 집권으로 로마의 제정이 시작된 이후 약 200년간 5현제가 등장하여 영토를 크게 확장하였으며, 황제 중심의 통치 체제가 안정되면서 로마는 최고의 전성기를 맞이하였다. 이 시기를 '로마의 평화'라고 한다.

채점 기준	
상	옥타비아누스, 제정, 제정 성립 이후 로마의 상황을 모두 명확히 서술한 경우
중	옥타비아누스, 제정, 제정 성립 이후 로마의 상황 중 두 가지만 서술한 경우
하	옥타비아누스, 제정, 제정 성립 이후 로마의 상황 중 한 가지만 서술한 경우

II 세계 종교의 확산과 지역 문화의 형성

1 불교 및 힌두교 문화의 형성과 확산

 되짚어 보자! 기본 개념 ●━━━━━━ 34쪽

맥 잡는 연표 문제

1 ❶ 아소카왕 ❷ 쿠샨 ❸ 카니슈카왕 ❹ 찬드라굽타 2세

핵심 짚는 확인 문제

1 (1) 찬드라굽타 마우리아 (2) 상좌부 (3) 브라만교 (4) 카스트제

2 (1) ○ (2) ○ (3) ○ (4) ○

3 (1) 산스크리트어 (2) 굽타 양식 (3) 앙코르 와트

4 (1) ⓒ (2) ⓛ (3) ㉠

 키워 보자! 실력 쑥쑥 ●━━━━━━ 35~37쪽

1 ② **2** ⑤ **3** ③ **4** ④ **5** ① **6** ⑤ **7** ② **8** ③ **9** ⑤
10 ⑤ **11** ② **12** ① **13** ⑤ **14** 해설 참조 **15** 해설 참조

1 아소카왕은 불교에 바탕을 둔 법치를 추구하며 각지에 돌기둥을 세웠다. 여기에는 육식을 금하고 살생을 삼가라는 등의 내용이 새겨져 있다.

2 ㈎ 불교는 상좌부 불교이다. 상좌부 불교는 개인의 도덕적 수행과 해탈을 강조하였으며, 마우리아 왕조 시기에 크게 발전하였다. 이는 실론, 동남아시아 각지에 전파되었으며, 이후 대승 불교의 비판으로 소승 불교라고 불리기도 하였다.
⑤ 대승 불교에 관한 설명이다.

3 쿠샨 왕조의 카니슈카왕은 불교의 장려와 전파에 적극적이었다. 그는 여러 곳에 불교 사원을 짓고 승려들을 모아 경전을 연구하게 하였다. 이에 힘입어 대승 불교가 발전하였다.
오답 확인 ①은 석가모니, ②는 굽타 왕조, ④는 찬드라굽타 마우리아와 아소카왕, ⑤는 참파 왕국에 관한 설명이다.

4 제시된 자료는 쿠샨 왕조 시기에 발달한 대승 불교를 설명하고 있다. 대승 불교는 선행을 통한 중생의 구제를 강조한다.
오답 확인 ① 상좌부 불교에 관한 설명이다. 대승 불교는 중앙아시아와 중국으로 전파되었고, 중국적 색채가 더해져 우리

나라와 일본에까지 전해졌다.

5 ㈎는 찬드라굽타 2세이다. 그는 북인도 전역을 통일하고 인도 중부 지역까지 세력을 확장하였다.
오답 확인 ②는 사산 왕조 페르시아, ③은 마우리아 왕조에 관한 설명이다.
④, ⑤ 찬드라굽타 2세와 관련이 없는 내용이다.

6 ㈎는 굽타 왕조이다. 굽타 왕조는 5세기 중엽 중앙아시아 유목 민족인 에프탈의 침략을 받았다.
오답 확인 ① 굽타 왕조는 북인도에 위치하였다.
② 굽타 왕조는 불교가 아닌 힌두교를 발전시켰다.
③ 굽타 왕조는 아소카왕의 정복 활동과 관련이 없다.
④ 굽타 왕조 건립 직전 북인도는 사산 왕조 페르시아의 침입으로 혼란에 빠졌다.

7 ㈎는 비슈누이다. 힌두교의 왕들은 자신을 비슈누에 비유하면서 힌두교를 보호하였다.

8 카스트제에서 평민 계층에 해당하는 것은 바이샤이다. 카스트제의 신분 질서를 규정한 『마누 법전』에서는 창조주가 바이샤에게 농사짓고 짐승을 기를 것을 명령하였다고 설명하고 있다.

9 ㈎는 굽타 양식이다. 굽타 양식은 간다라 양식과 인도 고유의 양식이 융합되어 나타났다.
오답 확인 ① 간다라 양식에 관한 설명이다.
② 굽타 양식은 옷 주름의 선을 완전히 생략한다.
③ 그리스 문화에 관한 설명이다.
④ 굽타 양식은 인체의 윤곽을 드러낸다.

10 제시된 자료는 『라마야나』의 일부이다. 고대의 이상적인 군주상인 라마의 무용담을 그린 이 작품은 굽타 왕조 시기에 정리되었다. 이는 산스크리트 문학의 발전과 관련이 있으며, 인도의 고전 문화 확립에 영향을 미쳤다.
⑤ 굽타 왕조 시기의 수학과 천문학 지식에 관한 설명이다.

11 굽타 왕조 시기에는 십진법이 일상적으로 사용되었다. 또한 『마하바라타』가 정리되는 등 인도의 고전 문화가 확립되었으며, 최초로 '영(0)'의 개념이 도입되었다. 그리고 굽타 왕조 시기에는 산스크리트 문학이 발전하였다.
② 카스트제는 아리아인의 이동으로 만들어진 것이다.

12 힌두교 문화는 무역의 발달로 동남아시아에 전파되었다. 베트남에서는 힌두교 문화의 영향을 받은 참파 왕국이 번영을 누렸고, 앙코르 왕조는 힌두교 사원인 앙코르 와트를 세웠다.

오답 확인 ㄷ, ㄹ은 힌두교 문화와 관련이 없다.

13 간다라 양식의 영향으로 제작되기 시작한 불상이 불교와 함께 전파되면서 부처의 모습도 바뀌었다. 중국과 한반도 등지에서는 현지인의 모습을 닮은 불상이 제작되었다.

14 (1) ㈎: 간다라 양식, ㈏: 굽타 양식
(2) **예시 답안** 간다라 양식은 생김새가 인간적이고 개성적이며, 그리스인을 많이 닮아 있다. 한편 간다라 양식과 인도 고유의 양식이 융합되어 나타난 굽타 양식은 옷주름의 선을 생략하고 인체의 윤곽을 드러내어 인도 고유의 색채를 보여 준다.

채점 기준	
상	간다라·굽타 양식, 양식의 특징을 모두 명확히 서술한 경우
중	간다라·굽타 양식, 양식의 특징 중 두 가지를 서술한 경우
하	간다라·굽타 양식, 양식의 특징 중 한 가지만 서술한 경우

15 **예시 답안** 원주율 계산법이나 지구가 둥글고 자전한다는 사실과 월식의 원리도 이때 발견되었다.

채점 기준	
상	굽타 왕조 시기 자연 과학의 발전에 관한 역사적 사실을 세 가지 이상 서술한 경우
중	굽타 왕조 시기 자연 과학의 발전에 관한 역사적 사실을 두 가지 서술한 경우
하	굽타 왕조 시기 자연 과학의 발전에 관한 역사적 사실을 한 가지만 서술한 경우

2 동아시아 문화의 형성과 확산

되짚어 보자! 기본 **개념** ●──────── 42쪽

맥 잡는 연표 문제

1 ❶ 5호 16국 ❷ 문제 ❸ 다이카 ❹ 헤이안

핵심 짚는 확인 문제

1 (1) 9품중정제 (2) 청담 (3) 3성 6부제 (4) 안사의 난
2 (1) ○ (2) × (3) ○ (4) ○
3 (1) 『오경정의』 (2) 고조선 (3) 가나 문자
4 (1) © (2) © (3) ⊙

1 ⑤   2 ④   3 ⑤   4 ⑤   5 ①   6 ⑤   7 ⑤   8 ③   9 ⑤
10 ②   11 ①   12 ①   13 해설 참조   14 해설 참조

1 북위는 한족의 문물과 풍습을 적극적으로 받아들이는 한화 정책을 시행하였다.
오답 확인 ①은 위, ②, ③은 수에 관한 내용이다.
④ 북위는 화북을 통일하였다.

2 위진 남북조의 중앙 권력이 호족 세력을 견제하기 위해 시행한 관리 선발 제도는 9품중정제이다.

3 위진 남북조 시대에는 시와 회화, 서예 등 중국의 전통문화가 뿌리내렸는데, 시에서는 도연명, 회화에서는 고개지, 서예에서는 왕희지가 대표적이다. 또한 혼란스러운 현실 정치 상황을 반영하듯 노장사상과 청담 사상이 유행하였다.
⑤ 이슬람교는 당대에 중국에 전래되었다.

4 자료에 제시된 운하는 수대에 완성되었다. 수는 대외 진출을 꾀하여 안남과 돌궐을 공격하여 제압하였다.
오답 확인 ① 수는 북조를 이은 왕조이다.
② 대운하를 만든 국가의 명칭은 '수'이다.
③, ④ 위진 남북조의 문화에 관한 내용이다.

5 수는 대외 전쟁과 대규모 토목 공사로 과중한 부담에 시달리던 농민이 저항하면서 멸망하였다.
오답 확인 ㄷ은 위진 남북조, ㄹ은 당에 관한 내용이다.

6 제시된 자료에서 설명하는 사건은 안사의 난이다. 안사의 난 이후 당의 균전제, 조용조, 부병제가 붕괴하였다.
⑤ 양세법은 안사의 난 이후 시행되었다.

7 ㈎는 당이다. 당은 이연이 세웠으며, 수도는 장안이었다. 당은 지방을 주·현으로 나누어 다스렸다.
⑤ 당은 과거제를 통해 귀족 세력을 억제하는 대신 실력에 따른 인재 등용을 꾀하였다.

8 제시된 자료는 당의 통치 조직이다. 당은 비단길을 장악하였으며, 황소의 난을 겪은 뒤 크게 쇠퇴하였다. 당은 중앙아시아의 파미르고원 지역까지 아우르는 영토를 확보하였고, 안사의 난 이후 흔들리기 시작하였다.
③ 당은 신라와 연합하여 고구려, 백제를 멸망시켰다.

9 당의 균전제는 안사의 난 이후 귀족의 토지 겸병이 늘며 붕괴하였다.

10 제시된 자료는 당대에 유행하였던 당삼채이다. 당대에는 한대 이래 훈고학을 집대성한 정통 해설서인 『오경정의』가 완성되었다.
오답 확인 ① 고조선은 기원전 2333년 만주와 한반도 일대에서 건국되었다.
③ 청동기의 사용과 당대의 역사는 관련이 없다.
④ 야요이 문화는 기원전 3세기 무렵 일본에서 발생하였다.
⑤ 부여와 고구려는 고조선 멸망 이후 만주와 한반도 북부에서 성장한 국가이다.

11 제시된 자료는 일본 나라 시대에 건축된 도다이사이다. 나라 시대에 야마토 정권은 수도 나라에 대규모 사원인 도다이사를 세우고, 견당사를 파견하여 당의 문물을 받아들였다.

12 제시된 자료는 위진 남북조 시대의 시인 도연명의 「귀거래사」이다. 위진 남북조 시대에는 혼란스러운 정치 상황을 반영하듯 노장사상과 청담 사상이 유행하였다.
오답 확인 ②, ④, ⑤는 당대, ③은 수대의 사실로 위진 남북조 시대와는 관련이 없다.

13 ⑴ 당
⑵ **예시 답안** 당은 주변국과 조공·책봉 관계 외에 기미나 교역 등 다양한 방법을 통해 개방적인 관계를 유지하였다.

채점 기준	
상	당의 국호, 대외 관계의 특징을 모두 명확히 서술한 경우
하	당의 국호, 대외 관계의 특징 중 한 가지만 서술한 경우

14 ⑴ ㈎: 한자, ㈏: 가나 문자
⑵ **예시 답안** 일본의 가나 문자는 헤이안 시대에 만들어졌다. 헤이안 시대에는 당에 사신을 보내지 않게 되면서 독자적인 일본 문화가 발달하였다.

채점 기준	
상	한자, 가나 문자, 가나 문자 제작의 역사적 배경을 모두 명확히 서술한 경우
중	한자, 가나 문자, 가나 문자 제작의 역사적 배경 중 두 가지만 서술한 경우
하	한자, 가나 문자, 가나 문자 제작의 역사적 배경 중 한 가지만 서술한 경우

3 이슬람 문화의 형성과 확산

되짚어 보자! 기본 개념 ————— ● 48쪽

맥 잡는 연표 문제

1 ❶ 이슬람교 ❷ 헤지라 ❸ 우마이야 ❹ 탈라스

핵심 짚는 확인 문제

1 (1) 메디나 (2) 시아파 (3) 수니파 (4) 다마스쿠스

2 (1) ○ (2) ○ (3) ✕ (4) ✕

3 (1) 바그다드 (2) 『천일야화』 (3) 모스크 양식

4 (1) ㉡ (2) ㉠

키워 보자! 실력 쑥쑥 ————— ● 49~51쪽

1 ⑤   2 ⑤   3 ⑤   4 ②   5 ⑤   6 ⑤   7 ③   8 ③   9 ①
10 ③   11 ③   12 ③   13 해설 참조   14 해설 참조

1 밑줄 친 '이 종교'는 이슬람교이다. 이슬람교는 다신교를 비판하고 알라를 유일신으로 섬긴다. 7세기 초에 무함마드가 정립한 이 종교는 유대교의 영향을 받았다.
⑤ 이슬람교는 크리스트교의 영향을 받았다.

2 칼리프가 정치와 종교를 모두 장악하였으며, 칼리프를 선출하던 시기는 정통 칼리프 시대이다.

3 이슬람교도의 약 90%를 차지하는 다수파는 수니파이다. 이들은 능력과 자격을 갖춘 자라면 누구나 칼리프가 될 수 있다고 주장하며 우마이야 왕조의 칼리프 세습을 인정하였다.
오답 확인 ①, ②는 크리스트교, ③은 정통 칼리프 시대의 이슬람 세력, ④는 시아파에 관한 내용이다.

4 ㈎는 아바스 왕조이다. 바그다드를 수도로 하였던 아바스 왕조는 아랍어를 공용어로 채택하였다. 또한 탈라스에서 당과의 격전을 벌인 끝에 승리하였다.
오답 확인 ㄴ은 후우마이야 왕조, ㄹ은 우마이야 왕조에 관한 내용이다.

5 성지 순례, 일부다처제, 라마단 기간의 단식, 일정한 시간마다 행하는 예배 의식은 모두 이슬람교와 관련된 내용이다. 이슬람교는 『쿠란』 중심의 사회를 형성하였다.

오답 확인 ①, ④는 크리스트교, ②는 그리스 정교, ③은 불교에 관한 설명이다.

6 제시된 자료는 이슬람교 경전인 『쿠란』이다. 이 책은 알라가 무함마드에게 내린 계시를 기록한 책으로, 그 율법은 이슬람 사회의 일상을 지배하였다.
⑤ 이 책은 아랍어로만 기록하도록 하여 이슬람 세계의 문화적 동질성 형성에 기여하였다.

7 이슬람교도는 『쿠란』의 계율에 따라 생활한다. 일부다처제, 성지 순례, 일정한 시간마다 행하는 예배 의식, 자선 활동은 『쿠란』에 따른 것이다.
③ 소고기를 금지하는 식생활은 『쿠란』의 계율과 관련이 없다.

8 제시된 자료는 이스라엘 예루살렘에 위치한 바위 모스크이다. 무함마드가 승천한 곳으로 알려진 이 건축물은 모스크 양식의 대표 사례이다.

9 이슬람 상인은 낙타를 이용한 대상 무역과 목제 범선인 다우선을 이용한 인도양 무역을 주도하였다.
오답 확인 ㄷ. 이슬람 상인은 이슬람 문화가 각지에 확산되는 데 크게 기여하였다.
ㄹ. 이슬람 상인은 유럽·아프리카에서 동아시아 지역까지 아우르는 교역망을 이용하였다.

10 이슬람 세계의 문화와 학문에 관한 보고서를 작성할 때, 『천일야화』, 연금술의 발달, 이븐할둔의 『역사서설』, 이븐바투타의 『여행기』를 주제로 정할 수 있다.
③ '영(0)'의 개념 발견은 굽타 왕조 시기의 인도에서 있었던 사실로, 이슬람 세계의 문화와는 관련이 없다.

11 제시된 자료는 12세기 무렵 이슬람 세계의 지리학자 이드리시가 제작한 세계 지도이다. 이슬람 세계는 천문학을 발달시켰다. 또한 중국의 제지법과 나침반, 화약 등을 유럽에 소개하였다.
③ 원주율 계산법은 굽타 왕조 시기 인도에서 발견되었다.

12 ㈎는 우마이야 왕조이다. 우마이야 왕조는 다마스쿠스를 수도로 하였으며, 칼리프 세습 체제를 확립하였다.
오답 확인 ㄱ. 우마이야 왕조는 이베리아반도를 점령하였다.
ㄹ. 사산 왕조 페르시아는 우마이야 왕조 성립 이전에 멸망하였다.

13 (1) **예시 답안** 이슬람교 / 이슬람교도는 일정 시간마다 메카를 향해 예배를 드려야 하기 때문이다.
(2) **예시 답안** 이슬람교는 피정복민의 개종을 강요하지는 않았지만 개종하는 사람에게는 인두세를 면제해 주었기 때문에

신도 수가 계속 늘어났다.

14 **예시 답안** 이슬람교도들은 달의 움직임을 기본으로 이슬람 달력을 만들었다. 또한 다양한 화학 작용을 발견하였으며, 아라비아 숫자를 완성하기도 하였다.

4 크리스트교 문화의 형성과 확산

되짚어 보자!
기본 개념 ──────────● 56쪽

맥 잡는 연표 문제

1 ❶ 성상 파괴령 ❷ 카롤루스 대제 ❸ 카노사 ❹ 십자군

핵심 짚는 확인 문제

1 (1) 장원 (2) 『유스티니아누스 법전』 (3) 황제 교황주의 (4) 고딕 양식

2 (1) ○ (2) × (3) ○ (4) ○

3 (1) 『데카메론』 (2) 아우크스부르크 화의 (3) 베스트팔렌 조약

4 (1) ⓒ (2) ㉠ (3) ⓛ

키워 보자!
실력 쑥쑥 ──────────● 57~59쪽

1 ⑤ **2** ① **3** ⑤ **4** ① **5** ④ **6** ⑤ **7** ① **8** ③ **9** ①
10 ⑤ **11** ③ **12** ③ **13** 해설 참조 **14** 해설 참조

1 제시된 자료는 서로마 제국 황제의 관을 수여받는 카롤루스 대제의 모습을 표현한 것이다. 카롤루스 대제는 옛 서로마 제국 영토의 많은 부분을 확보하였다.

2 제시된 자료는 중세 서유럽의 봉건제를 설명하고 있다.

3 중세 서유럽 장원에서 영주는 주군의 간섭을 받지 않았다. 장원의 농민 대부분은 영주의 지배를 받던 농노였으며, 이들은 약간의 재산을 소유하고 결혼할 수 있었다. 영주는 농노에 대한 재판권과 세금 징수권을 가지고 있었다.
⑤ 서유럽 장원의 농노들은 영주에게 공동 방목지 사용의 대가를 지불해야 했다.

4 지도에 표시된 국가는 비잔티움 제국이다. 비잔티움 제국으로 불리던 이 국가는 셀주크 튀르크 세력의 압박에 시달리다가 오스만 제국에 멸망하였다.
오답 확인 ㄷ, ㄹ은 프랑크 왕국에 관한 내용이다.

5 제시된 건축물은 터키 이스탄불에 위치한 성 소피아 성당이다. 웅장한 돔과 화려한 모자이크 벽화를 자랑하는 성 소피아 성당은 비잔티움 문화를 대표하는 건축물이다.

6 제시된 자료는 카노사의 굴욕을 표현한 그림이다.

7 ㈎에 들어갈 단어로 가장 적절한 것은 클뤼니 수도원이다. 클뤼니 수도원은 10세기 무렵에 청빈과 복종 등 엄격한 계율을 강조하는 교회 개혁 운동을 전개하였다.

8 중세 서유럽에서는 대학이 설립되었다. 또한 아리스토텔레스의 철학이 소개된 이후 신앙과 이성의 조화를 강조한 스콜라 철학이 나타났다. 한편 중세 초기에는 교회와 수도원이 학문의 중심 역할을 하였다.
③ 아라비아 숫자는 이슬람 세계에서 완성되었다.

9 학생들이 설명하는 건축 양식은 고딕 양식이다. 샤르트르 성당, 노트르담 성당은 고딕 양식으로 지어진 대표적인 건축물들이다.
오답 확인 ㄷ은 모스크 양식, ㄹ은 고대 일본의 사찰 건축과 관련이 깊다.

10 중세 서유럽에서는 기사도 문학이 유행하였다.
오답 확인 ①은 굽타 왕조 시기의 문화, ②,③은 이슬람 세계의 문화, ④는 프랑크 왕국에 관한 내용이다.

11 제시된 자료는 교황 우르바누스 2세의 연설문이다. 교황의 호소로 시작된 십자군 전쟁은 여러 차례에 걸쳐 오랜 기간 이어졌다.
오답 확인 ㄱ. 십자군은 성지 탈환에 실패하였다.

정답과 해설

ㄹ. 십자군 전쟁은 크리스트교 세계의 십자군이 셀주크 튀르크를 상대로 벌인 전쟁이다.

12 ㈎는 알프스 이북 지역이다. 북유럽 르네상스는 사회 비판의 개혁 성향이 강하였다는 특징이 있다.

13 예시답안 프랑크족은 원주지로부터 이동 거리가 짧아 적응이 쉬웠다. 또한 로마 가톨릭교로 개종하여 현지 주민과의 문화적 마찰을 피함으로써 오랜 기간 왕국을 유지할 수 있었다.

채점 기준	
상	프랑크 왕국의 유지 요인을 두 가지 이상 명확히 서술한 경우
하	프랑크 왕국의 유지 요인을 한 가지만 서술한 경우

14 (1) 30년 전쟁
(2) 예시답안 30년 전쟁으로 칼뱅파가 공인되었으며, 신성 로마 제국 제후들의 정치적인 독립권이 인정되었다. 이는 독립적 주권 국가들로 이루어진 국제 질서가 수립되는 중요한 계기가 되었다.

채점 기준	
상	30년 전쟁, 베스트팔렌 조약 내용 및 영향을 모두 명확히 서술한 경우
중	30년 전쟁을 썼으나 베스트팔렌 조약 내용 및 영향을 미흡하게 서술한 경우
하	30년 전쟁, 베스트팔렌 조약 내용 및 영향 중 한 가지만 서술한 경우

정리해 보자! 대주제 탄탄 ● 60~63쪽

1 ④ 2 ③ 3 ③ 4 ④ 5 ⑤ 6 ③ 7 ⑤ 8 ④ 9 ⑤
10 ② 11 ④ 12 ⑤ 13 ① 14 ⑤
15 해설 참조 16 해설 참조 17 해설 참조 18 해설 참조

1 제시된 자료는 아소카왕의 돌기둥이다. 아소카왕은 전국 각지에 수많은 사원과 돌기둥을 세워 불교의 가르침을 널리 전하였다.
오답 확인 ㄱ은 석가모니, ㄷ은 찬드라굽타 마우리아에 관한 설명이다.

2 ㈎에 들어갈 유적의 이름은 앙코르 와트이다.

3 제시된 자료에서 설명하는 유적은 윈강 석굴이다. 윈강 석굴은 북조에서 5~6세기에 걸쳐 만든 중국 최대 규모의 불교 석굴 사원이다.

4 중국 불교의 바탕을 닦았다고 평가되는 현장은 인도에서 경전과 불상을 가지고 돌아와 『대당서역기』라는 여행기를 남겼다.

5 제시된 자료에서 설명하는 문화는 동아시아 문화이다. 한자, 유교, 율령, 불교는 동아시아 문화의 공통 요소이다.
⑤ 경교는 동아시아 문화와 관련이 없는 종교이다.

6 ㈎는 아바스 왕조이다. 바그다드를 수도로 삼았던 아바스 왕조는 아랍어를 공용어로 채택하였다.
오답 확인 ① 아바스 왕조는 정통 칼리프 시대와 관련이 없다. ②는 후우마이야 왕조, ④는 정통 칼리프 시대, ⑤는 우마이야 왕조에 관한 내용이다.

7 ㈎는 바이킹이다. 바이킹의 이동은 서유럽에서 봉건제가 형성되는 데 영향을 미쳤다.

8 밑줄 친 '나'는 프랑크 왕국의 카롤루스 대제이다. 카롤루스 대제는 크리스트교 보급에 힘을 쏟았으며, 그 공로를 인정받아 로마 교황으로부터 서로마 제국 황제의 관을 받았다.
오답 확인 ① 카롤루스 대제 사후에 맺어진 조약이다. ② 비잔티움 제국에 관한 내용이다. ③ 오스만 제국은 프랑크 왕국과 직접적인 관련이 없다. ⑤는 비잔티움 제국의 유스티니아누스 황제에 관한 내용이다.

9 제시된 자료는 비잔티움 제국의 성상 파괴령과 관련된 그림이다. 720년 비잔티움 제국의 황제가 성상 파괴령을 발표한 이후 크리스트교 세계는 갈등을 빚다가 동서로 분열하였다.

10 아서왕 이야기와 『롤랑의 노래』는 대표적인 기사도 문학 작품이다.

11 ㈎는 이슬람 문화의 아라베스크 무늬, ㈏는 고딕 양식의 색유리그림이다.

12 고딕 양식, 스콜라 철학, 카노사의 굴욕은 모두 중세 서유럽의 크리스트교와 관련이 있는 내용이다.

13 ㈎ 군대는 크리스트교 세계의 십자군이다. 십자군은 예루살렘을 점령하기도 하였으나, 곧 이슬람 세력에 밀려났다. 소년 십자군은 상인에 의해 노예로 팔리기도 하였다. 십자군은 눈앞의 이익을 위해 콘스탄티노폴리스를 점령하기도 하였다.
① 오스만 제국의 침략과 십자군은 직접적인 관련이 없다.

14 붉은 화살표의 방향으로 확대된 종파는 루터파이다. 독일의

성직자 루터가 비텐베르크에서 「95개조 반박문」 발표한 이후 퍼져나간 이 종파는 아우크스부르크 화의에서 인정받았다.
오답 확인 ①, ②, ③, ④는 칼뱅파에 관한 내용이다.

15 (1) 『마누 법전』
(2) **예시 답안** 브라만 중심의 카스트제가 각 지역에 뿌리내렸고, 네 개의 카스트는 수많은 직업 집단과 연결되어 세분되었다.

채점 기준	
상	『마누 법전』의 명칭과 영향을 모두 명확히 서술한 경우
하	『마누 법전』의 명칭과 영향 중 한 가지만 서술한 경우

16 (1) 다마스쿠스
(2) **예시 답안** 우마이야 왕조는 아랍인을 우대하여 세금 납부나 관리 등용에서 비아랍인을 차별하였다.

채점 기준	
상	우마이야 왕조의 수도, 비아랍인에 대한 정책을 모두 명확히 서술한 경우
하	우마이야 왕조의 수도, 비아랍인에 대한 정책 중 한 가지만 서술한 경우

17 (가): 『유토피아』, (나): 셰익스피어

채점 기준	
상	『유토피아』, 셰익스피어를 모두 서술한 경우
하	『유토피아』, 셰익스피어 중 한 가지만 서술한 경우

18 (1) **예시 답안** 종교 개혁 / 교황 레오 10세가 성 베드로 성당을 개축할 비용을 마련하기 위해 면벌부 판매를 강화한 것을 계기로 시작되었다.
(2) **예시 답안** 교리와 예식을 정비하고 금서 목록을 작성하였다. 또한 종교 재판소를 설립하였고 예수회를 조직하여 선교 활동에 나섰다.

채점 기준	
상	종교 개혁의 명칭 및 계기, 가톨릭교회의 대응 양상을 모두 명확히 서술한 경우
중	종교 개혁의 명칭 및 계기를 썼으나 가톨릭교회의 대응 양상을 미흡하게 서술한 경우
하	종교 개혁의 명칭 및 계기나 가톨릭교회의 대응 양상 중 한 가지만 서술한 경우

III 지역 세계의 교류와 변화

1 몽골 제국과 문화 교류

 되짚어 보자! 기본 **개념** ──────── 68쪽

맥 잡는 연표 문제

1 ❶ 송 ❷ 금 ❸ 칭기즈 칸(테무친) ❹ 원

핵심 짚는 확인 문제

1 (1) 문치주의 (2) 성리학 (3) 쿠빌라이 (4) 역참

2 (1) × (2) ○ (3) ○ (4) ×

3 (1) 전시 제도 (2) 왕안석 (3) 색목인

4 (1) ㉠ (2) ㉣ (3) ㉢ (4) ㉡

 키워 보자! 실력 **쑥쑥** ──────── 69~71쪽

1 ② **2** ④ **3** ② **4** ⑤ **5** ① **6** ② **7** ① **8** ② **9** ③
10 ③ **11** ① **12** ⑤ **13** ① **14** 해설 참조 **15** 해설 참조

1 조광윤이 건국하였으며, 5대 10국의 분열을 수습한 국가는 송이다.

2 밑줄 친 '황제'는 송 태조 조광윤이다. 그는 최종 단계에서 황제가 직접 시험을 감독하는 전시 제도를 도입하였다.
오답 확인 ①은 거란(요)의 야율아보기, ②는 왕안석, ③은 명 태조 주원장, ⑤는 원의 쿠빌라이이다.

3 (가)는 거란(요)이다. 거란은 발해를 무너뜨리고 연운 16주를 차지하는 등 송을 압박하였다. 또한 고유의 부족제로 유목민을 다스리고 주현제로 한족을 다스렸으며, 중국식 한자와는 다른 자신들만의 고유 문자를 만들어 사용하였다.
② 거란은 금과 송의 협공으로 멸망하였다.

4 서하는 비단길 길목에 위치하여 중계 무역으로 번영하였다.
오답 확인 ①은 금 또는 후금(청), ②는 몽골 제국, ③, ④는 거란(요)에 관한 설명이다.

5 밑줄 친 '이 국가'는 금이다. 금은 송을 공격하여 강남으로 밀어내고 화북 지방을 차지하였다. 금은 12세기 초에 아구다가 건국하였다.

오답 확인 ②, ③, ④는 몽골 제국, ⑤는 남송에 관한 설명이다.

6 (가)는 거란(요), (나)는 송(북송)이다. 거란은 한족은 중국식 주현제로, 유목민은 고유의 부족제로 다스리는 이원적 통치를 시행하였다.
오답 확인 ① 거란을 건국한 사람은 야율아보기이다.
③ 발해를 멸망시킨 국가는 거란이다.
④ 송은 금에 화북 지방을 빼앗기고 남송이 되었다.
⑤ 송은 금과 함께 거란을 멸망시켰다.

7 (가)는 남송이다. 주희는 남송의 유학자로 성리학을 집대성하였다.
오답 확인 ②, ④, ⑤는 원, ③은 몽골 제국에서 볼 수 있는 모습이다.

8 밑줄 친 '이 계층'은 사대부이다. 사대부는 유교적 소양을 중시하는 독서인이었다. 이들은 과거를 통해 관직에 진출함으로써 정치의 중심에 섰다.
오답 확인 ㄴ은 당대 절도사, ㄹ은 원대 서민에 관한 설명이다.

9 (가)는 칭기즈 칸이다. 13세기 초에 몽골 부족을 통합한 칭기즈 칸은 천호제를 도입하여 군사력을 강화하였다.
오답 확인 ①, ②, ⑤는 원 세조 쿠빌라이, ④는 송 태조 조광윤에 관한 설명이다.

10 (가)는 몽골 제국이다. 몽골 제국은 금, 서하, 아바스 왕조, 남송 등을 멸망시켰으며 서쪽의 폴란드와 헝가리 국경까지 세력을 뻗쳤다. 몽골 제국은 다양한 민족을 정복하면서 다른 언어·종교·문화 등을 관용적으로 허용하였다.
오답 확인 ㄴ. 송에 관한 설명이다.
ㄷ. 원은 몽골 제일주의를 바탕으로 한족을 차별하였다.

11 제시된 자료는 원의 대외 정책과 관련이 있다. 면국(미얀마) 정복, 다루가치, 천호 등의 내용으로 이를 파악할 수 있다. 『동방견문록』은 원을 방문하였던 이탈리아의 상인 마르코 폴로의 경험담을 바탕으로 저술되었다.
오답 확인 ②, ③, ④, ⑤는 송과 관련 있는 내용이다.

12 밑줄 친 '이 사람'은 원 세조 쿠빌라이이다. 쿠빌라이는 남송을 멸망시켜 유목 민족 최초로 중국 전역을 지배하였다.
오답 확인 ①, ③은 송 태조 조광윤, ②는 명 태조 주원장, ④는 북송의 왕안석에 관한 설명이다.

13 제시된 자료는 카르피니가 쓴 『타타르인의 역사』의 일부이다. 카르피니는 교황의 명령을 받아 중국에 파견되었던 선교사이며, (가)는 몽골족이다. 몽골 제국은 주요 교통로에 수많은 역참을 설치함으로써 동서 교류의 확대에 영향을 미쳤다.

오답 확인 ②, ④, ⑤는 송, ③은 당에 관한 설명이다.

14 (1) 왕안석
(2) 예시 답안 문치주의 정책으로 인해 군사력이 약화된 송은 북방 민족의 잦은 침입에 시달렸다. 송은 이들에게 막대한 물자(세폐)를 공급함으로써 평화를 유지하였는데, 그 과정에서 재정난이 심화되었다.

채점 기준	
상	왕안석, 문치주의 정책으로 인한 군사력 약화, 물자(세폐) 지급을 모두 명확히 서술한 경우
중	왕안석, 문치주의 정책으로 인한 군사력 약화, 물자(세폐) 지급 중 두 가지를 서술한 경우
하	왕안석, 문치주의 정책으로 인한 군사력 약화, 물자(세폐) 지급 중 한 가지만 서술한 경우

15 (1) (가): 행성, (나): 다루가치
(2) 예시 답안 몽골인은 정치·군사의 요직을 독점하였고, 서아시아 출신의 색목인은 행정 및 재정 관료로 활동하였다. 이외에 피지배층으로 금의 지배하에 있던 한인과 남송 출신의 남인이 있었는데, 그 중에서도 남인이 가장 차별받았다.

채점 기준	
상	몽골인, 색목인, 한인, 남인에 대해 모두 명확히 서술한 경우
중	몽골인, 색목인, 한인, 남인 중 세 가지에 대해 서술한 경우
하	몽골인, 색목인, 한인, 남인 중 두 가지 이하로 서술한 경우

2 동아시아 지역 질서의 변화

되짚어 보자! 기본 **개념** ──────────── 76쪽

맥 잡는 연표 문제

1 ❶ 주원장 ❷ 베이징 ❸ 도요토미 히데요시 ❹ 누르하치

핵심 짚는 확인 문제

1 (1) 해금 정책 (2) 홍타이지 (3) 양명학 (4) 산킨코타이 제도

2 (1) × (2) ○ (3) ○ (4) ×

3 (1) 건륭제 (2) 고증학 (3) 조총

4 (1) ㉡ (2) ㉠ (3) ㉢ (4) ㉣

1 ④ 2 ① 3 ① 4 ② 5 ④ 6 ③ 7 ① 8 ③ 9 ①
10 ① 11 ④ 12 ⑤ 13 ① 14 해설 참조 15 해설 참조

──────────●──────────

1 한족 출신 주원장이 건국한 나라는 명이다. 명은 몽골족을 북으로 축출하고 중국 대륙을 장악하였다.

2 제시된 자료에 설명된 제도는 이갑제이다. 명 태조 홍무제는 이갑제를 처음 시행하였으며, 육유를 반포하여 유교 이념을 확산시키려 하였다.
　오답 확인 ② 조선을 공격한 나라는 일본과 후금(청)이다.
　③ 청의 강희제에 관한 내용이다.
　④ 공행 무역은 18세기 이후 청대에 전개되었다.
　⑤ 명 말기에 해당하는 사실이다.

3 명은 사무역을 금지하는 해금 정책을 시행하였으며, 책봉국에 한해 무역 허가증인 감합을 발급하였다.
　오답 확인 ㄷ은 청, ㄹ은 일본의 에도 막부에 관한 설명이다.

4 제시된 자료는 정화 함대의 제4차 원정을 보여 준다. 정화의 항해는 영락제의 지시로 이루어졌다. 영락제는 자신의 세력 기반이 있던 베이징으로 천도하였다.
　오답 확인 ①, ④는 청의 강희제, ③, ⑤는 청의 건륭제에 관한 내용이다.

5 ㈎는 후금(청)이다. 여진족(만주족)은 수적으로 우세한 한족들을 효과적으로 통치하기 위해 강경책과 회유책을 함께 사용하였다.
　오답 확인 ①, ②, ③은 명, ⑤는 송에 관한 설명이다.

6 제시된 자료에 설명된 제도는 팔기제이다. 팔기군은 청대에 군사 조직이자 사회 조직으로 운영되었다. 청의 강희제는 반청 운동을 전개하던 타이완의 정성공 세력을 진압하였다.
　오답 확인 ①, ②, ⑤는 명, ④는 몽골 제국에 관한 설명이다.

7 제시된 자료는 청의 옹정제 시기에 편찬된 『대의각미록』의 일부이다. 청은 이 책을 통해 만주족도 중화가 될 수 있다고 주장하였다. 청은 한족에게 변발을 강요하였고, 병자호란을 계기로 조선과 조공·책봉 관계를 맺었다.
　오답 확인 ㄷ, ㄹ은 명에 관한 설명이다.

8 밑줄 친 '이 시기'는 18세기 이후이다. 신대륙 작물인 고구마를 먹는 농민, 『사고전서』를 읽는 학자, 통신사 일행을 맞이하는 일본 관리, 베이징으로 향하는 조선의 조공 사절단은 모두

18세기 이후에 볼 수 있는 모습이다.
　③ 자금성은 명의 영락제 시기에 건설되었다.

9 ㈎는 은이다. 은은 중국에서 화폐로 유통되었으며, 명·청대에는 세금 납부의 수단으로 이용되기도 하였다.
　오답 확인 ② 명·청대 중국의 주요 수출품은 차, 비단, 도자기 등이었다.
　③ 비단과 면포 등에 관한 설명이다.
　④ 쌀에 관한 설명이다.
　⑤ 16~17세기 무렵 상당한 양의 은이 중국에 들어왔다.

10 밑줄 친 '이 학문'은 양명학이다. 양명학은 경전의 가르침보다 개인의 깨달음을 중시하였다.
　오답 확인 ②는 실용 서적, ③은 서양 문물, ④는 성리학, ⑤는 고증학에 관한 설명이다.

11 ㈎는 도요토미 히데요시이다. 그는 무사와 농민의 신분을 엄격하게 구분하여 지배 체제를 확립하였다.
　오답 확인 ① 일본에서는 과거제가 시행되지 않았다.
　②는 미나모토노 요리토모, ③은 옹정제, ⑤는 무로마치 막부에 관한 설명이다.

12 ㈎는 네덜란드이다. 네덜란드는 나가사키의 데지마에서 일본과 교역하였다.
　오답 확인 ①은 조선, ②, ④는 포르투갈, ③은 명에 관한 설명이다.

13 ㈎는 무로마치 막부, ㈏는 가마쿠라 막부이다. 12세기 말 미나모토노 요리토모가 최초의 막부인 가마쿠라 막부를 세웠으며, 14세기 초반에는 무로마치 막부가 등장하여 명과 조공·책봉 관계를 맺었다. 두 막부 모두 쇼군이 실질적인 지배권을 행사하였다.
　① 조닌 문화는 에도 막부 시기에 발전하였다.

14 ⑴ 「곤여만국전도」
　⑵ **예시 답안** 선교 단체가 중국의 제사를 우상 숭배라고 비난하였기 때문이다.

채점 기준	
상	「곤여만국전도」, 제사에 대한 선교사들의 비판 내용을 모두 명확히 서술한 경우
하	「곤여만국전도」, 제사에 대한 선교사들의 비판 중 한 가지만 서술한 경우

15 ⑴ 산킨코타이 제도
　⑵ **예시 답안** 쇼군의 권력과 다이묘에 대한 통제력이 강화되었으며, 다이묘의 경제력이 약화되고 반란 가능성이 감소하였다.

정답과 해설

채점 기준

상	산킨코타이 제도, 쇼군과 다이묘에게 끼친 영향을 모두 명확히 서술한 경우
하	산킨코타이 제도만 서술한 경우

3 서아시아와 북아프리카 지역 질서의 변화

되짚어 보자! 기본 **개념** ● 82쪽

맥 잡는 **연표 문제**

1 ❶ 예루살렘 ❷ 이스탄불(콘스탄티노폴리스) ❸ 칼리프 ❹ 바부르

핵심 짚는 **확인 문제**

1 (1) 십자군 (2) 오스만 제국 (3) 이스탄불(콘스탄티노폴리스) (4) 델리 술탄

2 (1) × (2) × (3) ○ (4) ○

3 (1) 밀레트 (2) 아우랑제브 황제 (3) 타지마할

4 (1) © (2) ㉠ (3) ㉣ (4) ㉡

키워 보자! 실력 **쑥쑥** ● 83~85쪽

1 ⑤　2 ⑤　3 ②　4 ③　5 ①　6 ④　7 ①　8 ④　9 ⑤
10 ①　11 ④　12 ②　13 ⑤　14 해설 참조　15 해설 참조

1 칼리프는 이슬람 세계 최고의 종교 지도자이다.

2 밑줄 친 '이들'은 셀주크 튀르크이다. 셀주크 튀르크는 예루살렘을 점령하였으며 이를 되찾으려는 유럽 세력과 십자군 전쟁을 하였다.
오답 확인 ①은 오스만 제국, ②, ③은 티무르 왕조, ④는 사파비 왕조에 관한 설명이다.

3 밑줄 친 '이 왕조'는 티무르 왕조이다. 티무르 왕조는 몽골 제국의 부흥을 내세웠다.
오답 확인 ①, ③은 무굴 제국, ④, ⑤는 오스만 제국에 관한 설명이다.

4 사파비 왕조의 아바스 1세는 오스만 제국을 격퇴하여 서아시아의 광대한 영역을 차지하였다.
오답 확인 ①, ②는 무굴 제국의 아크바르 황제, ⑤는 티무르 왕조에 관한 설명이다.
④ 티무르 왕조는 이민족에게 멸망하였다.

5 16세기에 오스만 제국의 셀림 1세는 이집트를 정복하고 칼리프직을 차지하였다.
오답 확인 ②는 로마 교황청, ③은 티무르 제국과 무굴 제국, ④는 무굴 제국을 세운 바부르, ⑤는 사파비 왕조에 관한 설명이다.

6 ㈎는 16세기 초, ㈏는 15세기, ㈐는 16세기 중반, ㈑는 14세기에 있었던 일이다.

7 오스만 제국은 이교도 공동체인 밀레트의 자치를 인정하였다.
오답 확인 ②, ③은 무굴 제국, ④는 셀주크 튀르크와 관련된 내용이다.
⑤ 델리 술탄 왕조는 인도 북부 지역에 존재하였던 이슬람계의 다섯 왕조이다.

8 술탄 아흐메트 사원은 바로크 양식과 오스만 양식을 보여 주는 건축물이다.

9 술탄의 친위부대로 예니체리를 두었던 국가는 오스만 제국이다.
오답 확인 ㄱ은 인도에 들어선 이슬람 왕조, ㄴ은 셀주크 튀르크에 관한 설명이다.

10 제시된 자료에 설명된 시대는 델리 술탄 시대이다. 바부르는 델리 술탄 왕조를 무너뜨리고 무굴 제국을 세웠다.
오답 확인 ②는 오스만 제국, ③은 사파비 왕조, ④는 18세기 무굴 제국, ⑤는 무굴 제국 아크바르의 정책이다.

11 밑줄 친 '이 황제'는 무굴 제국의 아우랑제브 황제이다. 그는 힌두교 사원을 파괴하고 이교도에 대한 인두세를 부활시키는 등의 이슬람 제일주의 정책을 시행하였다.
오답 확인 ①은 오스만 제국의 메흐메트 2세, ②는 무굴 제국의 바부르, ③은 사파비 왕조의 아바스 1세, ⑤는 오스만 제국의 셀림 1세에 관한 설명이다.

12 타지마할은 무굴 제국 시기의 대표적인 건축물이다. 무굴 제국에서는 페르시아어가 공식 문자로 사용되었다.
오답 확인 ①, ③, ④, ⑤는 오스만 제국에 대한 설명이다.

13 ㈎ 민족은 셀주크 튀르크이다. 셀주크 튀르크는 예루살렘을 점령하여 십자군 전쟁을 유발하였다.
오답 확인 ①, ②는 티무르 왕조, ③은 무굴 제국, ④는 오스만 제국에 관한 설명이다.

14 (1) 오스만 제국

(2) <u>예시 답안</u> 인두세 납부 시 이슬람교로의 개종을 강요하지 않았다. 이교도 종교 공동체인 밀레트의 광범위한 자치권을 인정하였다. 크리스트교 소년들을 선발하여 이슬람교로 개종 시키고 예니체리로 육성하였다.

채점 기준

상	오스만 제국, 종교 관용 정책 사례를 두 가지 이상 명확히 서술한 경우
중	오스만 제국을 썼으나 종교 관용 정책 사례를 한 가지만 서술한 경우
하	오스만 제국만 서술한 경우

15 (1) 아크바르 황제

(2) <u>예시 답안</u> 힌두교도도 관리와 군인으로 등용하였으며, 이교 도에게 거두었던 인두세를 폐지하였다.

채점 기준

상	아크바르 황제, 종교 관련 정책을 두 가지 이상 명확히 서술한 경우
중	아크바르 황제를 썼으나 종교 관련 정책을 한 가지만 서술한 경우
하	아크바르 황제만 서술한 경우

 4 신항로 개척과 유럽 지역 질서의 변화

 되짚어 보자! 기본 **개념** ●────── 90쪽

맥 잡는 연표 문제

1 ❶ 콜럼버스 ❷ 바스쿠 다 가마 ❸ 칼레 해전 ❹ 뉴턴

핵심 짚는 확인 문제

1 (1) 『동방견문록』 (2) 바스쿠 다 가마 (3) 아스테카 제국 (4) 중상주의

2 (1) ○ (2) × (3) × (4) ×

3 (1) 펠리페 2세 (2) 뉴턴 (3) 계몽사상

4 (1) ㉡ (2) ㉠ (3) ㉣ (4) ㉢

 키워 보자! 실력 **쑥쑥** ●────── 91~93쪽

1 ② **2** ③ **3** ③ **4** ③ **5** ④ **6** ① **7** ⑤ **8** ② **9** ② **10** ③
11 ② **12** ② **13** ③ **14** ③ **15** 해설 참조 **16** 해설 참조

1 밑줄 친 '이것'은 향료이다. 이슬람 세력이 대두하면서 이슬람 상인과 이탈리아 상인이 향료 등 동양 산물을 독점하였고, 이에 따라 향료의 가격도 대폭 상승하였다.
<u>오답 확인</u> ①은 감자와 옥수수 등, ③, ⑤는 아프리카 노예, ④는 은에 관한 설명이다.

2 『동방견문록』의 출간, 천문학과 지리학의 발전, 향신료 등 동양 산물에 대한 수요 증가, 이슬람 세력의 부상은 유럽인이 신항로 개척에 나선 배경에 해당한다.
③ 신항로 개척이 이루어진 결과 아메리카의 귀금속 등이 유입되면서 물가가 크게 상승하는 가격 혁명이 발생하였다.

3 에스파냐의 지원으로 항해에 나선 콜럼버스는 아메리카 대륙의 서인도 제도를 발견하였다.

4 에스파냐가 아메리카 대륙에 진출하였을 무렵 포르투갈은 인도양에 무역 거점을 마련하였으며, 지중해 무역이 쇠퇴함에 따라 이탈리아 도시들도 약화되었다.
<u>오답 확인</u> ㄱ. 잉카 제국은 에스파냐의 피사로에 의해 멸망하였다.
ㄹ. 신항로 개척으로 유럽 경제의 무대가 지중해에서 대서양으로 이동하였다.

5 설명에 해당하는 국가는 에스파냐이다. 에스파냐는 콜럼버스와 마젤란의 항해를 지원하였다.
<u>오답 확인</u> ①은 이탈리아 도시들, ②, ③은 오스만 제국, ⑤는 포르투갈에 관한 설명이다.

6 밑줄 친 '이 시기'는 신항로 개척 이후이다. 15세기에 시작된 신항로 개척 이후에 가격 혁명이 일어났다. 감자로 굶주린 배를 채우는 유럽인, 사탕수수 농장에서 일하는 아프리카 노예, 중국에서 차를 수입하는 포르투갈 상인, 포토시 광산에서 노동에 시달리는 라틴 아메리카 원주민은 모두 신항로 개척 이후의 시기에 볼 수 있는 모습이다.
① 십자군 전쟁은 11세기~13세기에 이루어졌다.

7 밑줄 친 '이 작물'은 감자이다. 감자는 대표적인 구황 작물로, 가난한 농민들의 주요 영양 공급원이 되었다.
<u>오답 확인</u> ①은 금과 은 등의 귀금속, ②는 차와 도자기 등, ③은 향료, ④는 사탕수수와 담배 등의 가치가 높은 농작물에 관한 설명이다.

8 ㈎는 절대 왕정이다. 절대 왕정은 관료제와 상비군에 의해 뒷받침되었다.
<u>오답 확인</u> ① 왕권신수설을 기반으로 하였다.
③ 동유럽보다 서유럽에서 먼저 등장하였다.
④ 수입을 제한하고 수출을 장려하는 경제 정책을 펼쳤다.

⑤ 시민 계층에게서 국가 운영에 필요한 재정을 지원받았다.

9 밑줄 친 '정책'은 중상주의 경제 정책이다. 절대 왕정은 중상주의 경제 정책의 일환으로 국내 제조업을 육성하였으며, 국외 식민지 확보를 위해 노력하였다.
오답 확인 ㄴ. 상업의 발전을 장려하였다.
ㄹ. 상공업에 종사하는 시민 계급의 이익을 보호하였다.

10 제시된 자료에 나타난 사상은 왕권신수설이다. 이는 왕의 권력이 신에게서 나온다는 주장으로 절대 왕정의 사상적 배경이 되었다.
오답 확인 ①, ②, ⑤는 계몽사상, ④는 과학 혁명에 관한 설명이다.

11 밑줄 친 '이 건물'은 상수시 궁전이다. 프로이센의 프리드리히 2세는 로코코 양식의 상수시 궁전을 건설하였다.

12 ㈎는 계몽사상가인 로크이다. 로크는 저항권의 개념을 강조하여 시민 혁명의 이론적 단초를 제공하였다.
오답 확인 ①, ③은 뉴턴, ④는 데카르트, ⑤는 몽테스키외에 관한 설명이다.

13 밑줄 친 '왕'은 영국의 엘리자베스 1세이다. 엘리자베스 1세는 동인도 회사를 설립하였다.
오답 확인 ①은 펠리페 2세, ②는 표트르 대제, ④는 프리드리히 2세, ⑤는 루이 14세에 관한 설명이다.

14 제시된 자료와 관련된 정치 형태는 절대 왕정이다. 절대 왕정은 관료제와 상비군으로 뒷받침되었으며, 국외 식민지를 확보하고자 하였다.
오답 확인 ㄱ. 절대 왕정은 왕권신수설을 주장하였다.
ㄹ. 16세기에 서유럽에서 본격적으로 등장하였다.

15 (1) ㈎: 아스테카 제국, ㈏: 잉카 제국
(2) **예시 답안** 삼각 무역 / 유럽은 아프리카에 공산품을 제공하고 금과 상아 등을 수입하였고, 아프리카는 아메리카에 노예를 공급하였다. 아메리카는 노예를 통해 귀금속과 농작물 등을 생산하여 유럽에 수출하였다.

채점 기준

상	아스테카·잉카 제국, 삼각 무역과 그 구조를 모두 명확히 서술한 경우
중	아스테카·잉카 제국, 삼각 무역을 썼으나 무역 구조를 미흡하게 서술한 경우
하	아스테카·잉카 제국, 삼각 무역과 그 구조 중 한 가지만 서술한 경우

16 (1) 표트르 대제
(2) **예시 답안** 동유럽에서는 농노제가 지속되고 있었으며, 상공업의 발달이 미약하였기 때문이다.

채점 기준

상	표트르 대제, 동유럽 절대 왕정의 출현이 늦은 원인을 두 가지 이상 명확히 서술한 경우
중	표트르 대제를 썼으나 동유럽 절대 왕정의 출현이 늦은 원인을 한 가지만 서술한 경우
하	표트르 대제만 서술한 경우

정리해 보자! **탄탄** 대주제 ●───── 94~97쪽

1 ① **2** ⑤ **3** ② **4** ① **5** ⑤ **6** ⑤ **7** ③ **8** ③ **9** ③
10 ③ **11** ④ **12** ⑤ **13** ⑤ **14** ② **15** ⑤ **16** ②
17 해설 참조 **18** 해설 참조 **19** 해설 참조 **20** 해설 참조

1 밑줄 친 '이 정책'은 문치주의 정책이다. 송 태조 조광윤은 문치주의 정책의 일환으로 전시 제도를 도입하였다.
오답 확인 ②, ⑤ 국방력이 약화하여 북방 민족에게 물자를 자급하게 되며 재정 지출이 늘었다.
③ 무인 세력을 억눌렀다.
④ 도요토미 히데요시의 정책이다.

2 제시된 설명에 해당되는 국가는 거란이다. 거란은 한족과 유목민을 별도로 다스리는 이원적 통치 체제를 갖추었다.
오답 확인 ①은 송(북송), ②는 남송, ③은 원, ④는 금에 관한 설명이다.

3 밑줄 친 '이 왕조'는 남송이다. 모내기를 하는 농민, 교자로 물건을 구입하는 상인, 화약의 성능을 시험하는 기술자, 시장에서 연극을 관람하는 청년은 모두 남송 시기 볼 수 있는 모습이다.
②『홍루몽』은 청대의 서민 문화를 대표하는 소설이다.

4 색목인이 활동한 국가는 원이다. 원은 대도를 수도로 하였으며, 각지에 행성을 설치하고 지방관으로 다루가치를 파견하였다.
오답 확인 ㄷ은 송, ㄹ은 후금(청)에 관한 설명이다.

5 ㈎는 명의 영락제이다. 영락제는 신생 국가인 명의 위엄을 널리 알리고자 정화의 함대를 파견하였으며, 몽골과 대월을 공격하였다.

오답 확인 ㄱ은 명 태조 홍무제, ㄴ은 원의 칭기즈 칸에 관한 설명이다.

6 명 중심의 동아시아 질서를 받아들인 책봉국에 대해 무역 허가증인 감합을 발급하는 행위와 정화의 함대 파견은 중국 중심 국제 질서의 확립을 목적으로 이루어졌다.

7 밑줄 친 '이 황제'는 청의 건륭제이다. 건륭제는 오늘날까지 이어지는 중국 영토 대부분을 확보하였으며, 『사고전서』 편찬을 지시하였다.
오답 확인 ①은 청의 옹정제, ②는 일본의 도요토미 히데요시, ④는 청의 강희제, ⑤는 명의 홍무제에 관한 설명이다.

8 (가)는 고증학이다. 고증학은 경전이나 역사서의 실증적 연구를 중시하였다.
오답 확인 ①, ⑤는 양명학, ②, ④는 성리학에 관한 설명이다.

9 밑줄 친 '이 막부'는 에도 막부이다. 에도 막부 시기에 일본에서는 난학이 발달하였으며, 산킨코타이 제도가 시행되었다.
오답 확인 ㄱ. 조총은 전국 시대에 일본에 전래되었다.
ㄹ. 15세기 초 무로마치 막부 시기의 상황이다.

10 제시된 설명에 해당되는 국가는 셀주크 튀르크이다. 셀주크 튀르크는 예루살렘을 점령하였고, 이는 십자군 전쟁의 원인이 되었다.
오답 확인 ①, ⑤는 티무르 왕조, ②, ④는 사파비 왕조에 관한 설명이다.

11 (가)는 오스만 제국이다. 오스만 제국은 크리스트교도 소년들 가운데 재능 있는 사람들을 선발하여 이슬람교로 개종시키고 술탄의 친위대인 예니체리로 만들었다.
오답 확인 ①은 사파비 왕조, ②는 티무르 왕조, ⑤는 무굴 제국에 관한 설명이다.
③ 바부르는 델리 술탄 왕조를 멸망시키고 무굴 제국을 세웠다.

12 밑줄 친 '그'는 아크바르 황제이다. 아크바르 황제는 종교 관용 정책을 실시하여 힌두교도들도 관리와 군인으로 등용하였고, 이교도들에게 징수하였던 인두세를 폐지하였다.
오답 확인 ①, ④는 오스만 제국, ③은 사파비 왕조와 관련이 있다.
② 티무르 왕조는 1507년 이민족의 침입으로 멸망하였다.

13 무굴 제국 시기 힌두교 문화와 이슬람 문화가 융합되며 시크교가 등장하고 타지마할이 건축되었다. 또한 무굴 회화가 발달하였으며, 일상에서 우르두어가 사용되었다.
⑤ 술탄 아흐메트 사원은 오스만 제국이 비잔티움 제국을 멸

망시키고 이스탄불로 천도한 후에 건설되었으며, 비잔티움 건축 양식으로 지어졌다.

14 콜럼버스는 서인도 제도를 발견하였고, 바스쿠 다 가마는 유럽에서 희망봉을 거쳐 인도로 가는 항로를 개척하였으며, 마젤란은 태평양을 가로질러 필리핀에 도착하였다.

15 신항로 개척으로 라틴 아메리카 문명이 파괴되고 포르투갈과 에스파냐가 번영하였다. 또한 유럽에서는 신대륙에서 유입된 귀금속으로 인해 가격 혁명이 발생하였으며, 설탕과 감자 등 신대륙 작물이 유입되었다.
⑤ 신항로 개척 결과 유럽의 경제 중심 무대가 지중해에서 대서양으로 바뀌었다.

16 러시아의 표트르 대제는 스웨덴과의 북방 전쟁에서 승리하여 발트해로 진출하였다.
오답 확인 ①은 러시아의 표트르 대제, ③은 에스파냐의 펠리페 2세, ④는 영국의 엘리자베스 1세, ⑤는 프랑스의 루이 14세에 해당된다.

17 (1) 쿠빌라이
(2) **예시 답안** 일본은 신이 지켜주는 나라라는 신국 사상이 확산되었다. 전쟁의 후유증으로 심각한 재정난이 나타나 가마쿠라 막부가 쇠퇴하였다.

채점 기준	
상	쿠빌라이, 몽골의 일본 원정이 일본에 끼친 영향을 두 가지 이상 명확히 서술한 경우
중	쿠빌라이를 썼으나 몽골의 일본 원정이 일본에 끼친 영향을 한 가지만 서술한 경우
하	쿠빌라이만 서술한 경우

18 (1) 아우랑제브 황제
(2) **예시 답안** 지나친 전쟁으로 재정난이 심화되었다. 힌두교 사원을 파괴하고 인두세를 부활시키는 등 이슬람 제일주의 정책을 추진함으로써 힌두교도들의 반발을 야기하였다.

채점 기준	
상	아우랑제브 황제, 무굴 제국 쇠퇴의 이유를 두 가지 이상 명확히 서술한 경우
중	아우랑제브 황제를 썼으나 무굴 제국 쇠퇴의 이유를 한 가지만 서술한 경우
하	아우랑제브 황제만 서술한 경우

19 **예시 답안** 오스만 제국 등 이슬람 세력이 대두되어 향료와 같은 동양 산물을 얻기 어려워졌다. 마르코 폴로의 『동방견문록』으로 인해 동양에 대한 호기심이 증가하였다. 이슬람 세력

정답과 해설

을 몰아내고 크리스트교를 널리 포교하고자 하였다. 천문학, 지리학, 항해술 등이 발전하여 원거리 항해가 가능해졌다.

채점 기준

상	신항로 개척의 배경을 세 가지 이상 서술한 경우
중	신항로 개척의 배경을 두 가지 서술한 경우
하	신항로 개척의 배경을 한 가지만 서술한 경우

20 (1) (가): 관료제, (나): 상비군

(2) **예시 답안** 부강한 나라를 건설하기 위해 수입을 제한하고 수출을 늘렸으며, 상업을 장려하고 국내 제조업을 보호하였다. 또한 국외 식민지 확보를 위해 경쟁하였다.

채점 기준

상	관료제, 상비군, 중상주의 경제 정책의 사례를 두 가지 이상 명확히 서술한 경우
중	관료제, 상비군을 썼으나 중상주의 경제 정책의 사례를 한 가지만 서술한 경우
하	관료제, 상비군만 서술한 경우

IV 제국주의 침략과 국민 국가 건설 운동

1 유럽과 아메리카의 국민 국가 체제

 되짚어 보자! 기본 **개념** ●──── 104쪽

맥 잡는 연표 문제

1 ❶ 청교도 ❷ 명예 ❸ 「인간과 시민의 권리 선언」(「인권 선언」)
❹ 2월

핵심 짚는 확인 문제

1 (1) 「권리 장전」 (2) 민주주의 (3) 제3 신분(평민) (4) 철혈

2 (1) × (2) ○ (3) × (4) ○

3 (1) 크롬웰 (2) 메테르니히 (3) 아이티

4 (1) ㉠ ㉣ (2) ㉢ (3) ㉡ (4) ㉢

 키워 보자! 실력 **쏙쏙** ●──── 105~107쪽

1 ④ 2 ① 3 ④ 4 ② 5 ③ 6 ③ 7 ⑤ 8 ③ 9 ⑤ 10 ②
11 ⑤ 12 ② 13 ③ 14 ③ 15 해설 참조 16 해설 참조

1 16세기 이후 영국에서는 지주층인 젠트리와 도시의 시민층이 등장하였다. 젠트리와 시민층 중에는 청교도가 많았는데, 이들은 의회에 진출하여 왕실의 사치와 낭비를 비판하며 절대 왕정에 맞섰다.
④ 구제도의 모순으로 제3 신분이 무거운 세금을 내면서도 차별받았던 것은 프랑스 혁명 직전의 상황이다.

2 제시된 자료의 사건을 계기로 발생한 혁명은 청교도 혁명이다. 찰스 1세는 1649년 국가와 국민에 대한 반역죄로 처형되었다. **오답 확인** ②, ③은 프랑스 혁명, ④는 명예혁명, ⑤는 조지 1세의 재위 기간에 관한 설명이다.

3 제시된 자료는 「권리 장전」(1689)의 내용으로, 빈칸에 공통으로 들어갈 단어는 의회이다. 「권리 장전」에는 국왕의 권한을 제한하고 의회의 권한을 보장하는 내용이 담겨 있다.

4 1773년에 보스턴 차 사건, 1781년에 요크타운 전투, 1783년에 파리 조약의 체결, 1787년에 미국 헌법 제정이 이루어졌다.

5 제시된 자료에 설명된 사건은 보스턴 차 사건이며, 이를 계기로 발생한 혁명은 미국 혁명이다. 미국 혁명 당시 프랑스, 에스파냐가 식민지의 독립을 지원하였으며, 혁명 이후에는 연방주의, 공화주의, 민주주의의 원칙이 담긴 헌법이 만들어졌다. 이 혁명은 프랑스 혁명에 영향을 미쳤으며, 라틴 아메리카의 독립운동을 일깨우는 역할을 하였다.
③ 미국의 독립은 파리 조약으로 승인되었다.

6 제시된 자료는 프랑스 혁명(1789) 직전, 프랑스 구제도의 모순을 풍자한 그림이다. 제1,2 신분인 성직자와 귀족이 제3 신분인 평민의 등 위에 타고 있으며, 힘겨워 하는 제3 신분의 모습이 잘 드러나 있다.
오답 확인 ① 제시된 자료는 노인 공경 문화와 관련이 없다.
② 프랑스 혁명 이전에 성직자와 귀족은 막대한 부를 소유하고 특권을 누렸다.
④, ⑤는 미국 혁명 이전 미국의 상황이다.

7 국민 공회 시기 프랑스에서는 루이 16세가 처형되었고, 로베스피에르 등의 자코뱅파가 공포 정치를 시행하였다.
오답 확인 ㄱ. 「인권 선언」은 국민 의회 시기에 발표되었다.
ㄴ. 혁명전쟁은 입법 의회 시기에 시작되었다.

8 나폴레옹은 워털루 전투의 패배로 몰락하였다. 나폴레옹 전쟁의 결과 유럽 전 지역에 자유·평등·우애라는 프랑스 혁명의 자유주의 이념과 민족주의 이념이 확산되었다.

9 제시된 자료와 관련된 정치 체제는 빈 체제이다. 오스트리아 외상 메테르니히가 주도하여 성립한 이 체제하에서 자유주의·민족주의 운동은 탄압받았다. 빈 체제는 그리스와 라틴 아메리카가 독립하며 흔들렸다.
⑤ 2월 혁명(1848)을 계기로 빈 체제는 붕괴되었다.

10 프랑스의 2월 혁명은 중하층 시민과 공화주의자들이 중심이 되어 루이 필리프를 내쫓고 공화정을 수립한 사건이다.
오답 확인 ㄴ은 7월 혁명, ㄹ은 빈 체제에 관한 설명이다.

11 19세기에 영국은 선거법 개정으로 중간 계급에게 선거권을 부여하였다. 선거권을 얻지 못한 영국의 노동자들은 차티스트 운동을 전개하였으며, 선거권을 요구하는 「인민헌장」을 발표하기도 하였다. 19세기 후반에는 곡물법과 항해법을 폐지되어 자유 무역 체제가 발전시켰다.
⑤ 독일의 통일 과정에서 있었던 일들이다.

12 ㈎는 비스마르크이다. 비스마르크는 독일 통일을 원치 않았던 오스트리아, 프랑스와의 전쟁을 모두 승리로 이끌었다.
오답 확인 ① 철과 피 문제를 해결하려 하였다.
③ 이탈리아 통일을 위한 카보우르의 정책이다.

④ 오스트리아의 외상 메테르니히에 관한 설명이다.
⑤ 프랑스 혁명 직전의 부르봉 왕가에 관한 설명이다.

13 볼리바르와 산마르틴은 크리오요로서 라틴 아메리카의 독립운동을 이끌었다. 산마르틴은 아르헨티나와 칠레, 페루, 볼리바르는 볼리비아, 콜롬비아, 베네수엘라 등의 독립에 기여하였다.
오답 확인 ㄱ. 아이티는 노예 출신 흑인들이 중심이 되어 독립운동을 전개하였다.
ㄹ. 프랑스의 7월 혁명과 2월 혁명은 볼리바르, 산마르틴과 직접적인 관련이 없다.

14 제시된 자료는 「독립 선언문」으로 미국 혁명 당시에 발표되었다.

15 (1) 프랑스 혁명
(2) 예시 답안 「인권 선언」에 나타난 인간의 기본권은 자유와 재산권, 안전 그리고 압제에 대한 저항의 권한이다.

채점 기준	
상	자유, 재산권, 안전, 저항권을 모두 명확히 서술한 경우
중	자유, 재산권, 안전, 저항권 중 세 가지 서술한 경우
하	자유, 재산권, 안전, 저항권 중 두 가지 이하로 서술한 경우

16 (1) ㈎: 노예, ㈏: 노동자
(2) 예시 답안 전쟁 이후 미국은 대륙 횡단 철도를 건설하고 이민자들을 받아들이며 산업화를 추진하여 빠르게 발전하였다.

채점 기준	
상	노예, 노동자, 미국 발전의 양상을 모두 명확히 서술한 경우
하	노예, 노동자만 서술한 경우

 2 유럽의 산업화와 제국주의

되짚어 보자! 기본 **개념** ——— 112쪽

맥 잡는 연표 문제
1 ❶ 증기 기관 ❷ 마르크스 ❸ 「종의 기원」 ❹ X선

핵심 짚는 확인 문제
1 (1) 영국 (2) 동력 혁명 (3) 중간 계급 (4) 사회주의
2 (1) × (2) ○ (3) × (4) ○
3 (1) 공리주의 (2) 자유방임주의 (3) 로버트 오언
4 (1) ㉣ (2) ㉢ (3) ㉡ (4) ㉠

정답과 해설

 키워 보자!
실력 **쑥쑥** ━━━━━━━━━━━━━ ○ 113~115쪽

1 ⑤ 2 ⑤ 3 ④ 4 ③ 5 ⑤ 6 ① 7 ① 8 ① 9 ④
10 ② 11 ① 12 ② 13 ③ 14 해설 참조 15 해설 참조

---

1 영국에는 풍부한 지하 자원, 노동력, 넓은 해외 시장, 정치의 안정 등 산업화에 유리한 조건이 갖추어져 있었다.
⑤ 정부 주도 중공업을 발전 시킨 국가들은 19세기 후반 2차 산업 혁명기에 나타나며, 독일이 대표적이다.

2 제시된 기계는 제임스 와트가 개량한 증기 기관이다. 증기 기관이 새로운 동력으로 사용되면서 대량 생산 체제가 확립되었다.

3 산업 혁명 시기에 교통·통신 혁명이 일어나면서 시장이 확대되고 산업화가 전 세계로 급속히 확산되었다. 19세기 후반에는 독일이 정부 주도 아래 중공업 중심의 산업화에 성공하며 산업 혁명 강국으로 등장하였다.
오답 확인 ㄱ. 대량 생산 체제가 확립될 수 있었던 것은 기계의 발명과 증기 기관의 도입(동력 혁명) 때문이었다.
ㄷ. 산업 혁명은 면직물 분야에서 최초로 시작되었다.

4 산업 혁명 결과, 노동자들은 낮은 임금을 받고 장시간 노동에 시달렸으며, 여성과 아동까지 일터로 내몰렸다. 또한 계급 간의 빈부 격차가 발생하였으며, 급속한 산업화로 각종 도시 문제가 발생하였다.
③ 산업 혁명으로 인구가 증가하고 농촌 인구가 공장으로 모이면서 도시화가 가속화되었다.

5 제시된 자료는 기계 파괴 운동을 묘사한 그림이다. 기계 파괴 운동은 19세기 초 영국에서 일자리를 빼앗아 간다고 생각한 노동자들이 일으킨 운동이다.
오답 확인 ① 노동자들이 중심이 되어 일으킨 운동이다.
② 영국에서 19세기 초에 일어난다.
③, ④는 기계 파괴 운동과 관련 없는 설명이다.

6 제시된 자료는 사회주의 사상을 주장한 로버트 오언의 저서인 『자서전』의 일부이다. 오언과 마르크스 등은 산업화로 인한 사회 문제를 비판하는 사회주의 사상을 주장하였다.

7 19세기 과학의 발전과 함께 뢴트겐은 X선을 발견하고 다윈은 『종의 기원』을 출간하여 진화론을 주장하였다.
오답 확인 ㄷ. 벤츠는 최초로 가솔린 자동차를 발명하였다.
ㄹ. 에디슨은 전구와 축음기 등을 발명하였다.

8 개인의 감정을 중시하는 19세기 전반의 문예 사조는 낭만주의이다.

9 제시된 자료는 모네의 작품으로, 19세기 후반에 유행한 인상주의의 대표작이다. 인상주의는 개인의 주관적 인상과 빛의 색채를 강조하였다.
오답 확인 ①, ③ 낭만주의에 관한 설명이다. 대표 작가는 들라크루아이다.
② 쿠르베는 사실주의의 대표 작가이다.
⑤ 사실주의에 관한 설명이다.

10 (가)는 사회 진화론이다. 사회 진화론은 다윈의 진화론을 사회에 적용한 것이다. 제국주의 침략 정책을 정당화하는 데 이용되었다.
오답 확인 ① 공리주의에 관한 설명이다.
③ 진화론이 사회진화론에 영향을 주었다.
④ 역사적 사실이 아니다.
⑤ 인종주의에 관한 설명이다.

11 제시된 자료는 세실 로즈가 남긴 『유언집』의 일부이다. 세실 로즈는 영국의 정치인으로 경제 문제의 해결을 위해 제국주의가 필요하다고 주장하였다.
오답 확인 ㄷ. 프랑스에 관한 설명이다.
ㄹ. 영국은 플라시 전투에서 승리하였다.

12 (가)는 현재의 인도로 영국이 차지하였다. (다)는 인도차이나반도로 프랑스가 점령하였다. (라)는 인도네시아로 네덜란드가 지배하면서 대농장이 경영되었다. (마)는 필리핀으로 미국이 에스파냐와의 전쟁에서 승리한 이후 지배하였다.
② (나)는 미얀마로 1886년 영국이 병합하여 식민지로 삼았다.

13 19세기 발달한 자연 과학으로 적절한 것은 멘델의 유전 법칙이다.
오답 확인 ① 사회 문제를 해결하기 위한 사상이다.
② 실증주의는 사회 과학의 방법론이다.
④ 사회 진화론은 다윈의 진화론을 허버트 스펜서가 사회 과학에 적용한 것이다.
⑤ 코페르니쿠스의 지동설은 16세기에 제시되었다.

14 (1) 사회주의
(2) **예시 답안** 산업 혁명 이후 물질적인 풍요가 모두에게 돌아가지 못하여 계급 간 빈부 격차 및 열악한 노동 환경 등 여러 사회 문제가 발생하였다. 사회주의 사상가들은 이러한 사회 문제를 해결하기 위해서 사회주의를 주장하였다.

채점 기준	
상	사회주의, 산업 혁명 이후 발생한 빈부 격차 및 노동 환경 등 사회 문제를 해결하기 위해서 사회주의가 등장했다는 역사적 사실을 모두 명확히 서술한 경우
하	사회주의만 서술한 경우

15 (1) 제국주의

(2) **예시 답안** 제국주의를 정당화했던 주장은 사회 진화론과 인종주의이다.

채점 기준	
상	제국주의, 사회 진화론, 인종주의를 모두 명확히 서술한 경우
중	제국주의를 썼으나, 사회 진화론, 인종주의 중 한 가지만 서술한 경우
하	제국주의만 서술한 경우

3 서아시아와 인도의 국민 국가 건설 운동

되짚어 보자! **개념**
기본 ————————○ 120쪽

맥 잡는 연표 문제

1 ❶ 탄지마트 ❷ 세포이 ❸ 국민 회의 ❹ 벵골 분할령

핵심 짚는 확인 문제

1 (1) 청년 튀르크당 (2) 와하브 (3) 카자르 (4) 아라비 파샤

2 (1) × (2) × (3) ○ (4) ×

3 (1) 입헌 혁명 (2) 무함마드 알리

4 (1) ㉃ (2) ㉅ (3) ㉆ (4) ㉇

키워 보자! **쑥쑥**
실력 ————————○ 121~123쪽

1 ① **2** ② **3** ① **4** ④ **5** ⑤ **6** ⑤ **7** ③ **8** ④ **9** ②
10 ④ **11** ② **12** ⑤ **13** ② **14** 해설 참조 **15** 해설 참조

1 19세기 오스만 제국은 러시아와 영국 등 서양 열강의 침략과 그리스를 비롯한 소수 민족들의 연쇄적인 독립으로 위기를 맞았다.

오답 확인 ②, ③은 전성기를 맞았던 16세기 오스만 제국, ④는 이란의 카자르 왕조, ⑤는 인도의 무굴 제국에 관한 설명이다.

2 '탄지마트'는 은혜 개혁이라는 의미로 서양 문물을 수용하고 입헌 군주제를 도입하며 의회를 설립하고 술탄의 전제 정치를 폐지하는 헌법을 발표도 공포하였다.

오답 확인 ①은 와하브 운동, ③은 아라비 파샤의 혁명, ④는 청년 튀르크당의 개혁에 관한 설명이다.

⑤ 탄지마트는 보수 세력의 반대와 러시아와의 전쟁 패배로 결국 실패하였다.

3 ㈎는 청년 튀르크당이다. 청년 튀르크당의 개혁은 오스만 제국이 제1차 세계 대전에 참가하여 패배함으로써 실패로 돌아갔다.

오답 확인 ② 오스만 제국 멸망 이후의 일이다.
③ 탄지마트 실패 이후 상황이다.
④ 19세기 오스만 제국의 쇠퇴 원인이다.
⑤ 탄지마트의 실패 원인이다.

4 ㈎는 와하브 운동이다. 이 운동은 아라비아반도에서 이븐압둘 와하브를 중심으로 전개되었다. 『쿠란』의 가르침으로 돌아가자고 주장하였으며, 아랍 민족주의의 기반이 되었다.

오답 확인 ①은 이란의 담배 불매 운동, ②, ⑤는 인도의 반영 운동이다. ③은 이집트의 민족 운동에 관한 설명이다.

5 입헌 혁명은 이란의 담배 불매 운동이 실패한 후 영국의 간섭이 심화되자, 반영 운동 세력이 중심이 되어 헌법 제정과 의회 수립을 위해 혁명을 일으켰다. 하지만 이는 보수 세력의 반발과 영국, 러시아의 간섭으로 실패하고 말았다.

오답 확인 ① 이집트에서 일어난 혁명이다.
②, ③, ④는 역사적 사실과 다른 설명이다.

6 무함마드 알리는 이집트에서 근대화 정책을 펼치면서 오스만 제국으로부터 자치권을 얻어 냈다.

오답 확인 ① 수에즈 운하는 무함마드 알리 사후 완성되었다.
② 이란의 카자르 왕조에서 일어난 일이다.
③은 아라비 파샤, ④는 이븐압둘 와하브에 관한 설명이다.

7 ㈎는 수에즈 운하이다. 수에즈 운하의 건설로 이집트는 외국에 많은 빚을 지게 되어 영국의 내정 간섭을 받았다. 이에 아라비 파샤가 주도하여 혁명을 일으켰지만 진압되었고 영국은 이집트를 보호령으로 삼았다.

오답 확인 ①은 세포이의 항쟁, ②는 인도 국민 회의의 반영 운동, ④는 벵골 분할령의 결과이다.
⑤ 나폴레옹의 침공와 관련이 있다.

8 플라시 전투에서 승리한 영국은 벵골 지방에 대한 징세권을 차지하면서 인도 식민지화의 발판을 마련하였다.

오답 확인 ① 영국의 벵골 분할령 취소는 1911년의 일이다.
②는 이집트 아라비 파샤의 혁명, ③은 벵골 분할령 발표의

결과이다.
⑤ 플라시 전투와 관련 없는 내용이다.

9 영국의 식민 지배가 확대되면서 인도의 면직물 산업이 붕괴하고, 인도 고유의 전통 종교와 문화가 파괴되었다.
오답 확인 ㄴ. 인도의 면직물 산업이 붕괴하였다.
ㄹ. 영국이 토지 소유자에게 높은 세금을 부과하여 농촌 경제가 침체되었다.

10 벵골 분할령의 발표가 시기상 적절하다.

11 제시된 사진은 스와데시 행렬의 모습이며, 빈칸에 들어갈 단어는 스와데시이다.

12 목차와 관련하여 가장 적합한 탐구 주제는 인도 국민 회의의 성립과 변천이다.

13 영국령 인도 제국의 성립은 1877년이다.
오답 확인 ①, ④ 스와데시 운동, 콜카타 대회는 벵골 분할령 이후에 개최되었다.
③, ⑤ 모두 1911년에 일어났다.

14 (1) 탄지마트(은혜 개혁)
(2) **예시 답안** 러시아와의 전쟁에서 패하고 보수 세력의 반대와 재정 악화, 유럽 열강의 간섭 등으로 탄지마트는 큰 성과를 거두지 못하였다.

채점 기준	
상	러시아와의 전쟁 패배, 보수 세력의 반대, 재정 악화, 열강의 간섭 중 세 가지 이상 명확히 서술한 경우
중	러시아와의 전쟁 패배, 보수 세력의 반대, 재정 악화, 열강의 간섭 중 두 가지를 서술한 경우
하	러시아와의 전쟁 패배, 보수 세력의 반대, 재정 악화, 열강의 간섭 중 한 가지만 서술한 경우

15 (1) 인도 국민 회의
(2) **예시 답안** 영국 상품 불매, 스와라지(인도인 자치), 스와데시(국산품 애용), 국민 교육의 진흥 등의 운동을 전개하였다.

채점 기준	
상	인도 국민 회의, 불매 운동, 스와라지, 스와데시, 국민 교육 진흥을 모두 명확히 서술한 경우
중	인도 국민 회의를 썼으나 불매 운동, 스와라지, 스와데시, 국민 교육 진흥 중 두 가지 이하로 서술한 경우
하	인도 국민 회의만 서술한 경우

 4 동아시아의 국민 국가 건설 운동

 되짚어 보자! **기본 개념** ────────○ 128쪽

맥 잡는 연표 문제

1 ❶ 난징 ❷ 미·일 화친 ❸ 메이지 ❹ 변법자강

핵심 짚는 확인 문제

1 (1) 아편 (2) 페리 (3) 강화도 (4) 태평천국

2 (1) ○ (2) ○ (3) × (4) ○

3 (1) 쑨원 (2) 천황 (3) 포츠머스 조약

4 (1) ㉠ (2) ㉢ (3) ㉣ (4) ㉤

키워 보자! **실력 쑥쑥** ────────○ 129~131쪽

1 ① 2 ⑤ 3 ⑤ 4 ② 5 ④ 6 ④ 7 ④ 8 ③ 9 ①
10 ⑤ 11 ① 12 ③ 13 ③ 14 해설 참조 15 해설 참조

1 19세기 영국이 인도산 아편을 청에 밀수출하면서 중국의 은이 영국으로 유출되었다. 이 상황을 배경으로 아편 전쟁이 일어났다. 청은 이 전쟁에서 패배하고 난징 조약을 맺으며 개항하게 된다.

2 페리 제독의 내항 이후 일본과 미국 사이에 미·일 화친 조약과 미·일 수호 통상 조약이 체결되었다. 이 조약은 일본의 관세 자주권을 부정하고 상대국에 대한 치외 법권, 최혜국 대우를 인정한 불평등 조약이었다.

3 ㈎ 조약은 강화도 조약이다. 강화도 조약은 일본이 일으킨 운요호 사건의 결과, 조선과 일본 사이에 체결된 조약이다. 이는 일본의 치외 법권을 인정한 불평등 조약이었다.
오답 확인 ①, ④는 난징 조약, ②는 아편 전쟁에 관한 것이다.
③ 강화도 조약은 조선과 일본 사이에 체결된 조약이다.

4 태평천국 운동은 홍수전이 크리스트교 신앙을 바탕으로 조직한 상제회가 중심이 되어 전개한 운동이다. 태평천국 운동은 청 왕조 타도, 양성평등, 토지의 균등 분배, 악습 폐지 등을 주장하였다.
오답 확인 ㄴ, ㄹ은 의화단 운동에 관한 설명이다.

5 제시된 자료는 캉유웨이가 남긴 『무술 주고』의 일부이다. 캉

유웨이가 주도하였으며, 입헌 군주제와 의회 제도를 도입하려고 했던 청의 근대화 운동은 변법자강 운동이다.

6 변법자강 운동과 신축 조약 체결 사이에 발생한 사건은 의화단 운동이다. 의화단 운동은 1899년에 시작되어 1901년까지 전개되었다.

7 이와쿠라 사절단을 파견한 정부는 일본의 메이지 정부이다. 봉건제 폐지, 신분제 폐지, 징병제 시행, 중앙 집권 체제 구축, 서양식 교육 등은 메이지 정부가 시행한 개혁 내용으로 볼 수 있다.
④ 양성평등과 토지 균등 분배는 메이지 정부와 관련이 없는 사실이다.

8 임오군란 이후 조선의 개화파는 두 부류로 나뉘었다. 급진 개화파는 일본의 메이지 유신을 본받아 서양의 문명과 제도까지 받아들이자는 입장이었고, 온건 개화파는 청을 인정하면서 서양의 기술만 도입하자는 입장이었다.

9 밑줄 친 '이 사건'은 신해혁명이다. 청 정부가 민간 철도를 국유화하려고 하자, 이에 저항하는 반대 운동이 크게 일어났다. 이때 우창에서 신군이 봉기하면서 혁명에 동조한 각 성들이 청으로부터의 독립을 선포하였다(1911).

10 제시된 자료는 일본의 자유 민권 운동가인 이타가키 다이스케가 발표한 「민선 의원 설립 건백서」의 일부이다. 메이지 정부는 자유 민권 운동을 탄압하면서도 정당을 결성하고 의회를 개설하였다. 그리고 동시에 천황을 신성불가침의 존재로 추대하고 천황의 절대 권력을 헌법으로 명문화한 「대일본 제국 헌법」을 제정하였다.
오답 확인 ①, ③ 역사적 사실과 다른 내용이다.
②는 조선의 독립 협회, ④는 청 말기 서태후를 중심으로 시행된 신정에 관한 설명이다.

11 청·일 전쟁 이후 일본은 타이완과 랴오둥반도를 획득하였다. 그러나 러시아, 프랑스, 독일의 삼국 간섭에 굴복함으로써 랴오둥반도를 청에 반납하였다.

12 일본은 러·일 전쟁에서 승리하여 포츠머스 조약을 체결하였다. 일본은 메이지 유신으로 천황 중심 정부를 수립하였다.
오답 확인 ①은 조선, ②, ④는 청, ⑤ 영국에 관한 설명이다.

13 ㈎ 조약은 미·일 수호 통상 조약이고 ㈏ 조약은 강화도 조약이다. 두 조약 모두 상대국의 치외 법권을 인정하는 불평등 조약이었다.
오답 확인 ①, ⑤ 난징 조약에 관한 설명이다.
② 두 조약 모두 불평등 조약이었다.

④ 두 조약 모두 전쟁과는 관련이 없다.

14 (1) 난징 조약
(2) 예시 답안 난징 조약은 아편 전쟁에서 영국이 승리하면서 영국과 청 사이에 체결되었다.

채점 기준	
상	난징 조약의 명칭, 아편 전쟁과 영국의 승리를 모두 명확히 서술한 경우
중	난징 조약의 명칭을 썼으나 배경을 미흡하게 서술한 경우
하	난징 조약의 명칭만 서술한 경우

15 (1) 시모노세키 조약
(2) 예시 답안 시모노세키 조약은 청과 일본이 조선을 차지하기 위해 벌인 청·일 전쟁에서 일본이 청에 승리함으로써 체결된 조약이다.

채점 기준	
상	시모노세키 조약의 명칭, 청·일 전쟁과 일본의 승리라는 역사적 배경을 모두 명확히 서술한 경우
중	시모노세키 조약의 명칭을 썼으나 배경을 미흡하게 서술한 경우
하	시모노세키 조약의 명칭만 서술한 경우

정리해 보자! 대주제 **탄탄** ●━━━ 132~135쪽

1 ① **2** ③ **3** ① **4** ② **5** ⑤ **6** ③ **7** ② **8** ③ **9** ⑤
10 ③ **11** ② **12** ⑤ **13** ② **14** ② **15** ② **16** ③ **17** ③
18 해설 참조 **19** 해설 참조 **20** 해설 참조 **21** 해설 참조

1 제임스 2세의 전제 정치 강화, 메리와 윌리엄 3세의 공동 왕 추대, 「권리 장전」 승인 등의 사실과 관련된 사건은 명예혁명이다.

2 미국 혁명 당시 식민지 대표들은 「독립 선언문」을 발표하였으며, 식민지 군대는 요크타운 전투에서 승리하여 파리 조약을 맺고 독립을 인정받았다.
오답 확인 ㄱ은 프랑스 혁명, ㄹ은 영국의 인도 식민 지배 과정과 관련이 있다.

3 혁명 전쟁이 발발한 때는 입법 의회 시기이다. 국민 공회 시기에는 로베스피에르의 공포 정치가 시행되었으며, 루이 16세가 처형되었다.

4 제시된 그림은 빈 체제의 성립을 표현한 것이다. 빈 체제는 오스트리아의 외상 메테르니히가 주도한 정치 체제이다. 이는 유럽의 체제를 프랑스 혁명 이전으로 돌리려는 시도였으며, 프랑스에서는 부르봉 왕가가 복귀하였다.

오답 확인 ① 그리스의 독립은 빈 체제의 붕괴를 상징하는 사건이었다.
③ 빈 체제는 프랑스 혁명 이념의 전파와 관련이 없다.
④ 나폴레옹 몰락 이후 빈 체제가 만들어졌다.
⑤ 비스마르크는 빈 체제와 관련이 없다.

5 제시된 자료는 프로이센의 총리인 비스마르크의 연설 내용 중 일부이다. 철혈 정책은 군비 확장을 통해 독일 통일을 이룩하고자 했던 정책이다.

6 ㈎는 미국의 남북 전쟁이다. 노예 제도 폐지, 링컨, 남부, 북부 등의 키워드로 이러한 사실을 파악할 수 있다.

7 영국의 산업 혁명은 정치적인 안정, 풍부한 지하 자원, 넓은 해외 시장, 풍부한 노동력 등을 배경으로 전개되었다.
오답 확인 ㄴ. 산업 혁명 이전의 영국에서는 토지를 잃은 농민이 도시로 모여들었다.
ㄹ. 19세기 후반 제2차 산업 혁명에 관한 설명이다.

8 와트는 증기 기관을 개량하였으며, 하그리브스는 제니 방적기를 발명하였다.
오답 확인 ㄴ. 아크라이트는 수력 방적기를 발명하였다.
ㄷ. 에디슨은 축음기와 전구 등을 발명하였다.

9 마르크스는 『공산당 선언』을 통해 자본가와 노동자 간의 계급 투쟁을 주장하며, 노동자들이 생산 수단을 소유하고 관리하는 사회주의 사상을 내세웠다.
오답 확인 ①은 영국의 기계 파괴 운동, ②는 벤담의 공리주의, ③은 애덤 스미스의 자유방임주의, ④는 초기 사회주의자인 로버트 오언의 주장에 관한 설명이다.

10 19세기에는 다윈이 진화론을 제시하였으며, 랑케가 역사학을 발전시켰다. 또한 19세기 전반에는 낭만주의가 유행하였으며, 19세기 후반에는 인상주의 미술이 크게 발전하였다.
③ 콩트는 실증주의를 주장하여 사회학을 개척하였다. 공리주의를 주장한 사람은 벤담이다.

11 프랑스는 인도에서 영국과 격돌하였으나 결국 패배하였다. 또한 제국주의 열강은 자신들의 침략 행위를 정당화하기 위해 사회 진화론과 인종주의를 이용하였다.
오답 확인 ㄴ. 아프리카 파쇼다에서 충돌한 국가는 영국과 프랑스이다.
ㄷ. 모로코에서 충돌한 제국주의 열강은 프랑스와 독일이다.

12 오스만 제국의 탄지마트 이후 일어난 사건은 청년 튀르크 당의 혁명이다. 청년 튀르크당의 혁명은 오스만 제국이 제1차 세계 대전에서 패배하면서 좌절되었다.

13 사우디아라비아의 건국에 영향을 미친 운동은 와하브 운동이다. 이 운동은 『쿠란』의 가르침으로 돌아가자며, 초기 이슬람교로의 복고를 주장하였다.

14 세포이의 항쟁이 2년 만에 실패로 돌아가면서 영국은 무굴 제국을 멸망시키고 영국령 인도 제국을 수립하였다. 이후 인도 국민 회의가 조직되었으며, 1905년에는 영국이 벵골 분할령을 발표하였다. 벵골 분할령 발표를 계기로 전국적인 반영 운동이 전개되었으며, 콜카타 대회가 개최되었다.

15 제시된 자료는 태평천국 운동의 토지 제도를 담은 『천조 전무 제도』의 일부이다. 여기에는 토지의 균등 분배 이념이 반영되어 있었다.
오답 확인 ①, ③, ⑤는 태평천국과 관련이 없는 설명이다.
④는 변법자강 운동에 관한 설명이다.

16 쑨원은 중국 동맹회를 창설하여 혁명을 이끌고 삼민주의를 주장하였다. 신해혁명 이후 중화민국 임시 대총통에 올랐으나 혁명의 완성을 위해 위안스카이에게 대총통직을 넘겼다.
오답 확인 ㄴ. 간디가 주도한 인도의 반영 운동이다.
ㄷ. 서태후를 비롯한 보수파의 근대화 개혁 시도이다.

17 제시된 자료는 메이지 정부가 발표한 「대일본 제국 헌법」의 일부이다. 이 헌법은 메이지 유신 이후 일본에서 자유 민권 운동이 전개되고, 정부가 이에 대응하는 과정에서 반포되었다. 이로 인해 천황의 신성함과 무한한 권력이 명문화되었다.

18 (1) 미국 혁명
(2) **예시 답안** 「독립 선언문」에 나타난 인간의 기본권은 평등권, 자유권, 행복 추구권, 정부 조직권, 저항권, 국민 주권 등이 있다.

채점 기준	
상	미국 혁명, 평등권, 자유권, 행복 추구권, 정부 조직권, 저항권, 국민 주권을 모두 명확히 서술한 경우
중	미국 혁명을 썼으나, 평등권, 자유권, 행복 추구권, 정부 조직권, 저항권, 국민 주권 중 세 가지 이하로 서술한 경우
하	미국 혁명만 서술한 경우

19 (1) 제국주의
(2) **예시 답안** 산업 혁명 중에 출현한 독점 기업과 서양 열강은 값싼 원료 산지와 상품 시장을 확보하기 위하여, 군사력을 이용한 식민지 확보에 나섰다.

20 (1) 인도 국민 회의

(2) 예시 답안 반영 운동이 활발한 벵골 지방을 힌두교도와 이슬람교도 거주지로 분리하여 인도인들의 민족 운동을 약화시키려는 의도가 있었다.

채점 기준	
상	힌두교와 이슬람교 지역 분리, 반영 민족 운동 약화 목적을 모두 명확히 서술한 경우
중	반영 운동 약화 목적이라고만 서술한 경우
하	종교 분리 목적으로 서술한 경우

21 예시 답안 포츠머스 조약의 체결로 일본이 랴오둥반도와 사할린 일부를 넘겨받았으며, 대한 제국을 지도 및 보호할 권리를 인정받았다.

채점 기준	
상	랴오둥반도와 사할린 일부 양도, 대한 제국을 지도 및 보호할 권리 인정을 모두 명확히 서술한 경우
하	랴오둥반도와 사할린 일부 양도, 대한 제국을 지도 및 보호할 권리 인정 중 한 가지만 서술한 경우

 세계 대전과
사회 변동

 1 세계 대전과 국제 질서의 변화

되짚어 보자! **개념** 기본 ●────────● 142쪽

맥 잡는 연표 문제

1 ❶ 피의 일요일 사건 ❷ 파리 ❸ 대공황 ❹ 태평양

핵심 짚는 확인 문제

1 (1) 파리 강화 회의 (2) 신경제 정책(NEP) (3) 뉴딜 정책 (4) 국제 연합(UN)

2 (1) ○ (2) ○ (3) × (4) ×

3 (1) 베르사유 조약 (2) 볼셰비키 (3) 태평양 전쟁

4 (1) © (2) © (3) ⊙

 키워 보자! **쑥쑥** 실력 ●────────● 143~145쪽

1 ③ **2** ⑤ **3** ⑤ **4** ③ **5** ④ **6** ② **7** ① **8** ③ **9** ⑤ **10** ④
11 ④ **12** ② **13** ⑤ **14** ③ **15** 해설 참조 **16** 해설 참조

1 19세기 후반에서 20세기 전반 러시아는 범슬라브주의를, 독일과 오스트리아·헝가리 제국은 범게르만주의를 내세워 발칸반도에서의 영향력을 확대하고자 하였다. 전자는 3국 협상, 후자는 3국 동맹으로 얽혀 있었다. 이러한 상황에서 사라예보 사건이 발발하자, 이는 제1차 세계 대전으로 확대되었다.
오답 확인 ①은 제2차 세계 대전 직전의 상황, ②, ⑤는 제1차 세계 대전의 결과, ④는 제1차 세계 대전 중에 발생한 사건에 해당한다.

2 1882년 독일, 오스트리아·헝가리 제국, 이탈리아는 프랑스 견제를 목적으로 3국 동맹을 형성하였다.

3 제시된 자료는 1915년 독일의 무제한 잠수함 작전으로 영국 상선인 루시타니아호가 침몰하는 모습을 담은 그림이다. 루시타니아호에 미국인도 다수 탑승하고 있었기 때문에 이 사건 이후 미국 내 제1차 대전 참전 여론이 확산되었다. 이후 멕시코가 독일과 함께 미국을 공격하려 한다는 치머만 전보가 알려졌고 결국 미국 정부는 결국 참전을 결정한다.

![정답과 해설]

4 제1차 세계 대전 당시 총력전에 돌입함에 따라 여성도 전쟁 물자 생산에 참여하였으며 탱크, 독가스와 같은 신무기가 등장하고 참호전이 지속되는 등 이전의 전쟁들에서 볼 수 없었던 새로운 양상이 나타났다.
③ 국제 연합(UN)은 제2차 세계 대전 이후에 창설되었다.

5 제시된 자료는 레닌의 상트페테르부르크 연설문의 일부이다. ㉠은 차르가 퇴위하고 수립된 임시 정부이다. 임시 정부는 전쟁을 지속하고 소극적 개혁에 안주하면서 국민들의 불만을 샀으며, 마침내 볼셰비키의 10월 혁명으로 붕괴되었다.
오답 확인 ① 2월 혁명으로 차르가 퇴위하였다.
③ 임시 정부는 전쟁을 지속하였다.
②, ⑤ 소비에트 정부에 관한 내용이다.

6 피의 일요일 사건(1905) 이후 전제 정치 타도를 위한 시위가 이어져 차르가 퇴위하고 임시 정부가 수립되었다(1917). 그러나 곧 볼셰비키 주도로 소비에트 정부가 수립되고 1922년에는 소련이 공식 선포되었다.

7 러시아 혁명 결과, 코민테른의 지원으로 각지에 공산당이 결성되었으며 각국 식민지들의 독립운동도 더욱 활발해졌다.
① 러·일 전쟁은 1905년에 발발하였다.

8 ㈎에 들어갈 중국의 민족 운동은 5·4 운동이다. 파리 강화 회의에서 패전국 독일의 산둥 이권이 열강의 승인 아래 일본에 넘겨졌다. 이에 반대하는 베이징의 대학생들을 중심으로 5·4 운동이 일어났다. 이 운동으로 중국의 민족주의가 크게 확대되자, '반군벌'이라는 공통된 목표 아래 국민당과 공산당이 손을 잡았다(제1차 국·공 합작).
③ 5·4 운동은 일본의 산둥 이권 승인에 반대하였다.

9 밑줄 친 '나'는 무스타파 케말이다. 무스타파 케말은 오스만 제국이 제1차 세계 대전에서 패하고 국력이 약해지자, 제국을 무너뜨리고 터키 공화국을 수립하였다. 그는 민족 산업의 육성 등 근대화를 추진하였다.

10 ㈎는 비폭력·불복종 운동, ㈏는 간디이다. 인도에서는 간디를 중심으로 비폭력·불복종 운동이 전개되었다.

11 제시된 자료가 보여 주는 상황은 대공황이다. 대공황 당시 일본에서는 군부가 정권을 장악하고 군국주의를 추구하였다.
오답 확인 ① 경제가 회복되던 중에 대공황의 타격을 입은 독일에서는 히틀러와 나치즘이 부상하였다.
②, ⑤ 프랑스와 영국은 블록 경제를 형성하여 시장을 확보함으로써 대공황에서 벗어나고자 하였다.
③ 미국은 뉴딜 정책을 추진하여 공공사업으로 일자리를 창출하고 노동자의 권리를 보호하는 정책을 마련하였으며, 사

회 보장 제도를 시행하였다.

12 밑줄 친 '전쟁'은 제2차 세계 대전이다. 당시 독일은 독·소 불가침 조약을 파기하고 소련을 침공하였다. 이탈리아, 일본은 추축국으로서 전쟁에 참여하였으며, 일본군이 진주만을 공격하면서 태평양 전쟁이 발발하였다. 이후 미국은 일본의 히로시마와 나가사키에 원자 폭탄을 투하하여 일본을 항복시켰다.
② 탱크, 독가스, 비행기 등 신무기가 처음 등장한 것은 제1차 세계 대전이다.

13 독·소 불가침 조약 체결(1939)은 일본의 진주만 기습(1941) 이전에 발생하였으며, 제2차 세계 대전 발발 직전의 일이다.
오답 확인 ① 카이로 회담은 1943년 11월에 진행되었다.
② 이탈리아는 1943년 9월에 항복하였다.
③ 노르망디 상륙 작전은 1944년 6월에 전개되었다.
④ 1945년 8월 원자 폭탄이 투하되며 일본이 항복하였다.

14 독일의 폴란드 침공으로 시작된 제2차 세계 대전에서 소련의 스탈린그라드 전투와 연합군의 노르망디 상륙 작전이 잇달아 승리하면서 연합국이 승기를 획득하였다. 이에 연합국 대표들은 얄타에서 종전 논의를 하였다.

15 (1) ㈎: 파시즘 / 무솔리니, ㈏: 나치즘 / 히틀러
(2) 예시 답안 대공황으로 세계 경제가 혼란에 빠지자, 식민지가 적고 사회·경제적 기반이 취약한 국가들은 새로운 시장을 확보하기 위해 무력으로 다른 나라를 침략함으로써 이에 대처하고자 하였다.

채점 기준	
상	파시즘, 나치즘, 전체주의 등장 배경을 모두 명확히 서술한 경우
중	파시즘, 나치즘을 썼으나 전체주의 등장 배경을 미흡하게 서술한 경우
하	파시즘, 나치즘만 서술한 경우

16 예시 답안 「대서양 헌장」은 평화 수립의 원칙을 천명하였다. 이후 국제 사회는 카이로, 얄타, 포츠담 회담 등으로 전후 처리 문제를 결정하였고, 전쟁 책임을 밝히는 재판을 열었다. 또한 평화 유지를 위해 국제 연합(UN)을 창설하였다.

채점 기준	
상	「대서양 헌장」의 의의, 전후 평화를 위한 국제 사회의 노력을 두 가지 이상 명확히 서술한 경우
중	「대서양 헌장」의 의의를 썼으나 전후 평화를 위한 국제 사회의 노력을 한 가지만 서술한 경우
하	「대서양 헌장」의 의의만 서술한 경우

2 민주주의의 확산

되짚어 보자! 기본 **개념** ────────○ 148쪽

맥 잡는 연표 문제

1 ❶ 2월 ❷ 노동 기구 ❸ 여성 ❹ 베버리지

핵심 짚는 확인 문제

1 (1) 참정권 (2) 나치당 (3) 8시간 (4) 비스마르크

2 (1) ✕ (2) ✕ (3) ○ (4) ✕

3 (1) 에밀리 데이비슨 (2) 사회권 (3) 「베버리지 보고서」

4 (1) ⓒ (2) ㉠ (3) ⓛ

키워 보자! 실력 **쑥쑥** ────────○ 149~151쪽

1 ① 2 ② 3 ⑤ 4 ③ 5 ④ 6 ⑤ 7 ③ 8 ② 9 ②

10 ③ 11 ② 12 ⑤ 13 해설 참조 14 해설 참조

1 참정권은 투표권을 비롯하여 정치에 참여할 수 있는 시민의 권리를 말한다.

2 프랑스에서는 1848년 2월 혁명으로 재산에 따른 투표권 제한이 폐지되고 보통 선거가 도입되었으나, 여전히 여성의 투표권은 인정되지 않았다.
오답 확인 ① 아동들에게 참정권을 부여하지 않았다.
③ 2월 혁명으로 프랑스의 남성은 계급, 재산과 상관없이 선거에 참여할 수 있게 되었다.
④ 2월 혁명으로 노동자도 선거에 참여할 수 있게 되었다.
⑤ 7월 혁명으로 재산에 따른 선거권 제한은 부활하지 않았다.

3 울스턴크래프트, 팽크허스트, 포셋은 모두 영국에서 여성 참정권 운동을 전개한 인물들이다.

4 제1차 세계 대전의 영향과 각국의 성별 투표권 부여 시기는 '여성 투표권의 인정'이라는 주제에서 학습할 내용에 해당한다. 제1차 세계 대전으로 여성의 사회적 역할이 인정되기 시작하였으며, 이 같은 사실은 각국의 성별 투표권 부여 시기를 통해 확인 할 수 있다. 울스턴크래프트는 영국의 여성 운동가이다. 여성 참정권의 도입으로 보통 선거가 확대되며 민주주의가 더욱 확산되었다.

③ 비스마르크는 독일의 재상으로 '철혈 정책'을 주장하였다.

5 제시된 자료에서 옳은 사실을 말한 학생은 정이다. 제1차 세계 대전이 총력전으로 전개되면서 후방에서 산업에 동원되었던 여성과 노동자, 농민의 사회 참여가 늘어났다. 이는 여성 참정권 도입과 보통 선거의 확대로 이어졌다.
오답 확인 ① 프랑스에 관한 설명이다.
② 재산에 따른 참정권 제한 조치는 점차 폐지되었다.
③ 팽크허스트와 포셋은 대표적인 여성 참정권 운동가이다.
⑤ 유럽 대부분의 국가들은 20세기 전반 여성 참정권을 인정하였다. 19세기 초반에 유럽 여성들의 대다수는 정치에 참여할 권리가 없었다.

6 민주주의는 전체주의 세력의 등장으로 위협을 받게 되었다. 그러나 영국에서는 정당 정치가 안정적으로 유지되었고, 프랑스에서는 파시즘에 반대하는 세력들이 연합하여 선거에서 승리하였다.
오답 확인 ㄱ, ㄴ은 전체주의 체제와 관련된 설명이다. 이탈리아의 파시스트당과 독일의 나치당은 집권 후 일당 독재 체제를 구축하면서 선거를 악용하거나 시행하지 않았다.

7 영국의 공장법은 수차례의 개정 과정을 통해 아동과 여성의 노동 착취를 제한하였다.
오답 확인 ① 역사적 사실과 다른 내용이다.
② 영국의 제1차 선거법 개정(1832)에 대한 내용이다.
④ 제1차 세계 대전 당시 여성의 역할에 관한 설명이다.
⑤ 국제 노동 기구(ILO)에 관한 설명이다.

8 1919년 베르사유 조약을 바탕으로 국제 노동 기구(ILO)가 설립되었으며, 1일 8시간, 1주 48시간의 국제 표준 노동 시간이 마련되었다.
자료 해설 제시된 자료는 제1차 세계 대전 이후 개최된 파리 강화 회의에서 체결된 베르사유 조약이다. 독일에 대한 보복 조치가 담겨 있는 조약으로 유명하지만, 한편으로는 국제 노동 기구를 설립하여 노동 조건 개선에 힘을 썼다는 의의가 있다.

9 노동권에는 단결권, 단체 행동권, 단체 교섭권이 있으며, 20세기에 각국 정부는 노동권을 보장함으로써 노사 관계를 안정시키고자 하였다.
② 노동권에 따라 노동자들은 노동조합을 결성할 수 있다.

10 연금 제도, 가족 수당, 무상 의료, 출산 보조금은 사회 보장 제도와 관련이 있다.
③ 블록 경제는 대공황이 발생했을 당시 식민지를 통해 시장을 확보하여 위기에 대처하고자 하였던 경제 체제이다.

11 사회권은 인간다운 생활을 할 권리를 말한다. 참정권이 확대되고 사회권에 대한 인식이 생겨나면서 민주주의가 발전하였

다. 20세기에는 스웨덴의 사회 민주당과 영국의 노동당 등이 부상하면서 노동자 권리와 사회 보장 제도를 옹호하였으며, 「베버리지 보고서」는 사회 보장 제도를 통한 복지 국가 이념을 제시하였다. 1948년 국제 연합(UN)에서 채택한 「세계 인권 선언」에는 인권의 개념에 사회권이 포함되었다.
② 제1차 세계 대전은 총력전으로 전개되면서 전후 여성 참정권의 도입과 보통 선거의 확대로 이어졌다.

12 비스마르크는 독일의 재상으로 독일 통일에 기여한 인물이다. 철혈 정책을 주장하고 군비를 확대하였으며, 연금과 사회 보험 등 사회 보장 제도를 도입하였다.

13 (1) 제1차 세계 대전
(2) **예시 답안** 18세기 후반에는 울스턴크래프트가, 19세기 후반의 팽크허스트와 포셋 등이 여성 참정권 운동을 전개하였다. 영국의 에밀리 데이비슨은 달리는 국왕의 말에 뛰어들며 여성 참정권 부여를 주장하였다.

채점 기준	
상	제1차 세계 대전, 여성 참정권 운동가의 활동 내용 을 모두 명확히 서술한 경우
하	제1차 세계 대전, 여성 참정권 운동가의 활동 내용 중 한 가지만 서술한 경우

14 **예시 답안** 사회 보장 / 사회권은 인간다운 삶을 누릴 기본적인 권리를 말한다.

채점 기준	
상	사회 보장 제도, 사회권의 의미를 모두 명확히 서술한 경우
하	사회 보장 제도, 사회권의 의미 중 한 가지만 서술한 경우

3 인권 회복과 평화 확산을 위한 노력

되짚어 보자! 기본 **개념** ○ 154쪽

맥 잡는 연표 문제

1 ❶ 연맹 ❷ 난징 ❸ 연합 ❹ 도쿄

핵심 짚는 확인 문제

1 (1) 홀로코스트 (2) '위안부' (3) 난징 (4) 부전 조약

2 (1) × (2) × (3) ○ (4) ○

3 (1) 게토 (2) 평화의 소녀상 (3) 국제 연합(UN)

4 (1) ㉠ (2) ㉢ (3) ㉡

 키워 보자! 실력 **쑥쑥** ────── ○ 155~157쪽

1 ③ **2** ② **3** ② **4** ② **5** ⑤ **6** ④ **7** ④ **8** ② **9** ⑤
10 ② **11** ① **12** 해설 참조 **13** 해설 참조

1 제시된 자료의 그림은 피카소가 그린 「게르니카」이다. 나치즘은 국가를 위해 개인을 희생하는 전체주의 체제를 추구하였다. 당시에는 극단적인 민족주의와 인종주의 등이 유행하여 다른 민족과 인종에 대한 폭력을 정당화하였다.
오답 확인 ㄴ, ㄷ은 독일 나치즘의 대량 학살과 관련이 없는 내용이다.

2 독일의 홀로코스트와 일본의 난징 대학살은 모두 극단적인 민족주의와 결합된 전체주의가 배경이 되어 발생하였다.
오답 확인 ①은 난징 대학살, ④, ⑤는 홀로코스트에 관한 내용이다.
③ 두 사건 모두 제2차 세계 대전 당시에 발생하였다.

3 난징 대학살은 중·일 전쟁 중에 난징을 점령한 일본군이 중국인들을 학살한 사건이다. 일부 일본 역사학자들은 이 사실을 부정하고 있다.
오답 확인 ㄴ, ㄷ은 역사적 사실과 다른 내용이다.

4 일본은 1937년 수십만 명에 이르는 중국의 민간인과 전쟁 포로를 살해하는 난징 대학살을 일으켰다.
오답 확인 ①, ④, ⑤는 독일의 나치즘, ③은 소련과 관련된 내용이다.

5 일본군 '위안부'는 제2차 세계 대전 당시 일본군에 의해 '위안소'에 강제 동원되었던 여성 피해자들이다. 이는 일본이 전쟁을 통해 여성에 대한 폭력을 정당화하고 여성들의 인권을 침해한 사례이다. 일본군 '위안부'는 주로 조선, 중국 등 일본군이 주둔했던 지역의 여성들이 대상이 되었다.
⑤ 일본 정부는 군대와 정부의 책임을 정식으로 인정하지 않고, 사과와 보상만을 통해 문제를 해결하고자 하였다.

6 밑줄 친 '이 기구'는 국제 연합(UN)이다. 국제 연합(UN)은 안정 보장 이사회와 같은 각종 전문 기구들을 통해 국가들 간 협력을 지휘한다.
오답 확인 ①, ②, ③은 모두 제1차 세계 대전 이후 창설된 국제 연맹, ⑤는 파리 강화 회의에 관한 설명이다.

7 제1차 세계 대전 이후 국제 평화 유지를 위해 국제 연맹이 창설되었고, 제2차 세계 대전 후에는 국제 연맹의 한계를 보완하여 국제 연합(UN)이 창설되었다.

오답 확인 ① 국제 연합(UN)에만 해당하는 설명이다.
②, ③ 국제 연맹에만 해당하는 설명이다.
⑤ 두 기구와 관련이 없는 설명이다.

8 도쿄 전범 재판 당시 도조 히데키가 전쟁 책임자로 지목되었
다. 이 재판에서 도조 히데키 등 7명이 사형을 선고받았다.
오답 확인 ① 전쟁의 핵심 책임자인 히로히토 일본 천황은 재
판에 참석하지 않았다.
③ 제2차 세계 대전 후 일본에서 열렸다.
④ 생체 실험을 자행한 731부대는 처벌받지 않았다.
⑤ 독일의 전쟁 범죄자를 처벌하기 위한 전범 재판은 뉘른베
르크에서 열렸다.

9 제2차 세계 대전 이후 세계 평화를 위해 다방면의 노력이 이
루어졌다. 국제 사회는 국제 연합(UN)을 설치하여 국가 간
협력을 도모하고자 하였으며, 국제 전범 재판을 통해 전쟁 책
임자들을 처벌하고자 하였다. 유럽과 그 주변국은 유럽 통합
을 추진하였으며, 프랑스와 독일은 공동으로 역사 교과서를
제작하였다.
⑤ 국제 사회는 전쟁 책임자들을 모두 처벌하지 못했으며, 특
히 일본은 전쟁의 책임을 인정하고 있지 않아 관련 국가들 사
이에 여전히 역사 분쟁이 진행되고 있다.

10 독일의 빌리 브란트(당시 서독 총리)는 유대인 위령탑에서 나
치 독일의 잘못을 사죄하였으며, 통일 이후 독일은 아우슈비
츠 해방의 날을 '홀로코스트 기억의 날'로 지정하였다.

11 밑줄 친 '이곳'은 아우슈비츠 수용소이다. 수용소 가스실에서
는 유대인들이 대량으로 학살되는 등 나치당의 홀로코스트가
자행되었던 장소이다.
오답 확인 ㄷ, ㄹ은 일본군 '위안소'에 관한 설명이다.

12 (1) 홀로코스트
(2) 예시 답안 폴란드 아우슈비츠에서 유대인들이 차별받고 인
권을 침해당했으며, 대략 400~600만 명의 유대인들이 학살
당하였다.

채점 기준

| 상 | 홀로코스트, 아우슈비츠 수용소에 관한 내용을 모두 명확히 서술한 경우 |
| 하 | 홀로코스트, 아우슈비츠 수용소에 관한 내용 중 한 가지만 서술한 경우 |

13 예시 답안 야스쿠니 신사에는 제2차 세계 대전 당시 주요 전범
들의 위패가 안치되어 있다. 이곳에 일본 총리가 참배를 하는
것은 일본 군국주의의 침략성을 미화할 수 있는 행위이기 때
문에 국제적인 쟁점이 되고 있다.

채점 기준

| 상 | 제2차 세계 대전 전범 위패 안치, 침략 전쟁 미화를 모두 명확히 서술한 경우 |
| 하 | 제2차 세계 대전 전범 위패 안치, 침략 전쟁 미화 중 한 가지만 서술한 경우 |

정리해 보자! 대주제 탄탄 ————————○ 158~161쪽

1 ① 2 ⑤ 3 ④ 4 ⑤ 5 ② 6 ⑤ 7 ① 8 ① 9 ②
10 ② 11 ④ 12 ① 13 ④ 14 ③
15 해설 참조 16 해설 참조 17 해설 참조 18 해설 참조

1 3국 동맹과 3국 협상의 대립을 배경으로 발생한 사건은 제1
차 세계 대전이다. 당시 미국은 연합국 측으로 참전하였다.
루시타니아호 침몰 사건 이후 미국 내 참전 여론이 확산되었
으나 처음에 미국 정부는 중립을 고수하였다. 그러나 멕시코
가 독일과 함께 미국을 공격하려 한다는 치머만 전보가 알려
진 뒤에 결국 미국 정부는 여론의 뜻대로 참전을 결정하였다.
오답 확인 ② 제2차 세계 대전에 관한 설명이다.
③ 러시아는 3국 협상의 한 축으로 제1차 세계 대전 발발 초
반부터 전쟁에 가담하고 있었다.
④, ⑤는 제2차 세계 대전에 관한 설명이다.

2 (개)는 제1차 세계 대전이다. 제1차 세계 대전의 특징으로는 총
력전, 신무기의 등장, 참호전 등을 들 수 있다. 당시 제국주
의 국가들은 이미 점령하고 있던 식민지를 가혹하게 수탈하
여 전쟁에 이용하였다.
오답 확인 ㄱ. 제1차 세계 대전은 총력전으로 진행되었다. 후방
에서는 여성이 군수 물자를 생산하였다.

3 제시된 자료에 설명된 회의는 파리 강화 회의이다. 제1차 세
계 대전 후 승전국들은 파리 강화 회의를 개최하여 전후 처리
문제를 논의하였다. 이 회의에서 국제 연맹의 창설과, 베르사
유 조약의 내용 등이 논의되었다.

4 (개)는 제1차 세계 대전, (내)는 소비에트 정부이다. 제1차 세계
대전이 장기화되면서 러시아에서는 전쟁 중지와 전제 청치
타도를 요구하는 시위가 벌어졌고, 이에 차르가 퇴위하고 임
시 정부가 수립되었다. 하지만 임시 정부 역시 전쟁을 지속하
자, 마침내 레닌이 이끄는 볼셰비키가 임시 정부를 무너뜨리
고 소비에트 정부를 수립하였다.

5 레닌은 1917년 10월 혁명을 주도하여 볼셰비키 일당 독재 체제를 확립하였다. 이후 소비에트 사회주의 공화국 연방을 수립하였다.

6 5·4 운동 이후 중국의 민족주의가 크게 확대되었고, 국민당과 공산당은 군벌과 제국주의 타도를 위해 손을 잡았다.
오답확인 ① 당시 중국의 군벌 세력에 관한 내용이다.
② 5·4 운동이 계기가 되어 제1차 국·공 합작이 전개되었다.
③ 장제스가 공산당을 탄압하여 합작이 깨졌다.
④ 제1차 국·공 합작은 쑨원과 마오쩌둥이 협력한 결과이다.

7 이란의 리자 샤는 1925년 왕정을 폐지하고 팔레비 왕조를 수립하였다.

8 이집트는 와프드당을 중심으로 민족 운동을 전개한 끝에 1922년 영국으로부터 독립하였다.

9 제시된 자료와 같은 상황은 대공황이라고 한다. 대공황으로 인해 세계 각국에서 '실업률 증가, 소비 감소'의 악순환이 발생하였다. 또한 주가가 폭락하며 많은 기업과 은행이 도산하였다.
② 세계 경제에 큰 영향을 미치던 미국의 대공황의 여파는 세계 곳곳으로 파급되었다.

10 (가) 전쟁은 제2차 세계 대전이다. 제2차 세계 대전 당시 독일, 이탈리아, 일본이 추축국을 이루었다. 당시에는 홀로코스트와 같은 민간인 학살이 자행되기도 하였다. 전후 독일은 영국, 프랑스, 소련에 의해 분할 점령되었다. 전후 국제 사회는 전범 재판을 통해 전쟁 책임자를 처벌하였는데, 도쿄 전범 재판은 당시 세계정세에 의해 전쟁 책임을 추구하지 않는 방향으로 흘러 전쟁의 핵심 책임자인 히로히토 천황을 제외한 채 진행되었다.
② 제2차 세계 대전 중 독일이 독·소 불가침 조약을 파기하고 소련을 공격하였다.

11 지도상의 (가)은 영국, (나)은 프랑스이다. 영국에서는 1832년에 선거법 개정으로 중간 계급이 투표권을 부여받았으며, 이에 자극을 받은 노동자들도 참정권을 획득하기 위해 차티스트 운동을 벌였다. 프랑스에서는 파시즘에 저항하는 세력들이 연합하여 선거에서 승리한 바 있으며, 영국과 프랑스는 모두 20세기에 여성 참정권을 도입하였다.
④ 영국과 프랑스가 대공황 발생 당시 블록 경제를 형성한 것은 사실이지만, 이는 민주주의 확산과 관련이 없다.

12 영국 정부는 19세기 초부터 공장법을 제정하고 수차례 개정 과정을 거쳐 여성과 아동 노동 착취를 제한하고자 하였다.
오답확인 ② 여성 참정권 도입은 자료와 관련이 없다.
③ 여성 노동자를 보호하기 위해 노동 시간을 제한하였다.
④ 아동 노동 조건 개선을 위해 야간작업을 금지하였다.
⑤ 노동자들의 단결권 폐지는 영국의 공장법 제정과 관련이 없다.

13 제시된 자료는 제2차 세계 대전 때 나치즘이 설치하였던 아우슈비츠 수용소이다. 독일의 나치즘은 극단적 인종주의와 결합하여 유대인을 대량으로 학살하였다.
오답확인 ① 아우슈비츠의 대량 학살은 독일의 나치당에 의해 벌어졌다.
② 희생자 대부분은 유대인과 폴란드인이었다.
③ 난징 대학살에 관한 설명이다.
⑤ 이에 대한 책임을 묻는 재판은 뉘른베르크에서 열렸다.

14 제1차 세계 대전 이후 주요 국가들은 국제 연맹을 창설하고 전쟁에 가담하지 않겠다는 부전 조약에 참여하였다. 그러나 이는 제2차 세계 대전의 발발을 막지 못하였다.

15 (1) **예시답안** 뉴딜 정책 / 테네시강 유역 개발 공사와 같은 공공사업으로 일자리를 창출하고, 노동자의 권리를 보호하는 정책을 마련하였으며, 사회 보장 제도를 시행하였다.
(2) **예시답안** 영국은 블록 경제를 통해 식민지를 이용한 시장을 확보하였고, 독일은 새로운 시장을 확보하기 위해 무력으로 다른 나라를 침략하였다.

채점 기준	
상	뉴딜 정책의 내용, 영국·독일의 대응을 모두 명확히 서술한 경우
하	뉴딜 정책의 내용, 영국·독일의 대응 중 한 가지만 서술한 경우

16 **예시답안** 1차 선거법 개정은 중산 계급에게만 선거권을 부여하였으며, 여전히 노동자 계급에게 선거권이 부여되지 않았다. 4차 선거법 개정은 남성에 비해 여성의 참정권을 제한하였다는 한계가 있다.

채점 기준	
상	1차 선거법 개정, 4차 선거법 개정 내용의 한계를 모두 명확히 서술한 경우
하	1차 선거법 개정, 4차 선거법 개정 내용의 한계 중 한 가지만 서술한 경우

17 **예시답안** 사회권 / 현대 복지 국가에서 널리 인정받는 권리로, 인간다운 생활을 할 권리를 말한다.

채점 기준	
상	사회권, 사회권의 개념을 모두 명확히 서술한 경우
하	사회권만 서술한 경우

18 (1) **예시 답안** 제국주의 열강들은 각국의 이해관계에 따라 3국 동맹과 3국 협상을 형성하였고, 발칸반도에서는 범슬라브주의와 범게르만주의가 대립하였다.

(2) **예시 답안** ㉡ / 난징 대학살과 일본군 '위안부' 모두 제2차 세계 대전 당시 발생한 사건들이다.

채점 기준	
상	제1차 세계 대전의 배경과 민간인 피해 상황을 모두 명확히 서술한 경우
하	제1차 세계 대전의 배경, 민간인 피해 상황 중 한 가지만 서술한 경우

VI 현대 세계의 전개와 과제

1 냉전 체제와 제3 세계의 형성

 되짚어 보자! 기본 **개념** ───────○ 166쪽

맥 잡는 연표 문제

1 ❶ 트루먼 ❷ 베를린 ❸ 6 · 25 ❹ 베트남

핵심 짚는 확인 문제

1 (1) 마셜 계획 (2) 알제리 (3) 제3 세계 (4) 반둥

2 (1) × (2) ○ (3) ○ (4) ○

3 (1) 냉전 (2) 아프리카의 해 (3) 「평화 5원칙」

4 (1) ㉡ (2) ㉣ (3) ㉠ (4) ㉢

 키워 보자! 실력 **쑥쑥** ───────○ 167~169쪽

1 ① 2 ⑤ 3 ④ 4 ① 5 ② 6 ④ 7 ③ 8 ④ 9 ③
10 ③ 11 ② 12 ③ 13 ③ 14 해설 참조 15 해설 참조

1 제2차 세계 대전 이후 미국 중심의 자본주의 진영과 소련 중심의 공산주의 진영이 무력을 사용하지 않으면서 대립하였는데, 이러한 상태를 냉전(Cold War) 체제라고 한다.

2 제시된 자료는 트루먼 독트린을 잘 보여 준다. 제2차 세계 대전 이후 동유럽에 공산주의 세력이 확산되자 미국은 이를 막기 위해 고심하였다. 미국은 트루먼 독트린을 발표한 후, 전쟁으로 파괴된 유럽 경제 재건을 위한 대대적인 원조 내용을 담고 있는 마셜 계획을 발표하였다.

3 미국은 소련을 중심으로 한 공산주의 세력의 확산에 대비하여 북대서양 조약 기구(NATO)라는 군사적 기구를 창설하였다. 소련은 이에 대응하기 위해 공산주의 국가들을 참여시켜 바르샤바 조약 기구를 조직하였다.

4 밑줄 친 '이 조치'는 베를린 봉쇄이다. 제2차 세계 대전 종료 후 독일은 소련이 점령한 동독과 미국 · 영국 · 프랑스가 점령한 서독으로 나뉘었다. 수도 베를린은 동독 안에 있었으나, 서베를린은 연합국 관할이었다. 이후 화폐 문제로 소련과 연합국은 갈등을 빚게 되고, 이에 소련은 1948년 베를린으로

통하는 길을 모두 막는 베를린 봉쇄 정책을 시행하였다.

5 중국에서는 1945년 이후 국민당과 공산당의 내전이 발생하였고, 그 결과 패배한 국민당은 타이완으로 밀려났다. 한편 6·25 전쟁에서는 미군과 유엔군이 참전하자, 중국군도 참전하였다.

6 제시된 자료는 미국 대통령 케네디의 연설문으로 쿠바 미사일 위기에 관한 것이다. 1962년에 소련이 쿠바에 미사일 기지를 설치하였고, 이에 미국과 소련은 핵전쟁 발발 직전 상황까지 치달았다.

7 제시된 자료와 관련된 전쟁은 베트남 전쟁이다. 베트남 전쟁은 공산당이 지배하는 북베트남과 미국의 지원을 받은 남베트남 사이에서 발생한 전쟁이다. 이 전쟁은 남베트남이 북베트남에 항복하면서 종료되었다.
　오답 확인 ㄴ은 6·25 전쟁, ㄷ은 쿠바 미사일 위기에 관한 설명이다.

8 (가)에 들어갈 단어는 아프리카이다. 가나의 독립을 시작으로 1960년 한해에 아프리카 대륙의 17개국이 독립하였다.

9 빈칸에 들어갈 단어는 제3 세계이다. 미국을 중심으로 한 자본주의 진영을 제1 세계, 소련을 중심으로 한 공산주의 진영을 제2 세계, 어디에도 속하지 않는 국가들을 제3 세계라고 불렀다. 제3 세계는 주로 아시아·아프리카 지역에서 독립한 신생 국가들이 많았다.

10 「평화 5원칙」을 발표한 두 인물은 중국의 저우언라이, 인도의 네루이다.

11 1955년에 개최된 아시아·아프리카 회의에서는 「평화 10원칙」이 채택되었다. 이는 미국과 소련 중심의 냉전 체제를 완화하는 역할을 하였다.

12 제시된 선언문은 「평화 10원칙」이다. 제3 세계에서 발표한 이 원칙은 평화와 상호 존중의 내용을 기초로 하여 냉전에 기초한 세계 질서를 흔드는 데 큰 역할을 하였다.
　③「평화 5원칙」에 관한 설명이다.

13 1954년 저우언라이와 네루가 「평화 5원칙」을 발표한 이듬해에 인도네시아 반둥에서 아시아·아프리카 회의가 개최되었다. 반둥 회의라고 불리기도 하는 이 회의에는 29개의 국가가 참여하였고, 국제 분쟁의 평화적 해결과 상호 존중 등의 원칙을 제시한 「평화 10원칙」을 채택하였다.

14 (1) 냉전 체제

(2) **예시 답안** 냉전이란 직접적인 무력을 사용하지 않고 정치·군사·외교·경제적으로 국가들이 대립하는 국제적 긴장 상태를 뜻한다. 제2차 세계 대전 이후 미국 중심의 자본주의 진영과 소련 중심의 공산주의 진영이 대립하는 냉전 체제가 형성되었다.

채점 기준	
상	냉전 체제의 명칭, 정의를 모두 명확히 서술한 경우
하	냉전 체제의 명칭만 서술한 경우

15 (1) 「평화 5원칙」
(2) **예시 답안** 「평화 5원칙」은 상호 존중과 평화 공존을 주요 내용으로 하였다.

채점 기준	
상	「평화 5원칙」 두 가지 주요 내용을 모두 명확히 서술한 경우
중	「평화 5원칙」을 썼으나 두 가지 주요 내용 중 한 가지만 서술한 경우
하	「평화 5원칙」만 서술한 경우

2 세계화와 경제 통합

되짚어 보자! 기본 개념 ────────○ 172쪽

맥 잡는 연표 문제

1 ❶ 닉슨 독트린 ❷ 베트남 ❸ 톈안먼 ❹ 독일

핵심 짚는 확인 문제

1 (1) 프랑스 (2) 독립 국가 연합(CIS) (3) 독일 (4) 획일화
2 (1) × (2) × (3) ○ (4) ×
3 (1) 페레스트로이카 (2) 톈안먼 사건 (3) 세계 무역 기구(WTO)
4 (1) ⓒ (2) ㉠ (3) ㉡ (4) ㉣

키워 보자! 실력 쑥쑥 ────────○ 173~175쪽

1 ① **2** ① **3** ② **4** ⑤ **5** ⑤ **6** ③ **7** ② **8** ④ **9** ⑤
10 ④ **11** ⑤ **12** ③ **13** ⑤ **14** 해설 참조 **15** 해설 참조

1 (가)에 들어갈 단어는 핑퐁 외교이다. 1971년 중국이 미국 탁구 선수단을 초청하여 탁구 경기를 가졌고, 그 이듬해에 닉슨이

마오쩌둥을 만났다. 탁구가 미·중 관계를 개선하는 징검다리 역할을 하였다고 하여 이를 '핑퐁 외교'라고 부른다.

2 닉슨 독트린 이후 미국은 베트남에서 미군을 철수하고 중국과의 관계를 개선하였다.
오답 확인 ㄷ. 유럽 공동체(EC)는 1967년 유럽에서 결성한 국제기구이다.
ㄹ. 소련, 중국 등에 관한 설명으로 미국과 관련이 없다.

3 ㈎에 들어갈 단어는 다극이다. 다극 체제란 미·소 중심의 양극 체제에서 벗어나 다양한 국가, 지역들이 서로 대립하는 정치 체제를 말한다.

4 밑줄 친 '이 사람'은 소련의 고르바초프이다. 고르바초프는 개혁과 개방 정책을 내세우며 일당 독재를 완화하고 시장 경제를 도입하였다.

5 밑줄 친 '이 사건'은 베를린 장벽의 붕괴이다. 1989년 서베를린과 동베를린을 나누었던 베를린 장벽이 무너지고 이듬해인 1990년 독일은 통일되었다.

6 ㈎는 덩샤오핑이다. 덩샤오핑은 1976년 이후 권력을 잡고 실리주의에 입각한 개혁·개방 정책을 펼쳤다.

7 밑줄 친 '이 기구'는 유럽 연합이다. 유럽 연합 즉, European Union의 약자는 EU이다.

8 ㈎ 경제 체제는 신자유주의 경제 체제이다. 신자유주의 경제 체제는 정부의 역할을 줄이고 여러 가지 규제를 없애고자 한 경제 체제이다. 또한 사회 복지 예산도 줄이고 수도, 전기 등 공공 서비스를 제공하는 공공 기관들을 민영화하였다.
④ 사유 재산을 인정하지 않는 것은 공산주의의 특징으로 신자유주의와 관련이 없다.

9 1995년에 발족한 세계 무역 기구(WTO)는 국제 무역 분쟁을 조정하고 관세의 인하를 요구하면서 자유 무역을 촉진하였다.
⑤ 자유 무역을 제한하여 경제가 약한 국가에 도움을 준다는 설명은 세계 무역 기구와 관련이 없다.

10 제시된 자료는 냉전 이후 전개된 세계화 흐름 속에서 나타난 지역별 경제 협력체를 보여 주고 있다.
오답 확인 ①, ③ 이 지도를 통해서는 아프리카와 아랍의 경제 상황을 알 수 없다.
② 미·소 중심의 양극 체제가 해체되는 모습과 관련이 있다.
⑤ 가장 넓은 지역에 아시아·태평양 경제 협력체의 모습이 나타나는 것은 사실이지만, 이 단체가 세계 경제를 좌우하고 있다는 표현은 사실과 다르다.

11 세계화가 본격화하면서 기업은 국가를 초월하여 국외에 공장을 건설하고, 노동자들도 일자리를 찾아 다른 나라로 이주하였다. 그런 가운데 자본이 빠져나간 나라에서는 일자리 부족 사태가 발생하였고, 노동자들이 유입된 나라에서는 외국인 노동자 이주에 따른 사회 문제 등이 나타나기도 하였다.
⑤ 세계화로 인해 자본과 노동이 국제적으로 이동하며 세계 시장의 통합이 가속화하였다.

12 세계화로 각국의 문화가 융합되면서 새로운 문화가 형성되었고, 이에 사람들은 다양한 문화를 누릴 수 있게 되었다. 그러나 문화 획일화와 문화 소멸 현상이 발생하였으며, 각국의 문화 차이로 인해 문화 갈등이 증대되는 문제점도 나타났다.
③ 특정 문화가 확산되어 각 문화의 여러 부분이 서로 비슷해지는 것은 문화 획일화 현상이다.

13 1995년에 세계 무역 기구(WTO)가 발족되었다. 1989년 아시아·태평양 지역의 경제 협력 증대를 위해 아시아·태평양 경제 협력체(APEC)가 결성되었다. 1967년 유럽 공동체(EC)가 발족되었다. 1994년에 유럽 공동체(EC)는 유럽 연합(EU)으로 거듭났다.
⑤ 라틴 아메리카에서 결성된 경제 협력체는 라틴 아메리카 통합 기구(ALADI)이다.

14 (1) 닉슨 독트린
(2) **예시 답안** 닉슨 독트린 선언 이후 미국은 베트남에서 군대를 철수하였으며, 중국과의 관계를 개선하였다.

채점 기준	
상	베트남전 철수, 중국과의 관계 개선을 모두 명확히 서술한 경우
하	베트남전 철수, 중국과의 관계 개선 중 한 가지만 서술한 경우

15 **예시 답안** 문화 획일화와 문화 소멸 현상이 발생하고, 각국의 문화 차이로 인한 문화 갈등이 증대되는 문제점도 나타나고 있다.

채점 기준	
상	문화 획일화, 문화 소멸 현상, 문화 갈등 모두 명확히 서술한 경우
중	문화 획일화, 문화 소멸 현상, 문화 갈등 중 두 가지만 서술한 경우
하	문화 획일화, 문화 소멸 현상, 문화 갈등 중 한 가지만 서술한 경우

정답과 해설

3 탈권위주의 운동과 대중문화의 발달

되짚어 보자! 기본 개념 ○ 178쪽

맥 잡는 연표 문제

1 ❶ 베트남 전쟁 ❷ 68 ❸ 우드스톡 ❹ 스마트폰

핵심 짚는 확인 문제

1 (1) 민주화 (2) 에스파냐 (3) 녹색당 (4) 대중문화

2 (1) ○ (2) ○ (3) ○ (4) ×

3 (1) 히피 문화 (2) 대중 사회

4 (1) ⓒ (2) ⓛ (3) ⓞ (4) ⓔ

키워 보자! 실력 쑥쑥 ○ 179~181쪽

1 ⑤ 2 ① 3 ② 4 ④ 5 ⑤ 6 ⑤ 7 ④ 8 ⑤ 9 ①
10 ① 11 ② 12 ④ 13 ② 14 해설 참조 15 해설 참조

1 제2차 세계 대전 이후 서양 세계는 놀라운 경제 성장을 이루었으며, 베이비 붐으로 인구도 급격히 증가하였다. 전쟁을 겪은 부모 세대는 자식의 교육에 많은 투자를 하였으며, 이로 인해 대학 교육도 크게 확대되었다.
⑤ 제2차 세계 대전 이후 성장한 청년들은 대중문화를 소비하면서 자유분방한 청년 문화를 형성하였다.

2 제시된 자료와 관련된 문화는 청년 문화이다. 청년 문화는 청년들이 대중문화를 소비하면서 형성되었으며, 그 상징으로는 장발, 청바지 팝송(로큰롤) 등이 있다.
오답 확인 ㄷ. 청년 문화는 규율과 통제에서 벗어난 문화이다.
ㄹ. 친사회적인 행동은 청년 문화의 성격과는 거리가 멀다.

3 밑줄 친 '이 문화'는 히피 문화이다. 1960~1970년대 미국 청년층 사이에서는 전쟁과 물질주의를 비판하고 탈사회적 행동을 하는 히피 문화가 유행하였다. 당시 젊은이들은 짧은 머리를 강요하는 군대를 거부하는 표현으로 장발을 하였다.
② 히피 문화는 기성세대의 억압과 관습적 도덕에 맞서 반사회적 행동을 하는 문화이다.

4 1968년 프랑스에서 대학생들은 대학 개혁과 민주화를 주장하며 대규모 시위에 나섰다. 이는 탈권위주의 운동으로 이어졌다.

④ 68 운동은 노동자들에게도 영향을 주었다. 노동자들은 임금 인상과 노동 조건 개선 등을 요구하며 파업을 일으켰다.

5 '이 나라'는 에스파냐이다. 에스파냐는 1936년 프란시스코 프랑코가 스페인 제2 공화국에 반대하여 쿠데타를 일으킨 이후 일당 독재 정권이 들어선 국가였다. 그런데 주변국인 프랑스에서 68 운동이 일어나자, 그 영향으로 일당 독재에 반대하는 시위가 전개되었다.

6 탈권위주의 운동의 결과로 대학이 개혁되고 노동 조건이 개선되었다. 또한 권위적인 문화가 완화되었고, 일상생활에서도 양성평등이 크게 진전되었다.
⑤ 68 운동의 결과로 직장의 수직적인 위계질서와 권위적인 문화가 완화되었다.

7 1960년대 이후 세계 각 지역에서 전개된 사회 운동으로는 민권 운동, 반전 운동, 여성 운동, 환경 운동을 들 수 있다.
④ 여성들은 68 운동 이전에도 여러 사회 운동에 참여하였으며, 68 운동을 전후하여 이전보다 더 광범위하고 치열하게 목소리를 내기 시작하였다.

8 1960년대 이후 세계 각 지역에서 다양한 사회 운동이 전개되었다. 이에 노동 운동이 중심이 된 사회 운동이 다양한 분야로 확산되었다.
오답 확인 ① 여성 운동은 강화되었다.
② 기성세대가 아니라 청년들의 문화가 형성되었다.
③ 탈권위주의 운동이 확산되었다.
④ 낡은 좌우 이념 대립의 정치 문화는 점점 쇠퇴하였다.

9 제시된 연설문을 발표한 인물은 마틴 루서 킹이다. 마틴 루서 킹은 흑인 차별을 반대하는 민권 운동을 주도하였다.

10 제시된 자료는 영국 록 그룹 비틀스의 앨범 자켓(좌)과 우드스톡 축제의 포스터로 대중문화를 상징한다.

11 팝 가수 '밥 딜런', 록 그룹 '롤링 스톤스', 할리우드 영화 '이유 없는 반항'과 '우리에게 내일은 없다'는 모두 대중문화의 상징으로 볼 수 있다.
② 살롱은 프랑스 귀족들이 만든 문화로 대중문화와는 관련이 없다.

12 (가)는 대중 소비 사회이다. 대중 소비 사회란 자본주의적 소비 영역이 크게 확대된 사회를 말한다. 탈권위주의와 대중문화의 흐름 속에서 청년과 여성, 노동자 등이 새로운 소비 주체로 등장하며 대중 소비 사회가 형성되었다.
오답 확인 ①, ② 엘리트 문화와 권위주의는 대중 소비 사회와 관련이 없다.

③ 대중 소비 사회는 자본주의 소비 영역이 확대된 사회이다.
⑤ 기업들이 소비 욕구를 자극하는 상품을 개발하고 각종 광고를 제작함으로써 대중 소비 사회가 형성되었다.

13 밑줄 친 내용에 해당하는 사진 자료로는 미국 내 반전 운동 사진을 들 수 있다.
오답확인 ①은 1968년 파업에 참여한 여성 노동자들, ③은 영국 록 그룹 롤링 스톤스, ④는 반핵 운동의 상징, ⑤는 미국 포크 가수 밥 딜런의 사진이다.

14 (1) 68 운동
(2) 예시 답안 대학 개혁과 민주화를 주장하였다.

채점 기준	
상	68 운동, 대학 개혁, 민주화를 모두 명확히 서술한 경우
중	68 운동, 대학 개혁, 민주화 중 두 가지를 서술한 경우
하	68 운동, 대학 개혁, 민주화 중 한 가지만 서술한 경우

15 예시 답안 전통문화와 정신적 가치가 급속히 파괴되었으며, 물질적 가치를 중시하는 경향이 나타났다. 또한 미국 문화의 확산으로 문화 획일화 현상이 나타났다.

채점 기준	
상	전통문화와 정신적 가치 파괴, 물질적 가치 중시, 문화 획일화를 모두 명확히 서술한 경우
중	전통문화와 정신적 가치 파괴, 물질적 가치 중시, 문화 획일화 중 두 가지를 서술한 경우
하	전통문화와 정신적 가치 파괴, 물질적 가치 중시, 문화 획일화 중 한 가지만 서술한 경우

4 현대 세계의 문제 해결을 위한 노력

되짚어 보자! 기본 **개념** ──────── ○ 184쪽

맥 잡는 연표 문제

1 ❶ 카슈미르 ❷ 유고슬라비아 ❸ 「교토 의정서」
❹ 센카쿠 열도(댜오위다오)

핵심 짚는 확인 문제

1 (1) 지구 온난화 (2) 핵 확산 금지 조약(NPT) (3) 지속 가능한 발전

2 (1) × (2) ○ (3) ○ (4) ○

3 (1) 남북문제 (2) 평화 유지군(PKO)

4 (1) ㉣ (2) ㉢ (3) ㉡ (4) ㉠

키워 보자! 실력 **쑥쑥** ──────── 185~187쪽

1 ⑤ **2** ① **3** ② **4** ⑤ **5** ② **6** ① **7** ③ **8** ① **9** ④
10 ⑤ **11** ④ **12** ④ **13** 해설 참조 **14** 해설 참조

1 제2차 세계 대전 이후 예술 때문에 분쟁이 일어난 경우는 거의 없다. 오히려 예술과 스포츠 등은 국가 간의 통합과 평화를 이끌어 가는 경우가 많다.

2 제시된 자료의 분쟁에 공통적으로 해당하는 원인은 인종이다. 유고슬라비아 지역에서는 공산주의 정권이 붕괴된 이후 역사적·정치적 갈등을 토대로 '인종 청소'로 일컬어지는 대규모 학살이 전개되었다. 제국주의 국가들의 지배 시기부터 갈등이 있었던 르완다 지역의 후투족과 투치족은 1960년대부터 내전을 전개하였다. 수백만 명이 학살된 이 내전에서 투치족이 승리하였고 후투족은 뿔뿔이 흩어졌다.

3 ㈎는 인도, ㈏는 파키스탄이다. 카슈미르 지역에서는 이슬람교도가 다수를 차지하는 북서부 카슈미르 지역이 인도에 강제로 편입되는 과정에서 파키스탄의 이슬람교도와 인도의 힌두교도 간에 분쟁이 나타났다.

4 밑줄 친 '이 지역'은 센카쿠 열도(댜오위다오)이다. 센카쿠 열도는 청·일 전쟁 중 일본이 주인 없는 땅으로 여겨 강제 편입한 섬이다. 이로 인해 중국과 일본 간에 영토와 바다를 둘러싼 갈등이 발생하였다.

5 빈칸에 공통적으로 들어갈 단어는 난민이다. 난민은 박해나 분쟁 등을 피해 다른 지역으로 탈출하는 사람들을 칭하며, 대표적인 예로는 미얀마의 로힝야족이 있다.

6 ㈎는 독일, ㈏는 시리아이다. 2015년 시리아 난민 아일란 쿠르디가 숨진 채 발견되면서 독일 내부에서는 난민 문제를 둘러싸고 찬반 논란이 심화되었다.

7 ㈎는 다르푸르이다. 수단 다르푸르 지역의 분쟁은 가뭄과 사막화로 주변 지역을 침범한 아랍계 유목민들과 아프리카계 간과 갈등이다.

8 남북문제는 선진국이 집중된 북반구와 개발 도상국이 집중된 남반구 사이에 경제 격차가 벌어지는 문제를 말한다. 이것은 경제 문제로 환경 문제라고 볼 수 없다.

9 국제 사회는 핵 확산 금지 조약(NPT)를 맺어 핵 개발을 통제하고 있으며, 현대 세계의 여러 문제를 해결하기 위해 국제기

정답과 해설

구를 구성하였다. 개인과 민간단체는 반전 운동을 전개하는 등 세계 평화를 추구하고 있는데, 헝가리 부다페스트에서 전개된 이라크 침공 반대 운동이 대표적이다.
④ 평화 유지군(PKO)를 파견하는 국제기구는 국제 연합(UN)이다.

10 지속 가능한 발전에 관한 정의이다.

11 제시된 자료는 「교토 의정서」 내용의 일부이다. 이 의정서는 기후 변화 협약에 따른 온실가스 감축 목표에 관한 의정서이다. 1997년에 채택되었고, 2005년에 공식으로 발효되었다.

12 ㈜는 센카쿠 열도(댜오위다오)로 일본과 중국이 분쟁을 벌이고 있는 지역이다.
[오답 확인] ① ㈎는 카스피해로, 그 동쪽에 있는 아랄해 주변 지역이 사막화되고 있다.
② ㈏는 카슈미르로, 인도와 파키스탄의 분쟁 지역이다.
③ ㈐는 난사 군도로 주변국의 분쟁 지역이다.
⑤ ㈑는 쿠릴 열도로 러시아와 일본이 분쟁을 벌이고 있다.

13 (1) 지구 온난화 현상
(2) **예시 답안** 산업화와 도시화가 급속하게 진행되는 과정에서 화석 연료 사용이 급증하고 삼림 파괴가 심해졌기 때문이다.

[채점 기준]

상	지구 온난화 현상, 산업화, 도시화, 화석 연료 사용 급증, 삼림 파괴를 모두 명확히 서술한 경우
중	지구 온난화 현상을 썼으나 산업화, 도시화, 화석 연료 사용 급증, 삼림 파괴 중 두 가지만 서술한 경우
하	지구 온난화 현상만 서술한 경우

14 **예시 답안** 남북문제란 선진국이 집중 분포된 북반구와 개발 도상국이 집중 분포된 남반구 사이에 경제 격차가 점점 더 벌어지는 문제를 말한다.

[채점 기준]

상	선진국, 북반구, 개발 도상국, 남반구, 경제 격차를 모두 명확히 서술한 경우
하	선진국, 북반구, 개발 도상국, 남반구, 경제 격차 중 두 가지만 서술한 경우

정리해 보자! 대주제 **탄탄** ●━━━━━━━● 188~191쪽

1 ④ **2** ② **3** ④ **4** ④ **5** ④ **6** ④ **7** ④ **8** ④ **9** ⑤
10 ③ **11** ② **12** ④ **13** ⑤ **14** ③ **15** ⑤ **16** ① **17** ④
18 해설 참조 **19** 해설 참조 **20** 해설 참조 **21** 해설 참조

●━━━━━━━━━━━━━━━━━━━━━━━━━━━━━●

1 제시된 자료는 미국 대통령 트루먼의 의회 연설문으로 트루먼 독트린을 보여 준다. 미국은 트루먼 독트린에 따라 유럽 경제 재건을 원조하는 마셜 계획을 추진하였다.

2 제시된 자료의 설명에 해당하는 정치 체제는 냉전 체제이다. 냉전 체제는 미국 중심의 자본주의 진영과 소련 중심의 공산주의 진영이 직접적으로 무력을 사용하지 않고 대립하던 정치 체제를 이른다.

3 북대서양 조약 기구(NATO)는 냉전 시기 미국에 의해 창설되었다.

4 중국의 공산화는 1949년, 6·25 전쟁 발발은 1950년, 쿠바 미사일 위기는 1962년, 베트남 전쟁의 발발은 1964년이다.

5 제2차 세계 대전 이후 인도가 영국으로부터 독립하며 인도, 파키스탄으로 분리되었다. 또한 필리핀, 미얀마, 인도네시아, 알제리 등도 독립을 이루었다.
④ 이란의 팔레비 왕조는 제1차 세계 대전 직후인 1925년에 수립되었다. 팔레비 왕조는 제2차 세계 대전 당시 영국과 소련에 다시 점령당하였다.

6 ㈎에 들어갈 단어는 베트남 전쟁이다. 미국은 닉슨 독트린 이후 베트남에서 군대를 철수하였다.

7 유고슬라비아의 독자 노선 천명, 서독과 일본의 경제 성장, 소련과 중국의 노선 분쟁, 프랑스의 북대서양 조약 기구(NATO) 탈퇴는 다극 체제에 관한 설명으로 볼 수 있다.
④ 중국의 공산화는 자본주의 진영과 공산주의 진영의 양극 체제와 관련이 깊은 것으로, 다극 체제와는 관련이 없다.

8 제시된 지도는 소련에 속해 있던 여러 국가들이 독립을 선언하게 된 이후의 상황이다. 결국 소련은 1990년대 들어 완전히 해체되고 독립 국가 연합(CIS)이 출범하였다.

9 마오쩌둥은 급진적 사회주의 경제 정책이 실패하며 정치적으로 위기에 빠지자 문화 대혁명을 일으켰다.

10 덩샤오핑은 마오쩌둥 사후 집권하여 실리주의에 입각한 개혁·개방 정책을 실시하였다.

11 ㈎는 세계화, ㈏는 국제 무역 기구(WTO)이다.

12 세계화로 인해 특정 문화가 다른 지역으로 확산되면서 문화 획일화 현상과 소멸 현상이 발생하고 있다.
④ 소수의 전통문화가 이전보다 잘 지켜진다는 설명은 사실과 다르다.

13 히피 문화는 극단적 자유와 탈사회적 행동을 추구하며, 전쟁과 물질주의를 비판하는 문화이다. 1960~1970년대 미국 청년층 사이에서 유행하였다.
⑤ 제2차 대전 직후의 부모 세대, 즉 기성세대의 특징에 가까운 설명이다.

14 ㈎ 정당의 명칭은 녹색당이다.

15 제시된 자료는 영국 록 그룹 비틀스의 앨범 재킷으로 대중문화를 상징한다. 탈권위주의와 대중문화의 흐름 속에서 여성, 노동자 등 새로운 계층들이 영향력을 확대하며 새로운 소비 주체로 등장하였다.
오답 확인 ① 대중 소비 사회가 형성되었다.
② 코카콜라와 할리우드 영화로 대표되는 미국 문화가 전 세계에 확산되었다.
③, ④ 전통문화와 정신적 가치가 급속히 파괴되고 물질적 가치를 중시하는 경향이 확산되었다.

16 후투족과 투치족 간의 갈등으로 수백만 명이 학살된 지역은 르완다이다. 르완다 키갈리 지역에 가면 이를 추모하기 위한 르완다 추모관이 있다.

17 남북문제는 선진국이 집중 분포된 북반구와 개발 도상국이 집중 분포된 남반구 사이에 경제 격차가 벌어지는 경제 문제이다.

18 (1) 「평화 10원칙」 / 아시아·아프리카 회의(반둥 회의)
(2) **예시 답안** 국제 분쟁의 평화적 해결과 상호 존중의 원칙을 주장하였다.

채점 기준	
상	「평화 10원칙」, 아시아·아프리카 회의, 국제 분쟁의 평화적 해결, 상호 존중의 원칙을 모두 명확히 서술한 경우
중	「평화 10원칙」, 아시아·아프리카 회의를 썼으나 국제 분쟁의 평화적 해결, 상호 존중의 원칙 중 한 가지만 서술한 경우
하	「평화 10원칙」, 아시아·아프리카 회의만 서술한 경우

19 (1) **예시 답안** 공산당 일당 독재 체제와 통제 경제 체제가 강화되면서 권력이 소수 관료에게 집중되고 경제가 정체되었다.

(2) 개혁(페레스트로이카)과 개방(글라스노스트) 정책

채점 기준	
상	개혁과 개방 정책, 일당 독재 체제, 통제 경제 체제를 모두 명확히 서술한 경우
중	개혁과 개방 정책, 일당 독재 체제, 통제 경제 체제 중 두 가지만 서술한 경우
하	개혁과 개방 정책만 서술한 경우

20 (1) 신자유주의
(2) **예시 답안** 자유 시장을 중시하며, 정부의 역할을 줄이고 사회 복지 예산도 줄이고자 하는 입장이다.

채점 기준	
상	신자유주의, 시장·정부·사회 복지 예산에 대한 신자유주의의 입장을 모두 명확히 서술한 경우
중	신자유주의를 썼으나 시장·정부·사회 복지 예산에 대한 신자유주의의 입장을 두 가지만 서술한 경우
하	신자유주의만 서술한 경우

21 **예시 답안** 이슬람교도가 다수를 차지하는 북서부 카슈미르 지역이 인도에 강제로 편입되는 과정에서 파키스탄의 이슬람교도와 인도의 힌두교도 간에 분쟁이 발생하였다.

채점 기준	
상	카슈미르의 인도 편입, 종교 갈등을 모두 명확히 서술한 경우
하	카슈미르의 인도 편입, 종교 갈등 중 한 가지만 서술한 경우

MEMO

2015 개정 교육과정

학교시험대비 평가 시리즈

금평아 놀자!

중학 **역사①** 평가문제집

정답과 해설